Titre original : *Airman*

Édition originale publiée par The Penguin Group, 2008
© Eoin Colfer, 2008, pour le texte
© Éditions Gallimard Jeunesse, 2008, pour la traduction française
© Éditions Gallimard Jeunesse, 2011, pour la présente édition

Eoin Colfer

Traduit de l'anglais
par Philippe Giraudon

GALLIMARD JEUNESSE

Pour Declan Dempsey

Prologue

Conor Broekhart était né pour voler, ou plus exactement il était né en volant. Bien que sa légende soit émaillée d'anecdotes invraisemblables, l'histoire de son premier vol durant l'été 1878 serait la plus incroyable de toutes, n'étaient les milliers de témoins présents ce jour-là. De fait, on peut lire un compte rendu de sa naissance à bord d'un ballon dirigeable dans les archives d'un journal français, *Le Petit Journal**, que chacun peut consulter contre une somme modique à la *Bibliothèque nationale**.

L'article est surmonté d'une photo pâlie en noir et blanc. Remarquablement nette pour l'époque, elle a été prise par un journaliste qui se trouvait par hasard dans les jardins du Trocadéro au moment des faits.

On y reconnaît sans peine le capitaine Declan Broekhart, de même que son épouse, Catherine. Lui a fière allure, dans son uniforme rouge et or de tireur d'élite des îles Salines. Elle est sous le choc, mais souriante. Et

---

* Les mots en italique suivis d'un astérisque sont en français dans le texte.

le petit Conor est là, bien à l'abri dans les bras de son père. Il arbore déjà la tignasse blonde des Broekhart et le grand front intelligent de sa mère. Alors qu'il n'a guère que dix minutes de vie derrière lui, un jeu de lumière ou quelque bizarrerie photographique donne l'impression que ses yeux sont grands ouverts. C'est impossible, naturellement. Mais imaginez que ce soit vrai : la première vision du nouveau-né aurait été celle d'un ciel français sans nuages, défilant à toute allure. Rien d'étonnant qu'il soit devenu ce qu'on sait.

PARIS, ÉTÉ 1878

Avec plus de mille exposants venus des quatre coins du monde, l'Exposition universelle promettait d'être la plus spectaculaire qu'on ait jamais vue.

Le capitaine Declan Broekhart avait quitté les îles Salines pour la France à la demande expresse de son roi. Catherine avait souhaité l'accompagner, car elle était la scientifique de la famille et désirait vivement visiter la fameuse *Galerie des Machines* *, où étaient présentées des inventions annonçant un avenir meilleur. Le roi Nicholas les avait envoyés à Paris afin d'étudier la possibilité de mettre sur pied une escouade de ballons pour son royaume.

Le troisième jour de leur voyage, le couple descendit l'avenue de l'Opéra en boghei pour aller assister à une démonstration de vol en aérostat de la Section aéronautique dans les jardins du Trocadéro.

– Tu le sens ? demanda Catherine en plaçant la main

de son époux sur son ventre. Notre fils donne des coups de pied pour se libérer. Il brûle d'envie de voir toutes ces merveilles de ses propres yeux !

– Il ou elle devra patienter, répliqua Declan en riant. Le monde sera toujours là dans six semaines.

Quand les Broekhart arrivèrent aux jardins du Trocadéro, ils trouvèrent l'escadron aéronautique à l'ombre de la statue de la Liberté, ou plutôt de sa tête. La statue devait être offerte aux États-Unis une fois achevée, mais pour l'instant seul le visage de Dame Liberté était présenté au public. À côté de l'effigie de cuivre, la plupart des autres objets exposés paraissaient minuscules. On restait stupéfait à l'idée de la taille colossale qu'aurait la statue complète quand elle monterait enfin la garde à l'entrée du port de New York.

L'escadron aéronautique avait gonflé un ballon dirigeable sur une pelouse et tenait poliment à distance la foule à l'aide d'un cordon de velours. Declan Broekhart se dirigea vers le soldat en faction et lui tendit le pli cacheté contenant la recommandation de l'ambassadeur de France aux îles Salines. Quelques minutes plus tard, Victor Vigny, le capitaine de l'escadron, les rejoignit.

Vigny était un homme bronzé, au corps souple et au nez de travers. Ses cheveux d'un noir de jais se dressaient sur sa tête comme les poils raides d'un balai.

– *Bonjour**, capitaine Broekhart, dit-il en ôtant un de ses gants blancs pour serrer chaleureusement la main de l'officier salinois. Nous vous attendions.

Il poursuivit en s'inclinant profondément :

— Et voici certainement Mme Broekhart...

Il feignit de parcourir la lettre d'un air troublé.

— *Madame* *, rien dans ce message n'indique combien vous êtes belle.

Le sourire du Français était si charmant qu'il fut impossible aux Broekhart de se sentir offensés.

— Eh bien, capitaine, dit Vigny en désignant son ballon d'un geste théâtral. Je vous présente le *Soleil* *. Comment le trouvez-vous ?

Le dirigeable était magnifique. Son enveloppe de forme allongée était dorée et oscillait doucement au-dessus de sa nacelle habillée de cuir. Cependant ce n'était pas la décoration mais les caractéristiques techniques qui intéressaient Declan Broekhart.

— Il est un peu plus pointu que ceux que j'ai déjà vus, observa-t-il.

— *Aérodynamique* *, le corrigea Vigny. Il vogue dans le ciel aussi suavement que son homonyme.

Catherine abandonna le bras de son mari.

— Un mélange de coton et de soie, dit-elle en renversant la tête en arrière pour examiner le ballon. Et la nacelle a deux hélices. C'est du beau travail. Quelle est sa vitesse de croisière ?

Vigny fut surpris d'entendre ces commentaires techniques dans la bouche d'une femme, mais il se remit rapidement de son étonnement et répondit avec naturel :

— Il fait du quinze kilomètres à l'heure. Avec l'aide de Dieu et d'une bonne brise.

Catherine souleva un coin du revêtement de cuir, sous lequel apparut le panier.

– De l'osier tressé, constata-t-elle. Un excellent amortisseur.

Vigny était ravi.

– Oui, *absolument* *. Ce panier pourra tenir cinq cents heures dans le ciel. Les vanneries françaises sont les meilleures du monde.

– *Très bien* *, dit Catherine.

Soulevant ses jupes, elle gravit les marches de bois menant à la nacelle avec une agilité remarquable pour une femme enceinte de huit mois. Les deux hommes s'avancèrent pour protester, mais elle ne leur laissa pas le temps de parler.

– J'en sais sans doute plus long que vous deux en matière d'aéronautique. Et je n'ai pas traversé la mer Celtique pour rester plantée sur un vulgaire gazon pendant que mon époux fera l'expérience d'une des merveilles du monde.

Elle fit cette déclaration avec un calme parfait, mais il aurait fallu être idiot pour ne pas comprendre que sa détermination était inébranlable.

Declan soupira.

– D'accord, Catherine. Si le capitaine Vigny vous donne sa permission.

En bon Français, Vigny se contenta de répondre par un haussement d'épaules qui signifiait qu'en fait de donner sa permission, il plaignait l'homme qui s'aviserait de s'opposer à la volonté de cette femme.

Catherine sourit.

– Bien, la cause est entendue. Nous partons ?

Le *Soleil* * leva l'ancre peu avant trois heures de l'après-midi et atteignit rapidement une altitude d'une cinquantaine de mètres.

— Nous sommes au Ciel, murmura Catherine en serrant la main de son mari.

Le jeune couple leva les yeux vers le ballon gonflé dont la soie miroitait sous la brise et étincelait au soleil. Des vagues dorées ondulaient à sa surface en grondant comme un tonnerre lointain.

À leurs pieds, les jardins du Trocadéro étaient des lacs vert émeraude d'où la tête de Dame Liberté surgissait comme quelque Titan de légende.

Vigny alimentait un petit moteur à vapeur afin de faire fonctionner les deux hélices. Par chance, le vent dominant écartait la fumée de la nacelle.

— Impressionnant, *non* * ? cria le Français par-dessus le vacarme du moteur. Combien pensez-vous en commander ?

Declan feignit de rester de marbre.

— Peut-être aucun. Je ne sais pas si ces petites hélices auraient la moindre efficacité face à un vent de l'océan.

Vigny s'apprêtait à défendre les mérites de son dirigeable à vapeur quand une détonation sourde retentit dans l'azur. Ce bruit était familier aux deux soldats.

— Un coup de feu, dit Vigny en scrutant la terre ferme.

— Un fusil, précisa Declan Broekhart d'un air sombre.

En tant que capitaine des tireurs d'élite des îles Salines, il n'avait guère de peine à l'identifier.

— Une arme à longue portée, ajouta-t-il. Peut-être un Sharps. Regardez, là-bas.

Un panache de fumée bleuâtre s'élevait sur la bordure ouest des jardins.

– C'est la fumée d'un fusil, constata Vigny. Je me demande quelle était sa cible.

– La réponse saute aux yeux, *monsieur* *, intervint Catherine d'une voix tremblante. Regardez au-dessus de vous. Le ballon.

Les deux hommes ne furent pas longs à repérer le trou dans l'enveloppe dorée. La balle était entrée vers le bas, à tribord, et était ressortie en haut du ballon, à bâbord.

– Comment se fait-il que nous ne soyons pas morts ? s'étonna Declan.

– Le projectile n'était pas assez puissant pour enflammer l'hydrogène, expliqua Vigny. Un obus incendiaire y serait parvenu.

Catherine était atterrée. Pour la première fois dans sa brève existence, elle avait vu la mort de près. Et pas seulement la sienne : en montant à bord de cette nacelle, elle avait mis en danger la vie de son enfant. Elle croisa les bras sur son ventre.

– Il faut que nous descendions. Vite. Avant que l'enveloppe se déchire.

Durant les minutes angoissantes qui suivirent, Vigny démontra ses talents d'aéronaute. Perché au bord de la nacelle, il saisit d'une main un étançon et de l'autre la corde de dégagement du gaz. D'un coup de botte, il poussa énergiquement la barre. Le *Soleil* * se mit à décrire un arc de cercle en douceur. Vigny entendait le faire atterrir à l'abri du cordon de velours.

Declan Broekhart resta près de sa femme. Si forte et obstinée qu'elle fût, son organisme avait été ébranlé par le coup de feu, au point de provoquer la naissance avant terme de son enfant. Se sentant en danger de mort, le corps avait estimé que le mieux pour le bébé était de faire son entrée dans le vaste monde.

Une douleur violente mit Catherine à genoux. Elle s'effondra en arrière, les mains pressées sur son ventre.

— Notre fils arrive, souffla-t-elle. Il refuse de patienter.

Vigny faillit tomber de son perchoir.

— *Mon Dieu* * ! Mais c'est impossible, *madame* *. Je ne puis autoriser un tel événement à bord. Je ne sais même pas si cela porte bonheur ou malheur. Il faudra que je consulte le manuel de l'aéronaute. Je ne serais pas surpris que nous ayons à sacrifier un albatros !

Le Français avait coutume de faire de l'esprit quand il était inquiet. Plaisanter au cœur du danger lui paraissait le propre du vrai *cavalier* *. Il n'en négligea pas pour autant ses fonctions et guida d'une main experte le dirigeable vers le lieu d'atterrissage prévu, en tirant habilement sur la corde de dégagement pour compenser les fuites de gaz.

Allongée au fond de la nacelle exiguë, Catherine se démenait pour accoucher. Sous l'effet de la douleur, sa jambe heurta involontairement le tibia de son époux. Le choc fut salutaire, car il tira Declan de son hébétude affolée.

— Que puis-je faire, Catherine ? demanda-t-il en se forçant à parler d'une voix ferme et d'un ton léger, comme si accoucher dans un aérostat en chute libre était la chose la plus naturelle du monde.

– Tiens-moi solidement, répondit-elle en serrant les dents. Et appuie-toi contre moi pour m'aider à pousser.

Declan s'exécuta tout en criant à Vigny par-dessus son épaule :

– Doucement, mon vieux ! Ne faites pas danser ce ballon !

– Adressez-vous au Tout-Puissant, rétorqua Vigny. C'est lui qui fait souffler le vent, pas moi.

Tout allait relativement bien. L'enveloppe était endommagée mais restait en état de marche. Les Broekhart étaient blottis sur le sol, absorbés par la tâche de mettre une vie au monde.

Ils allaient réussir. Vigny songeait déjà à la première gorgée du champagne qu'il comptait commander dès qu'il aurait mis pied à terre. À cet instant, deux détonations déchirèrent l'air. Les balles percèrent le ballon, et cette fois les dégâts furent plus sérieux. L'un des projectiles traversa l'enveloppe comme le précédent, mais l'autre entailla une couture si bien que l'étoffe se fendit rapidement jusqu'au sommet du ballon. L'air et le gaz s'échappèrent du dirigeable en détresse, avec des sifflements furieux de pythie prédisant un malheur imminent.

Vigny tomba tête la première dans la nacelle et rebondit contre le large dos de Declan Broekhart. À présent, ils étaient entre les mains de Dieu. L'enveloppe était trop endommagée pour que le Français puisse exercer le moindre contrôle sur la trajectoire de l'aérostat. Ils perdaient rapidement de l'altitude tandis que le ballon se dégonflait au-dessus de leurs têtes en claquant au vent.

Indifférents à leur propre destin, Catherine et Declan se concentraient sur celui de leur enfant.

– Je vois le bébé ! cria Declan au milieu des rafales. Il est presque à bon port, ma chérie.

Catherine fit taire en elle la voix du désespoir et poussa son enfant dans le vaste monde. Il arriva sans un cri, les mains tendues pour saisir les doigts de son père.

– C'est un garçon, dit Declan. Mon fils. Qu'il est fort !

Sans s'accorder un instant pour se remettre de cet accouchement express, Catherine se pencha en avant et agrippa la tunique de son époux.

– Tu ne peux pas le laisser mourir.

C'était un ordre, ni plus ni moins.

Vigny emmaillota le nouveau-né dans sa veste bleue de l'escadron aéronautique.

– Nous ne pouvons que prier, répliqua-t-il.

Declan Broekhart se hissa sur ses jambes et un coup d'œil lui suffit pour comprendre la gravité, à tous les sens du terme, de leur situation. Plus rien ne ralentissait la chute de la nacelle, qui se dirigeait vers l'est à vive allure, droit sur la tête de Dame Liberté. Tout choc violent entraînerait la mort du bébé, or il avait reçu l'ordre de ne pas permettre une telle issue. Mais comment l'empêcher ?

La chance les tira d'affaire, au moins provisoirement. Après avoir poussé son dernier soupir, l'enveloppe s'empala sur la troisième et la quatrième pointe de la couronne de Dame Liberté. L'étoffe se déchira, se tassa et resta bloquée entre les pointes, interrompant ainsi la chute mortelle de la nacelle.

— La Providence veille, murmura le capitaine Broekhart. Nous sommes épargnés.

La nacelle oscillait comme un balancier, en effleurant à chaque passage le bas de la joue de Dame Liberté. Le buste de cuivre se mit à résonner et les badauds affluèrent comme des fidèles appelés par les cloches d'une église. Catherine serra contre elle son bébé en amortissant de son mieux les vibrations. Les fils de l'enveloppe se déchiraient avec des claquements évoquant une fusillade.

— Le ballon ne tiendra pas, dit Vigny. Or nous sommes encore à sept mètres du sol.

Declan hocha la tête.

— Il faut nous arrimer à la statue, déclara-t-il.

Saisissant les ancres du *Soleil* *, il en lança une à Vigny.

— Je vous promets une caisse d'excellent vin rouge si vous atteignez la cible.

Vigny soupesa l'ancre.

— Je préférerais du champagne, si cela ne vous dérange pas.

Les deux hommes lancèrent leurs ancres entre les deux dernières pointes de la couronne de Dame Liberté. Ils visèrent juste, et les ancres heurtèrent les boucles de la statue avant de glisser vers le bas au milieu des étincelles provoquées par le frottement des surfaces métalliques. Chaque ancre s'accrocha à un

17

bout de la couronne et se fixa solidement. Declan et Vigny se hâtèrent de nouer les cordes dans les anneaux à l'avant et à l'arrière de la nacelle, afin qu'elles soient bien attachées.

Il était temps. Avec un sifflement strident d'oiseau de mer, l'étoffe du ballon s'arracha de la couronne de la statue et la nacelle s'affaissa brutalement d'un bon mètre, non sans mettre à rude épreuve l'estomac des passagers. Les cordes supportèrent le choc en gémissant, se tendirent mais tinrent le coup.

— Ma nacelle sert désormais de berceau à votre bébé, lança Vigny hors d'haleine. Du champagne. Ça s'impose. Le plus tôt sera le mieux.

S'accroupissant sous le rebord du panier, Declan tira sur la manche du Français pour qu'il suive son exemple.

— Votre chasseur pourrait avoir quelques balles en réserve, observa-t-il.

— C'est vrai, approuva Victor Vigny. Mais je pense qu'il s'est enfui. Nous ne sommes plus une cible aussi énorme, maintenant, et les *gendarmes** doivent déjà être à ses trousses. Je suppose qu'il s'agissait d'un anarchiste. Nous avions reçu des menaces.

Dans les jardins du Trocadéro, la foule entière affluait sous le ballon. Les gens étaient venus à l'Exposition universelle dans l'espoir de voir un spectacle, mais là ils avaient droit à l'aventure avec un grand A. L'escadron aéronautique appuya de longues échelles contre la nacelle afin de sauver les passagers du *Soleil** en détresse. Catherine descendit la première, avec l'aide du vaillant capitaine Vigny. Puis ce fut le tour du jeune père, tenant fièrement dans ses bras le bébé miraculeux. La foule retint son souffle et se pressa en avant. «Un enfant. Il n'y avait pourtant pas d'enfant dans la nacelle quand elle s'est envolée.» Il semblait que le monde n'eût encore jamais vu un nouveau-né.

«Songez qu'il est né en plein ciel! C'est l'enfant du miracle!»

Dames et messieurs se bousculaient sans vergogne pour apercevoir son visage angélique.

«Regardez, ses yeux sont ouverts. Il a les cheveux presque blancs. Peut-être un effet de l'altitude?»

Quelqu'un fit sauter le bouchon d'une bouteille de champagne, et un comte italien distribua à la ronde des cigares cubains. On aurait cru que l'assemblée tout entière fêtait la survie du bébé. Vigny agrippa la bouteille et but à longs traits.

– Parfait, soupira-t-il en la passant à Declan Broekhart. Cet enfant est magique. Comment allez-vous l'appeler?

Declan sourit, fou de bonheur.

– Je pensais à Engel. Il est venu du ciel, après tout. Et notre famille porte un nom flamand.

– Non, Declan, dit Catherine en caressant les cheveux blond pâle de son fils. Même si c'est un ange, il a le front de mon père. Il s'appellera Conor.

– Conor? s'exclama Declan avec une feinte indignation. Ce garçon est irlandais par ta famille et flamand par la mienne. Quel mélange!

Vigny alluma deux cigares, en passa un à l'heureux père.

– Ce n'est pas le moment de discuter, *mon ami** !

Declan hocha la tête.

– Aucune discussion n'est permise. Il s'appellera Conor. Un nom plein d'énergie.

Vigny fit résonner sous son doigt le menton de Dame Liberté.

– Quel que soit son nom, ce garçon doit beaucoup à la liberté.

C'était le second présage du jour. Conor Broekhart devrait un jour payer sa dette à la liberté. Le premier présage, bien entendu, était sa naissance aérienne. Peut-être serait-il devenu aviateur même sans l'épisode du *Soleil**, mais il est possible que quelque chose se soit éveillé en lui ce jour-là. Une fascination pour le ciel qui consumerait la vie entière de Conor Broekhart, et aussi l'existence de tout son entourage.

Quelques jours après cette naissance illustre, le capitaine Declan Broekhart et sa famille quittèrent la France pour retourner dans le minuscule État souverain des îles Salines, au large de l'Irlande.

Les îles Salines étaient gouvernées par la famille Trudeau depuis 1171, année où Henri II, roi d'Angleterre, les donna à Raymond Trudeau, un chevalier aussi ambitieux que puissant. Il lui jouait là un tour cruel, car ces îles n'étaient guère que des récifs infestés de mouettes. En confiant à Trudeau la charge de l'archipel, Henri tenait sa promesse de lui allouer un domaine irlandais tout en montrant clairement ce qui arrivait aux chevaliers trop entreprenants.

Comme Raymond Trudeau hasardait une objection, le roi lui adressa la Remontrance si souvent citée :

– Vous contestez la décision d'un représentant de Dieu, aurait-il déclaré. Peut-être *Monsieur* * Trudeau se considère-t-il lui-même propre à la dignité royale ? Qu'il en soit ainsi. Vous allez recevoir les îles Salines avec ma bénédiction, cependant vous n'en serez pas le baron, mais le roi. Sa Majesté Raymond Ier. Vous et vos descendants serez à jamais exemptés de dîmes et de tributs. Bien plus, vous aurez le droit de porter votre couronne à ma cour. Quoi que vous trouviez sur ces îles si fertiles, vous en serez le propriétaire légitime

Trudeau n'eut d'autre choix que de s'incliner en balbutiant des remerciements, même si la pilule était amère. Il s'agissait d'une terrible insulte, car les îles Salines n'avaient à offrir que des oiseaux de mer et leurs excréments. Presque rien n'y poussait du fait des embruns qui noyaient les deux îles lors des marées violentes et auxquels les Salines ne devaient d'autre richesse que leur nom.

Toutefois le sort de Raymond Trudeau n'était pas aussi infortuné qu'il le paraissait. Alors qu'il était exilé de fait dans son petit royaume, l'un de ses hommes, qui délogeait des mouettes de leur perchoir en faisant du feu, découvrit une étrange grotte luminescente. Cette grotte était un dépôt glaciaire de diamants. La plus grande mine jamais découverte, et la seule existant en Europe. Henri avait fait de Raymond Trudeau le maître du domaine le plus riche du monde.

Sept siècles plus tard, la famille Trudeau était toujours

au pouvoir, malgré plus d'une douzaine de tentatives d'invasion dues aux Anglais, aux Irlandais, et à des armées de pirates. Les célèbres murailles des îles Salines résistaient aux canons, aux balles et aux béliers, et les tireurs d'élite salinois avaient la réputation de pouvoir couper la moustache d'un pirate à plus de un kilomètre de distance. L'archipel ne connaissait que deux industries : les diamants et la défense.

La prison des Salines était pleine à craquer du pire assortiment de gibiers de potence que l'Irlande et la Grande-Bretagne pouvaient offrir. Ces bagnards travaillaient dans la mine de diamants, jusqu'à la fin de leur peine ou de leur vie – le dernier cas était le plus fréquent. Être envoyé sur l'île de Petite Saline revenait à être condamné à mort. Tout le monde s'en fichait. Depuis des siècles, les îles Salines faisaient la fortune d'un grand nombre de gens, lesquels n'avaient aucune envie de voir changer le statu quo.

Pourtant, le changement était en marche. Un nouveau souverain était monté sur le trône des Salines. Un Américain, Sa Majesté Nicholas Ier, qui était connu dans un nombre croissant de foyers comme « le bon roi Nick ». Après à peine six mois de pouvoir, le roi Nicholas avait considérablement amélioré la qualité de vie de ses trois mille sujets, en abolissant des impôts et en créant un système d'égouts moderne parcourant la ville de Fort-Promontoire, à la pointe nord de la Grande Saline.

Quand le *Petit Pingouin*, le yacht royal, était entré dans Port-Saline à l'aube, après trois jours de traversée depuis la France, le roi Nicholas en personne était venu l'accueillir. À vrai dire, il ne ressemblait guère aux autres monarques de l'époque. Âgé de trente-sept ans, il avait un aspect juvénile et était vêtu d'une solide tenue de chasse en cuir complétée par une casquette. Ses favoris étaient soigneusement taillés et il portait ses cheveux presque ras, comme ceux d'un soldat. Son visage était bronzé et son front arborait un fin réseau de cicatrices à moitié effacées, souvenirs d'une rencontre avec une mine terrestre qui avait failli lui être fatale. Aux yeux d'un étranger, il aurait pu apparaître comme le garde-chasse du roi, mais jamais comme Sa Majesté en personne. Ennemi de l'ostentation, il vivait aussi simplement qu'il était possible dans un palais somptueux. Pendant la guerre de Sécession, Nicholas avait combattu comme tirailleur et aéronaute. On racontait qu'il dormait sur la banquette de la fenêtre de sa chambre royale, car il trouvait son lit trop moelleux.

Nicholas appartenait à une nouvelle espèce de roi européen, décidé à se servir de tout son pouvoir pour améliorer la vie d'autant de gens que possible. Le bon roi Nick. Declan Broekhart l'aimait comme un frère.

Declan attacha la bouline du yacht, puis sauta sur la jetée afin de saluer son souverain.

— Votre Majesté, dit-il en s'inclinant légèrement.

Le roi Nicholas s'inclina à son tour avant de donner un coup de poing à l'épaule de son ami.

— Declan ! Pourquoi êtes-vous resté si longtemps absent ? J'ai lu l'histoire de votre bébé miraculeux avant même de l'avoir vu. J'espère ardemment qu'il a hérité des traits de sa mère.

Les deux hommes rirent de concert tandis que Catherine s'avançait sur la passerelle, en tenant son précieux colis enveloppé dans une couverture.

— Catherine ! s'exclama Nicholas en prenant son bras. Ne devriez-vous pas vous reposer ?

— J'ai eu tout le temps de me reposer à bord, répliqua la jeune femme.

Elle écarta la couverture pour dégager le visage du petit Conor.

— À présent, le dernier-né de vos sujets voudrait faire la connaissance de son souverain.

Nicholas scruta les langes pour découvrir dans l'ombre le visage d'un bébé. Il fut un peu déconcerté en rencontrant le regard de l'enfant, qui semblait le jauger.

— Oh ! s'écria-t-il en reculant légèrement. Il a l'air tellement… vif.

— Oui, dit Catherine avec fierté. Il a les yeux d'un vrai tireur d'élite, comme son père.

Mais le roi Nicholas ne s'en tint pas là.

— Peut-être. Mais il a aussi le menton des Broekhart, ce qui indique qu'il sera excessivement têtu. En revanche, il a votre front, Catherine. Qui sait s'il ne sera pas un scientifique, comme sa mère ?

Il chatouilla le menton du petit Conor.

— Nous avons besoin de savants. L'Amérique et aussi l'Europe sont en train de nous faire entrer dans un nouveau monde. Les îles Salines ne resteront indépendantes que si nous avons quelque chose à offrir aux autres, or la mine de diamants de la Petite Saline ne sera pas éternelle. C'est la science qui sera notre planche de salut.

Le roi tira sur ses gants de cavalier.

— Veillez à ce qu'il soit bien éduqué, Catherine.

— Je n'y manquerai pas, Votre Majesté.

— Et amenez-le au palais. Il faut le présenter à Isabella.

— Je l'amènerai après le petit déjeuner, promit Catherine.

— La mère d'Isabella aurait eu un cadeau tout prêt, dit Nicholas en souriant tristement. Juste celui qu'il aurait fallu.

Il se tut un instant en se rappelant sa défunte épouse, puis il se reprit.

— À présent, Declan, excusez-moi de vous arracher à votre famille, mais il semble que des trafiquants d'opium se soient cachés dans la grotte de lady Walker. Sous notre nez.

— Je vais m'en charger, Majesté. Peut-être pourriez-vous accompagner Catherine dans nos appartements ?

— C'est bien essayé, capitaine, s'esclaffa Nicholas en battant des mains. Vous espériez me mettre en lieu sûr.

Le roi avait retrouvé sa fougue, tant la perspective de la traque réjouissait le vieux soldat en lui. En revanche, contrairement à la plupart des vieux soldats, il n'aimait pas tuer. Les trafiquants seraient condamnés à travailler dans la mine de diamants de l'île-prison de Petite Saline, mais ils ne seraient molestés qu'en cas de nécessité.

— Venez, mettons à profit la lumière de l'aube et la marée basse. Comme les criminels n'aiment pas se lever tôt, nous les surprendrons dans leur sommeil.

Le roi porta la main à sa casquette pour saluer Catherine, puis s'éloigna à grands pas de la jetée pour rejoindre un petit groupe d'hommes à cheval. Il s'agissait en fait de la cavalerie salinoise au grand complet : une douzaine de cavaliers émérites sur des étalons irlandais. Deux des chevaux attendaient d'être montés.

Declan n'avait aucune envie de quitter sa femme, mais il tenait à faire son travail.

— Il faut que j'y aille, Catherine. Le roi va se blesser en faisant l'acrobate dans ces grottes.

— Je t'en prie, Declan. Veille sur lui. Les îles Salines ont besoin du bon roi Nick

Le capitaine Broekhart embrassa son épouse et son fils, puis suivit son souverain là où patientaient les cavaliers, dont les montures faisaient jaillir des copeaux sous leurs sabots en piétinant les planches.

— Ton héros de père ! dit Catherine au bébé tout en agitant sa main minuscule à l'adresse de Declan. Maintenant, rentrons chez nous et préparons-nous à rencontrer une petite princesse. As-tu envie de faire la connaissance d'une princesse, mon petit scientifique têtu ?

Conor se mit à gazouiller. Apparemment, il en avait très envie.

Première partie
Broekhart

Chapitre 1
La princesse et le pirate

Conor Broekhart était un garçon remarquable, et cette évidence s'imposa très tôt dans son enfance idyllique. Habituellement, la nature est avare de ses dons, qu'elle ne dispense qu'avec parcimonie, mais elle avait offert à Conor tout ce qu'elle avait à offrir. On aurait cru que tous les talents de ses ancêtres lui avaient été accordés. Il possédait l'intelligence, la force et la grâce.

Sa situation était elle aussi privilégiée. Il était né dans une communauté prospère, où les valeurs d'égalité et de justice avaient un sens – au moins en surface. Il grandit en croyant fermement au bien et au mal, sans que son jugement fût obscurci par la pauvreté ou la violence. Cette conviction allait de soi pour le jeune homme : la Grande Saline était le bien, la Petite Saline était le mal.

Il est aisé désormais de choisir quelques épisodes du début de sa vie et de déclarer : « Le voici, l'enfant qui devait devenir cet homme. Nous aurions dû le deviner. » Mais rien n'est moins fiable qu'une connaissance acquise après coup, et seul peut-être un incident arrivé durant les premières années de Conor au palais laissa présager son potentiel.

L'incident en question se produisit alors que Conor avait neuf ans et arpentait les couloirs de service qui serpentaient derrière les murs de la chapelle du château et de son bâtiment principal. Lors de ces équipées, il avait pour partenaire la princesse Isabella, qui avait un an de plus que lui et se montrait toujours la plus audacieuse des deux.

Il était rare de voir Isabella et Conor l'un sans l'autre. La plupart du temps, ils étaient si bien barbouillés de boue, de sang et autres substances peu recommandables qu'il était presque impossible de distinguer le garçon de la princesse.

En ce mémorable après-midi d'été, ils avaient épuisé les plaisirs de l'exploration d'une cheminée inutilisée jusqu'à son sommet. Ils décidèrent alors de lancer une attaque surprise contre les appartements du roi.

– Tu pourrais faire le capitaine Crow, déclara le petit Conor en léchant un peu de suie autour de sa bouche. Je ferais le mousse qui lui plante une hache dans la tête.

Isabella était une jolie créature au visage délicat et aux grands yeux marron, mais pour l'instant elle ressemblait davantage à un gamin de ramoneur qu'à une princesse.

– Non, Conor. C'est toi le capitaine Crow, et je suis la princesse prisonnière.

– Il n'y a pas de princesse prisonnière, objecta fermement Conor.

Il s'inquiétait de voir Isabella adapter une nouvelle fois la légende à sa guise. Lors de jeux précédents, elle avait inclus une licorne et une fée qui ne figuraient nulle part dans l'histoire originale.

— Bien sûr qu'il y en a une, lança Isabella d'un ton belliqueux. Elle existe parce que je l'ai décidé. N'oublie pas que je suis moi-même une princesse, alors que tu n'es qu'un garçon né dans un ballon.

Isabella voulait l'insulter, mais pour Conor un ballon était l'endroit idéal pour une naissance.

— Merci, lui dit-il avec un grand sourire.

— Cela n'a rien de flatteur, glapit Isabella. Le docteur John dit que tes poumons ont probablement été écrasés par l'« artitude »

— Mes poumons se portent mieux que les tiens. Regarde !

Conor poussa un hurlement strident pour démontrer la vigueur de ses organes respiratoires.

— D'accord, concéda Isabella, impressionnée. Mais je suis quand même la princesse prisonnière. Et je te rappelle que je peux te faire exécuter si jamais tu me contraries.

Cette menace n'inquiéta pas Conor outre mesure, car Isabella le condamnait à la pendaison au moins douze fois par jour et rien ne s'était encore passé. Il s'inquiétait davantage à l'idée qu'elle risquait de ne pas être à la hauteur de ses espérances comme camarade de jeu. Au fond, il voulait quelqu'un partageant son goût pour des jeux impliquant de faire voler des planeurs en papier ou de manger des insectes. Ces derniers temps, toutefois, Isabella semblait préférer les déguisements et les baisers, et elle n'acceptait d'explorer des cheminées que si Conor était d'accord pour faire comme s'ils étaient Diarmuid et Gráinne, les amants légendaires, en train de fuir le château de Fionn.

Inutile de dire que Conor n'avait aucune envie de figurer parmi les amants légendaires. Ces derniers s'envolaient rarement et n'avaient guère coutume de manger des insectes.

– Entendu, gémit-il. Tu es la princesse prisonnière.

– Parfait, capitaine, dit Isabella d'une voix suave. Maintenant, tu peux m'entraîner de force dans la chambre de mon père et demander une rançon.

– De force ? demanda Conor avec espoir.

– Il s'agit de faire semblant, sans quoi gare à la pendaison.

Avec un à-propos remarquable pour un enfant de neuf ans, Conor se dit que s'il avait vraiment été pendu chaque fois qu'Isabella l'avait ordonné, il aurait le cou plus long que celui d'une girafe du Serengeti.

– D'accord, on fait semblant. Ai-je le droit de tuer les gens que nous rencontrerons ?

– Oui, tous sans exception. Sauf papa. Pour lui, tu attendras que j'aie vu à quel point il sera triste.

Tous sans exception…

« C'est un bon point », pensa Conor en faisant siffler son sabre en bois, qui lui semblait fendre l'air comme une aile de mouette.

« Exactement comme une aile. »

Les deux enfants s'avancèrent à travers la barbacane. Les « oh ! » d'Isabella répondaient aux « grrr ! » de Conor. Ils rencontraient sur leur passage des regards affectueux mais aussi méfiants. Seuls enfants résidant au château, ils étaient appréciés car ils n'étaient nullement gâtés et se comportaient fort correctement quand leurs parents étaient dans les parages. Néanmoins ils avaient la main leste et chapardaient tout ce qui leur plaisait au cours de leurs expéditions quotidiennes.

Récemment encore, un artisan italien qui recouvrait un chérubin d'une couche d'or avait découvert, en se détournant de son œuvre, que son pinceau et sa boîte de feuilles d'or avaient disparu. On retrouva plus tard l'or sur les ailes d'une mouette morte dans la semaine, que « quelqu'un » avait tenté de faire voler du haut des créneaux de la Muraille.

Conor et Isabella traversèrent le pont menant au donjon, lequel abritait la résidence du roi ainsi que son bureau et ses salles de réunion. Normalement, ils auraient dû se heurter à l'autorité bon enfant de la sentinelle. Cependant le roi en personne venait tout juste de se pencher à la fenêtre pour ordonner au garde de courir attraper le bateau de Wexford, afin d'aller miser dix shillings sur un cheval qu'il aimait bien et qui participait aux courses sur la plage de Curracloe. Le palais possédait un téléphone, mais il n'était pas encore relié à la côte et les employés chargés des paris refusaient les offres transmises par sémaphore.

Pendant tout juste deux minutes, à la grande joie de la princesse et du pirate, le donjon resta sans surveillance. Ils y pénétrèrent comme si le château leur appartenait.

— Bien entendu, en réalité, le château m'appartient bel et bien, confia Isabella qui ne manquait jamais une occasion de rappeler à Conor sa position éminente.

— Grrr! répliqua-t-il avec conviction.

L'escalier en colimaçon desservait trois étages remplis de femmes de ménage, d'avocats, de scientifiques et de fonctionnaires, mais la chance s'unit à l'astuce instinctive des deux enfants pour leur permettre de passer ces étages et d'accéder à l'entrée du domaine privé du roi : une imposante porte en chêne à deux battants, dont chacun portait la moitié du drapeau et de la devise des îles Salines. *Vallo Parietis*, annonçait la devise. « Défendez la Muraille. » Le drapeau était un écu partagé en deux bandes verticales rouge et or, avec une tour blanche à l'intersection.

La porte était légèrement entrebâillée.

— C'est ouvert, dit Conor.

— C'est ouvert, princesse prisonnière, lui rappela Isabella.

— Désolé, princesse prisonnière. Voyons quels trésors sont cachés en ces lieux.

— Je ne suis pas censée entrer ici, Conor.

— Capitaine Crow, je te prie, répliqua-t-il en se glissant à l'intérieur.

Comme toujours, l'antre de Nicholas était jonché de vestiges d'expériences. Une dynamo éventrée sur un tapis laissait échapper un enchevêtrement de fils de cuivre.

– C'est un monstre marin et voici ses entrailles, expliqua Conor avec délectation.

– Tu n'es qu'un infâme pirate ! s'exclama Isabella.

– Arrête de sourire, si vraiment je suis un infâme pirate. Les prisonnières sont censées se répandre en lamentations.

La cheminée de la pièce abritait des flacons de mercure et de combustibles expérimentaux. Nicholas interdisait à ses serviteurs de les porter au rez-de-chaussée, car ces produits étaient trop volatils. En cas d'accident, les flammes monteraient droit dans la cheminée.

Conor désigna du doigt les flacons.

– Ce sont des bouteilles d'un poison qu'on extrait du derrière d'un dragon. Il suffit d'en renifler une fois pour se « vaporer » définitivement.

Cela paraissait très vraisemblable et Isabella ne savait si elle devait le croire ou non.

Sur la méridienne, des seaux contenaient des engrais dont certains fumaient légèrement.

– Encore des extraits de derrière de dragon, proféra Conor d'un ton docte.

Isabella fit un tel effort pour ne pas crier qu'elle éternua.

Conor eut pitié d'elle et expliqua :

– Ce sont des engrais destinés à faire pousser des plantes sur l'île.

– Tu seras pendu au coucher du soleil, gronda-t-elle. Parole de princesse.

Pour deux enfants livrés à eux-mêmes, cet endroit était un pays rempli de merveilles scintillantes. Dans un coin, une bannière étoilée était drapée sur les épaules d'un ours noir empaillé. Une collection de prismes et de lentilles luisait dans un coffret en bois fermé par un bouchon à une extrémité. Et des piles de livres, vieux ou neufs, se dressaient comme les colonnes d'un temple en ruine.

Conor s'avança parmi ces piliers de la science. Il était tenté de toucher à tout mais s'abstenait, sachant obscurément qu'il ne fallait pas troubler les rêves d'un homme.

Soudain, il se figea. Il devait agir. L'occasion ne se présenterait pas deux fois.

— Il faut que je m'empare du drapeau, souffla-t-il. C'est exactement ce qu'on attend d'un capitaine de pirates. Je vais monter sur le toit et m'emparer du drapeau. Comme un vrai chef !

— Tu veux dire une chèvre ?

— Pas une chèvre, un chef.

Isabella le regarda, les mains sur les hanches.

— Une chèvre n'escalade pas les toits, idiot.

— Tu es censée être une princesse. Insulter tes sujets manque fâcheusement de dignité.

Isabella ne manifesta pas le moindre repentir.

— Les princesses font ce qu'elles veulent. De toute façon, il n'y a pas de chèvre sur le toit.

Conor ne perdit pas son temps à discuter. Il était impossible d'avoir le dernier mot avec quelqu'un qui pouvait vous faire exécuter. Il courut à la porte du toit en repoussant avec son sabre des armées imaginaires. Cette porte était ouverte, elle aussi. Il avait une chance incroyable. Lors de leurs innombrables tentatives pour tendre une embuscade au roi Nicholas, ils avaient toujours trouvé fermées toutes les portes du palais, et leurs parents respectifs leur avaient enjoint d'un air sévère de ne jamais s'aventurer seuls sur le toit. La descente était vertigineuse.

Cette pensée fit réfléchir Conor.

«Les parents… ou le drapeau… »

«Les parents… ou le drapeau ? »

– Quel pirate tu fais, lança Isabella avec dédain. Tu restes là à t'égratigner avec ton sabre pour bébé.

«D'accord : le drapeau. »

– Grrr ! Je vais aller chercher ce drapeau, princesse prisonnière.

Il ajouta en reprenant sa voix normale :

– Ne touche pas aux expériences, Isabella. Surtout les flacons. Papa dit qu'un jour le roi va tous nous faire sauter avec ses mixtures. Il faut croire qu'elles sont dangereuses.

Puis il se hâta de monter l'escalier avant de perdre courage. Ce n'était pas loin, peut-être une douzaine de marches jusqu'à l'air libre. En sortant de la tourelle, il se retrouva sur un toit en pierre. Une demi-seconde avait suffi pour passer de l'ombre à la lumière. L'effet était saisissant : un ciel d'azur aux nuages assez proches pour qu'on les touche.

«Je suis né dans un lieu semblable à celui-ci », songea Conor.

«Tu es un enfant exceptionnel, lui disait sa mère au moins une fois par jour. Tu es né dans le ciel et tu y seras toujours à ta place. »

Conor en était lui-même convaincu. Il s'était toujours senti au comble du bonheur dans les endroits élevés, où les autres craignaient de s'aventurer.

Il monta sur le parapet en s'agrippant fermement au mât du drapeau. Autour de lui, le monde tournoyait. Un soleil orangé brillait comme un fanal au-dessus du quai de Kilmore. La mer étincelait à ses pieds, plus grise que bleue, et il entendait l'appel du ciel, comme s'il était un oiseau. L'espace d'un instant, il resta sous le charme de cette vision. Puis il aperçut un coin de tissu.

« Grrr, rugit-il intérieurement. Voilà le drapeau. L'orgueil des Salines. »

Le drapeau demeurait impeccablement rectangulaire, grâce au cadre de bambou permettant à l'emblème des îles de résister aux pires tempêtes. Sur le fond rouge et or, la tour était si blanche qu'elle resplendissait. Conor songea soudain qu'il se trouvait au sommet de la tour même qui était dessinée sur le drapeau.

Chez un insulaire plus âgé, cette idée aurait peut-être déclenché un accès de fierté patriotique. Pour un garçon de neuf ans, cela signifiait simplement qu'il devrait lui aussi être représenté sur le drapeau.

« Je vais me dessiner moi-même une fois que j'aurai volé le drapeau », décida-t-il.

Isabella apparut sur le toit et cligna des yeux, éblouie par la lumière.

— Descends de ce parapet, Conor. Nous jouons aux pirates, pas aux hommes oiseaux.

Conor était consterné.

— Tu voudrais que j'abandonne le drapeau ? Tu ne

comprends donc pas ? Je vais être un pirate célèbre, plus célèbre que Barberousse lui-même.

– Ce mur est vieux, Conor.

– Capitaine Crow, je te rappelle.

– Ce mur est vieux, Conor. Il pourrait s'écrouler. Tu te souviens des ardoises qui se sont détachées du toit de la chapelle, lors de la tempête de l'année dernière ?

– Et le drapeau ?

– Oublie ce drapeau et cette chèvre. J'ai faim. Tu ferais mieux de redescendre avant que je te fasse pendre.

Conor sauta du mur d'un air boudeur. Il allait défier Isabella, lui dire qu'il se fichait d'être pendu et qu'elle n'était qu'une prisonnière ratée. Depuis quand une prisonnière donnait-elle des ordres ? Elle ferait bien d'apprendre à se lamenter convenablement, au lieu de menacer de l'exécuter cent fois par jour.

À l'instant où il ouvrait la bouche pour parler, une détonation sourde ébranla les dalles sous leurs pieds. Un nuage de fumée violette s'éleva dans l'embrasure de la porte, comme si quelqu'un avait nettoyé un tuba.

Conor eut un soupçon qui ressemblait fort à une certitude.

– Tu as touché quelque chose ? demanda-t-il à Isabella.

Même face au désastre, Isabella conservait sa morgue.

– Étant la princesse de ce palais, j'ai le droit de toucher tout ce qui me plaît.

La tour trembla derechef. Cette fois, la fumée était verte et s'accompagnait d'une odeur fétide.

– À quoi as-tu touché, Isabella ?

La princesse du palais devint aussi verte que la fumée.

– J'ai retiré le bouchon du coffret de bois. Celui qui contient ces jolies lentilles.

– Oh ! s'exclama Conor. Nous risquons d'avoir des ennuis.

Ravi de voir que le garçon était aussi désireux que lui de s'instruire, le roi Nicholas lui avait expliqué un jour à quoi servait le coffret.

« Ces lentilles sont rangées dans un ordre bien déterminé, avait-il dit, accroupi de sorte que ses yeux apparaissaient monstrueux à travers les premiers cercles de verre. Quand j'enlève le bouchon et que la lumière entre par un bout du coffret, elle est si bien concentrée par les lentilles successives qu'elle peut enflammer du papier à l'autre bout. Ce petit dispositif pourrait permettre d'allumer un feu à distance avec un maximum de sécurité et d'efficacité. »

Sur le moment Conor se rappela avoir songé qu'on pourrait placer le coffret devant la fenêtre et s'en servir pour allumer le feu chaque matin – une tâche qu'il ne trouvait guère à son goût.

Et maintenant, Isabella avait retiré le bouchon.

– As-tu bougé le coffret ?

– Ne me parle pas sur ce ton, espèce de roturier !

Roturier ? Elle devait vraiment être terrifiée.

– Isabella ?

– Il est possible que je l'aie posé sur la table, devant la fenêtre, pour voir les couleurs du prisme.

Manifestement, la lumière de l'après-midi avait traversé les lentilles et libéré leur pouvoir détonant dans le laboratoire du roi, rempli d'engrais, de flacons de combustibles et d'explosifs variés. Le rayon lumineux devait avoir atteint quelque produit inflammable.

– Partons d'ici, lança Conor en oubliant les ambitions du capitaine Crow.

Il n'ignorait pas le pouvoir des explosifs. Son père était responsable de la défense de la Muraille et avait emmené Conor lors d'une expédition visant à détruire une grotte de contrebandiers. Il s'agissait à la fois de lui faire plaisir pour son anniversaire et de lui enseigner à garder ses distances avec tout ce qui pouvait exploser. La grotte s'était effondrée comme des cubes balayés d'une chiquenaude par un bébé.

La tour trembla encore. Plusieurs dalles se descellèrent puis tombèrent dans la pièce d'en dessous, et des flammes bleu et orange surgirent par les trous béants. Le fracas du verre brisé et du métal en fusion terrifia les deux enfants.

– Grimpe sur le mur, s'écria Conor. Le dallage va s'effondrer.

Pour une fois, Isabella ne discuta pas. Elle accepta la main de Conor et le suivit sur le parapet.

– Le dallage a trente centimètres d'épaisseur, expliqua-t-il en hurlant pour couvrir le rugissement des flammes. Le parapet, lui, fait près de deux mètres. Il ne cédera pas.

À leurs pieds, les explosions se succédaient comme une canonnade, en provoquant chaque fois des fumées colorées et des odeurs différentes. Les émanations étaient nauséabondes, et Conor supposait que son visage était aussi vert que celui d'Isabella.

« Peu importe que le parapet tienne bon, songea-t-il. Les flammes ne mettront pas longtemps à nous atteindre. »

Le monde entier semblait trembler. L'escalier vomissait flammes et fumée, comme si un dragon était tapi plus bas, et on entendait dans la cour les cris des insulaires sur lesquels pleuvaient des fragments de la tour.

« Il faut que je nous sorte de là, se dit Conor. Personne ne peut nous sauver, pas même mon père. »

Il était impossible de redescendre à travers le brasier. Le seul moyen de s'échapper, c'était de voler.

Le roi Nicholas se trouvait dans les toilettes, à l'autre bout du couloir, lorsque sa fille fit sauter son appartement. Il admirait le nouveau cabinet rinçable en porcelaine Royal Doulton, qu'il avait fait récemment installer dans sa salle de bains. L'idée d'en faire de même dans tout le palais l'avait séduit, mais il avait entendu parler d'un projet révolutionnaire de chasse d'eau – il serait désolant d'être en retard sur le progrès.

« Nous devons accueillir le progrès, nous maintenir à l'avant-garde, sans quoi les îles Salines seront englouties par un raz-de-marée d'innovations. »

Quand la première explosion ébranla la tour, Nicholas pensa fugitivement que ce vacarme était dû à sa propre tuyauterie. Puis il se rendit compte que même la bouteille de bière maison bue la veille au soir avec Declan ne pouvait avoir causé une telle déflagration.

S'agissait-il donc d'une attaque ennemie ? Ce n'était guère vraisemblable, à moins qu'un bateau n'ait réussi à s'approcher sans se faire repérer en ce limpide après-midi d'été.

Un doute le saisit.

« Et si j'avais oublié de reboucher le coffret aux lentilles ? Il suffirait qu'une étincelle s'envole dans cette pièce… »

Après avoir terminé ses royales ablutions, Nicholas ouvrit prestement la porte… et la referma encore plus vite devant la fumée et les flammes tourbillonnantes qui envahissaient la salle de bains et brûlaient ses poumons. Pas de doute, son appartement était détruit. Heureusement, personne ne se trouvait à l'intérieur ni au-dessus, de sorte que les autres occupants de la tour s'échapperaient sans difficulté.

« Mais pas le roi. Nicholas le Stupide est pris au piège par ses propres expériences tombant en poussière. »

Bien sûr, il y avait une fenêtre. Nicholas était fermement convaincu des vertus d'une bonne ventilation. Il était également un adepte de la méditation, mais le temps manquait pour ce dernier point.

Après avoir glissé une serviette sous la porte afin d'empêcher qu'un courant d'air n'invite le feu à entrer, il ouvrit grande la fenêtre. Des morceaux de brique et de verre basculèrent dans le vide, et la fenêtre entière fut ébranlée par une nouvelle explosion secouant la tour. Risquant un coup d'œil prudent à l'extérieur, Nicholas eut tout juste le temps de voir un panache de fumée multicolore s'échapper de son salon.

« C'en est fait des flacons de combustibles. »

À ses pieds, la cour était livrée au chaos. Il fallait reconnaître que les pompiers avaient déjà traîné en bas de la tour le chariot à pompe et tournaient la manivelle pour obtenir un peu d'eau. Si l'on avait quelque chose en abondance sur les îles Salines, c'était l'eau. En temps normal, les embruns auraient suffi à éteindre l'incendie, mais aujourd'hui, malgré une forte brise, la mer était aussi plate qu'un miroir.

Un homme se tenait au pied de la tour. Il avait fière allure, avec son bonnet à plume et sa veste d'aviateur français. Il avait posé devant lui une grosse valise de cuir et la situation explosive semblait plutôt l'amuser.

Nicholas le reconnut sur-le-champ et lui cria :

– Victor Vigny ! Vous êtes venu ?

Rayonnant, l'homme lui adressa un large sourire, ses dents blanches contrastant avec son visage bronzé.

– Oui, je suis venu, cria-t-il avec l'accent français qui convenait à sa tenue. Et c'est tant mieux pour vous, Nick. Manifestement, vous ne savez toujours pas assurer la sécurité d'un laboratoire.

Une nouvelle explosion secoua la tour jusque dans ses fondations et la noya sous une fumée bleue. Le roi fit un plongeon qui le rendit invisible, puis réapparut à la fenêtre.

– D'accord, Victor. Assez plaisanté. Il est temps de me sortir de là. Avez-vous gardé un peu de votre célèbre ingéniosité en traversant l'Atlantique ?

Victor Vigny poussa un grognement. En observant la cour, il constata que le chariot des pompiers possédait une échelle accrochée sur le côté et aussi une corde. Ni l'une ni l'autre n'étaient assez longues pour atteindre le souverain.

— Qui a conçu cet objet ? marmonna-t-il en calant sur son épaule la corde enroulée. Et ces tours trop hautes, ces échelles trop courtes. Décidément, il y a partout des imbéciles.

— Que faites-vous ? intervint un pompier. Qui a dit que vous pouviez prendre cette corde ?

— Lui, répliqua Vigny en pointant un pouce vers le ciel.

Le pompier fronça les sourcils.

— Dieu ?

Le Français se crispa. Les imbéciles étaient vraiment partout.

— Regardez un peu moins haut, *mon ami**.

En levant les yeux, le pompier aperçut le roi à la fenêtre.

— Faites ce qu'il vous dit ! rugit Nicholas. Cet homme m'a sauvé la vie dans le passé, et j'espère qu'il va recommencer maintenant.

— Oui, Votre Majesté. Je suis à votre… à son service.

Victor désigna l'échelle et lança :

— Appuyez-la contre le mur, en dessous de la fenêtre.

— Elle n'ira pas jusque-là, déclara le pompier, désireux de dire quelque chose d'intelligent.

— Obéissez, *monsieur**. Votre roi va finir par s'échauffer.

Le pompier empoigna un de ses camarades, et à eux deux ils installèrent l'échelle contre le mur. Les montants n'avaient pas encore touché le mur que déjà le Français était à mi-hauteur.

Les vibrations de la tour se communiquaient aux échelons et Victor savait qu'elle allait bientôt exploser par le haut, comme un canon bouché. L'appartement du roi et tout ce qui se trouvait au-dessus ne seraient plus que poussières et souvenirs.

Ayant rapidement atteint le sommet de l'échelle, il assura ses jambes sur les derniers échelons et entreprit de dérouler la corde.

– Il est agile, pas vrai ? fit observer le pompier à son partenaire. Mais comme je l'ai fait justement remarquer, cette échelle est trop courte.

À présent, les débris s'abattaient en un déluge de fragments de brique et de verre, voire de blocs entiers de granit. Les pompiers tenant l'échelle ne pouvaient plus les éviter et se contentaient de rentrer les épaules et de grogner sous les coups.

– Reculez l'échelle ! cria Victor, le visage ruisselant de sueur.

Son bonnet à plume s'enflamma et il l'arracha de sa tête, révélant ainsi la chevelure hirsute qui lui avait valu d'être surnommé *La Brosse**.

– Vous me devez un chapeau, Nicholas. Je portais celui-là depuis mon séjour à La Nouvelle-Orléans.

Ployant sous le poids de l'échelle et du Parisien, les pompiers le tirèrent à un mètre du mur de la tour. Victor lança la partie déroulée de la corde vers le haut. Il avait bien calculé son coup, car le bout du filin arriva droit dans la main du roi Nicholas.

– Attachez-la solidement, et faites vite !

Victor l'attacha de son côté au dernier échelon, puis

descendit en se laissant glisser sur les montants aussi rapidement qu'il le pouvait sans s'écorcher les paumes.

– L'échelle est trop courte, observa le pompier tandis que Victor plongeait ses mains dans le seau d'eau le plus proche.

– Je le sais parfaitement, *monsieur**. Mais l'échelle va jusqu'à la corde, et la corde va jusqu'au roi.

– Ah bon ! dit le pompier.

– Maintenant, reculez. Comme je connais votre roi, sa tour doit être aussi bourrée d'explosifs qu'un canon géant. Nous pouvons nous préparer à voir la lune frappée de plein fouet.

Les pompiers renoncèrent. Ils ne pouvaient pomper assez d'eau pour atteindre le brasier, et même s'ils l'avaient pu il aurait peut-être été imprudent de verser du liquide sur ce feu multicolore.

Ils se mirent donc hors de portée des projectiles jaillissant du château et attendirent de voir si le dernier représentant masculin de la lignée des Trudeau pourrait échapper aussi bien à l'incendie qu'à une chute fatale.

Dans la salle de bains, le roi Nicholas s'apprêtait à faire passer au cabinet Royal Doulton son examen le plus sévère. Certes l'installation avait été conçue pour supporter le poids d'un adulte corpulent, mais on n'avait peut-être pas prévu que ledit adulte se balancerait au bout d'une corde attachée à sa tuyauterie. Le front ceint d'une serviette mouillée, Nicholas fit quatre boucles autour du tuyau d'évacuation et termina par plusieurs nœuds à son extrémité.

« J'espère que ce tuyau ne va pas éclater. Être brûlé vif est suffisamment déplaisant pour ne pas être en plus couvert d'ordures... »

La robuste porte en bois de la salle de bains craquait sous l'effet de la chaleur, comme si des soldats étaient en train de l'enfoncer. Les rubans d'acier se gauchissaient et envoyaient à travers la pièce des rivets qui sifflaient comme des balles ricochant en tous sens.

S'essuyant les yeux avec la serviette, le roi s'avança péniblement vers le vague triangle jaunâtre qui devait être la fenêtre. La fumée était partout aussi épaisse, mais on apercevait vers le centre une faible lueur.

« Il suffit de suivre la corde, se dit-il. Ce n'est pas difficile. Il faut juste avancer sans lâcher la corde. »

Nicholas culbuta à travers la fenêtre mais n'oublia pas de s'accrocher à la corde. Il resta un instant suspendu au filin trépidant, comme un condamné sur une potence.

— Ce n'est pas le moment de faire un somme, Nick ! hurla Victor Vigny. Descendez maintenant. Une main après l'autre. Même cet ahuri de pompier y arriverait.

— Bien sûr que j'y arriverais ! braila le pompier, préférant oublier l'insulte à titre provisoire et même définitif.

Une fois sous le panache de fumée, le roi Nicholas put respirer de nouveau. Chaque bouffée d'air frais chassait les toxines de son organisme et rendait leur vigueur à ses membres.

— Descendez, mon vieux ! Je ne suis pas venu de New York pour vous regarder en train de vous balancer !

Nicholas sourit et ses dents blanches étincelèrent.

– J'ai failli y passer, Victor. Un peu de compassion ne ferait pas de mal.

Ces simples phrases lui coûtèrent un effort considérable et furent ponctuées de quintes de toux.

– Ça va aller, maintenant, dit Vigny. Descendez, mon vieux Nick.

La descente du souverain fut lente, interrompue par plusieurs explosions. Quand il eut enfin posé le pied sur le haut de l'échelle, il ne s'attarda pas. Après tout, d'autres vies que la sienne étaient en jeu. Si jamais Victor était tué à cause de sa négligence monumentale, le Français reviendrait de l'au-delà pour le tourmenter.

Avant même que les bottes du souverain aient touché les pavés, Victor le saisit par les épaules et l'entraîna jusqu'au donjon, où ils étaient relativement en sécurité. Ils regardèrent par l'ouverture d'une gorge l'échelle du roi que le feu calcinait.

– Que diable aviez-vous entreposé là-dedans ? demanda Victor.

Le roi articula péniblement :

– Un peu de poudre à canon. Des fusées de feu d'artifice. Quelques flacons de combustibles expérimentaux. Un explosif liquide suédois. Des amorces. Nous avons stocké provisoirement des armes dans la vieille réserve à blé de l'étage en dessous. Et bien sûr, il y avait des engrais.

– Des engrais ?

– Les engrais ont un rôle important à jouer sur les îles Salines, Victor. Ils sont l'avenir.

Nicholas se rappela soudain :

– Isabella. Je dois lui montrer que je suis indemne. Il faut qu'elle se rende compte par elle-même.

Il observa la cour.

– Je ne la vois pas. Je ne... Évidemment. Quelqu'un l'a emmenée en lieu sûr. Elle est à l'abri, n'est-ce pas, Victor ?

Victor Vigny ne répondit pas au regard de son ami, car ses yeux étaient fixés, par-dessus les épaules du roi, sur le parapet de la tour. Il venait d'apercevoir deux silhouettes au milieu de la fumée et des flammes. Deux silhouettes humaines. Un garçon et une fille, qui devaient avoir une dizaine d'années.

– *Mon Dieu* * !, murmura le Français. *Mon Dieu* * !

Du toit de la tourelle ne subsistaient que des blocs déchiquetés autour des murs, comme si le dragon avait grandi et remplissait maintenant la tour entière. À travers le voile de l'incendie, Conor voyait des briques se désagréger et des poutres s'effondrer.

Une épaisse colonne de fumée s'élevait de la tour, qui était devenue une véritable cheminée dont le tirage alimentait le brasier. La fumée se dressait comme un arbre géant au tronc noueux se détachant, noir, sur le ciel d'été.

Isabella ne se montrait pas du tout hystérique. Au contraire, un calme surnaturel l'habitait et elle restait immobile sur le parapet, le regard absent, comme si elle était à moitié endormie et incertaine de la réalité de la situation.

« Le seul moyen de descendre, c'est de voler », se dit Conor. Il rêvait depuis longtemps de prendre un nouvel envol, mais les conditions présentes n'étaient pas vraiment idéales.

Il avait failli voler lors de son cinquième anniversaire. La famille Broekhart avait fait une excursion d'une journée à Hook Head, en Irlande, pour voir le célèbre phare. Conor avait reçu en cadeau un grand cerf-volant aux couleurs des îles Salines. Ils l'avaient lâché sur une prairie battue par les vents, au bord de la mer, quand une bourrasque soudaine avait soulevé le petit garçon sur la pointe de ses pieds. Si son père ne l'avait pas attrapé par l'épaule, il aurait été entraîné au large.

« Le cerf-volant. Les couleurs des îles Salines. Le drapeau. »

Sur le parapet, Conor se précipita vers le mât du drapeau et s'attaqua aux nœuds maintenant le cadre de bambou. Les nœuds s'entortillaient dans sa main, tirés par le vent qui faisait claquer le drapeau dans son cadre.

– Aide-moi, Isabella ! cria-t-il. Nous devons détacher le drapeau.

– Oublie le drapeau, capitaine Crow, dit Isabella d'une voix morne. Et laisse tomber aussi la chèvre. Je n'aime pas ces bêtes, avec leur petite barbe sournoise.

Conor continua de batailler avec les nœuds. Les cordes étaient plus épaisses que ses doigts fins, mais elles étaient rendues cassantes par la chaleur et se défaisaient rapidement. Après un ultime mouvement de torsion, il dégagea le drapeau battant au vent et le tira péniblement sur le parapet. Il se cabrait en claquant comme un tapis magique, mais Conor réussit à le faire tenir tranquille sous son propre corps.

À présent, il distinguait à peine Isabella. Elle était comme un fantôme dans la fumée. Il essaya de l'appeler, mais la fumée remplit sa bouche avant qu'un mot ait pu en sortir. Il se mit à haleter et râler comme un phoque, en gesticulant pour attirer l'attention de la princesse. Elle l'ignora et décida plutôt de s'allonger sur le parapet pour attendre son père.

D'un doigt fébrile, Conor tira sur la boucle de sa ceinture pour libérer la lanière de cuir. Puis il roula sur le dos et glissa la ceinture sous les diagonales de bambou soutenant le drapeau.

« Ce plan ne tient pas debout. Tu n'es pas un pirate en train de vivre une aventure plus ou moins fantastique. »

Ce n'était pas un plan – il n'avait pas le temps d'en élaborer un. C'était un acte désespéré.

Dans le chaos de fumée, d'explosions et de flammes jaillissantes, Conor se leva péniblement en gardant le drapeau baissé afin que le vent ne puisse s'y engouffrer.

« Pas encore. Pas encore. »

Il faillit trébucher sur Isabella. Elle paraissait endormie et ne réagit pas quand il effleura son visage du bout des doigts.

« Morte. Serait-elle morte ? »

Le garçon de neuf ans sentit des larmes ruisseler sur ses joues. Il eut honte de lui, car il devait se montrer fort pour la princesse. Agir en héros, comme son père.

« Que ferait le capitaine Declan Broekhart ? »

Conor imagina le visage de son père lui faisant face.

« Fais une tentative, Conor. Sers-toi de cette fameuse intelligence dont ta mère parle sans cesse. Construis ta machine volante. »

« Ce n'est pas une machine, papa. Il n'y a pas de mécanisme. C'est un cerf-volant. »

Les flammes montaient à l'assaut du parapet et leurs attaques brûlantes calcinaient la pierre. Poutres, tapis, meubles et dossiers basculaient dans le feu insatiable et nourrissaient son ardeur.

Conor souleva son amie la princesse et la força à se lever.

– Qu'y a-t-il ? demanda-t-elle d'un ton maussade.

La fumée remplit sa gorge et une quinte de toux l'empêcha d'ajouter le moindre mot.

Conor se redressa. Il sentait l'énorme drapeau claquer violemment dans le vent.

– C'est comme un grand cerf-volant, Isabella, cria-t-il.

Il avait l'impression que les mots dans sa gorge étaient aussi coupants que du verre.

– Je vais te tenir par la taille, comme ceci, puis nous nous dirigerons vers…

Conor ne finit jamais ses instructions, car une nouvelle explosion dans la tour provoqua un gigantesque courant d'air qui arracha les deux enfants du parapet et envoya le drapeau tourbillonner dans l'espace comme une immense feuille morte.

La situation était exceptionnelle. S'ils avaient sauté, comme Conor l'avait prévu, ils n'auraient pas pris assez d'altitude pour que le drapeau ralentisse leur descente. Cependant le courant d'air s'était emparé de leur cerf-volant improvisé, l'avait soulevé d'une bonne trentaine de mètres et l'avait entraîné vers le large. Ils restèrent un instant suspendus dans le ciel, au sommet de la colonne d'air. En état d'apesanteur. Avec au-dessus d'eux l'azur, et en dessous la mer.

«Je vole, pensa Conor Broekhart. Je m'en souviens.»

Puis leur vol se termina et ils commencèrent à tomber. Même si le drapeau ralentissait leur chute, elle paraissait affreusement rapide. Leur vue se brouilla et ils se retrouvèrent dans un kaléidoscope de reflets bleus et argentés.

Le cerf-volant fut brièvement soulevé par une brise et Conor regarda les nuages tournoyer au-dessus de lui en étendant au loin leurs flots écumeux. Pendant tout ce temps, il tenait Isabella avec tant de force que ses doigts lui faisaient mal.

Il pleurait et riait à la fois, conscient que le choc serait douloureux.

Ils s'écrasèrent sur l'océan. Le choc fut terrible.

En apercevant sa fille sur le parapet, le roi Nicholas avait tenté d'escalader la tour comme un chien grimpant du fond d'un puits.

En un rien de temps, ses ongles furent déchirés et ses doigts en sang. Victor Vigny l'entraîna loin du mur.

– Attendez, Nick. Ce n'est pas encore terminé. Attendez. Le garçon… il a…

Nicholas le regarda avec des yeux fous d'angoisse.

– Quoi ? Qu'est-ce qu'il a fait ?

– Il faut que vous le voyiez vous-même. Venez. Nous avons besoin d'un bateau, au cas où le vent les pousserait au large.

– Comment ça, un bateau ? Que me racontez-vous là ?

– Venez, Nick. Venez.

Nicholas poussa un hurlement et tomba à genoux à l'instant où sa fille s'envola.

Victor regardait la scène avec stupéfaction. Il ignorait l'identité de ce garçon, mais c'était quelqu'un d'extraordinaire. À dix ans tout au plus, quelle ingéniosité !

L'explosion leur fit prendre de l'altitude. Après avoir observé leur trajectoire, Victor courut vers la jetée en entraînant le roi derrière lui.

– Le drapeau pourrait les noyer, dit-il en haletant. Le cadre va se disloquer et le tissu se plaquera sur eux.

Le roi s'était repris et devança bientôt les autres pour franchir une barrière de douane et arriver sur la jetée. Une demi-douzaine d'embarcations se dirigeaient déjà vers le cerf-volant tombé dans la mer. Le premier à le rejoindre fut un petit canot dont deux robustes pêcheurs maniaient les avirons à travers les vagues. Un cortège de bateaux plus lents s'étirait dans leur sillage depuis la jetée.

– Ils sont vivants ? hurla Nicholas.

Mais la distance était trop grande.

– Ils sont vivants ?

Les pêcheurs tirèrent le drapeau de l'eau et en dégagèrent deux paquets trempés. Vigny rejoignit le roi et serra très fort son épaule.

Le canot fit demi-tour et la mer écuma sous les avirons tandis qu'il retournait au rivage. La nouvelle arriva avant lui, transmise de bateau en bateau. Les mots, d'abord inaudibles, devinrent plus clairs à mesure que les cris se rapprochaient:

— Vivants! Ils sont vivants! Tous les deux!

Nicholas tomba à genoux et remercia Dieu. Victor sourit puis se mit à battre des mains d'un air ravi.

— Je suis venu ici pour instruire la princesse, cria-t-il à la cantonade. Mais je donnerai aussi des leçons à ce garçon. Et qui sait s'il ne m'en donnera pas lui-même!

Chapitre 2
La Brosse *

Pendant un moment, Conor Broekhart fut le héros du royaume. On aurait dit que tous les habitants de l'île lui rendaient visite à l'infirmerie du château pour écouter l'épopée de son planeur improvisé et donner une tape sur le plâtre de sa jambe cassée, histoire de se porter bonheur.

Isabella venait tous les jours, souvent en compagnie de son père, le roi Nicholas. Lors d'une de ces visites, le souverain apporta son épée.

— Je n'avais pas envie de sauter de la tour, se défendit Conor. C'est le seul moyen qui me soit venu à l'esprit.

— Non, non, dit Nicholas. Ceci est l'épée de cérémonie des Trudeau. Je vais t'élever à la dignité de pair.

— Vous voulez que je sois père ? s'étonna Conor. Ne suis-je pas un peu jeune ?

Nicholas sourit.

— Mais non. Il te suffira de toucher cette épée pour devenir sir Conor Broekhart. Ton père sera désormais lord Broekhart, et ta mère, lady Broekhart.

Conor était encore un peu inquiet de voir cette arme de croisé à dix centimètres de son nez.

– Je ne suis pas obligé d'embrasser la lame, n'est-ce pas ?

– Non, contente-toi de la toucher. Même un seul doigt fera l'affaire. Nous organiserons une cérémonie dans les règles dès que tu seras rétabli.

Conor effleura la lame étincelante, qui se mit à chanter sous son doigt.

Le roi posa l'épée.

– Levez-vous sir Conor. Pas tout de suite, bien sûr. Prends ton temps. Quand tu seras sur pied, je te présenterai ton nouveau professeur. C'est un homme exceptionnel, qui travaillait avec moi dans les ballons à l'époque où j'étais aéronaute. Je pense que tu devrais être à même de l'apprécier.

« Les ballons ! »

En ce qui concernait Conor, le souverain pouvait garder sa pairie du moment qu'il lui soit permis de voler en ballon.

– Je me sens beaucoup mieux, Votre Majesté. Peutêtre pourrais-je faire la connaissance de cet homme dès aujourd'hui.

– Du calme, sir Conor, dit le roi en riant. Je vais lui demander de faire un saut ici demain. Il te montrera des dessins qui pourraient t'intéresser, à propos de machines volantes plus lourdes que l'air.

– Merci, Votre Majesté. Je suis impatient de les voir.

Nicholas rit doucement en ébouriffant les cheveux du garçon.

— Tu as sauvé ma fille, Conor. Sans toi, elle aurait été victime de ma négligence et de sa propre tendance à toucher à tout. Je ne l'oublierai jamais. Jamais.

Il ajouta avec un clin d'œil :

- Elle non plus, d'ailleurs.

Le souverain sortit en le laissant seul avec Isabella. Elle était restée silencieuse pendant toute cette visite. En fait, elle n'avait presque pas parlé à Conor depuis l'accident. Aujourd'hui, toutefois, ses yeux marron avaient retrouvé un peu de leur éclat d'autrefois.

— Sirrr Conor, dit-elle en faisant rouler le titre dans sa bouche comme un bonbon. Il sera plus difficile de te faire pendre, maintenant.

— Merci, Isabella.

La princesse se pencha pour donner une tape sur son plâtre.

— Non, sir Conor Broekhart. C'est moi qui te remercie.

Conor eut une autre visite, ce jour-là, tard dans la soirée, après que l'infirmière eut renvoyé chez elle sa mère. L'infirmerie était déserte, en dehors de la garde de nuit, qui était assise à son poste au bout du couloir. La femme avait tiré un rideau autour du lit de Conor et laissé une lumière allumée afin qu'il puisse lire son livre.

Conor feuilletait l'ouvrage de George Cayley, *De la navigation aérienne*, qui développait l'hypothèse qu'un aéronef à voilure fixe muni d'un moteur et d'une queue directrice pourrait peut-être transporter un homme dans les airs.

C'était une lecture ardue pour un enfant de neuf ans. En fait, Conor en sautait une bonne partie, mais plus il lisait, mieux il comprenait.

« Un moteur et une queue, pensa-t-il. En tout cas, ça vaut toujours mieux qu'un drapeau volant. » Et il s'endormit en rêvant à une épée étincelante, enveloppée dans un drapeau, qui sombrait dans le canal Saint-Georges.

Il fut réveillé par le bruit d'une botte raclant la pierre et d'un homme poussant un profond soupir, si profond qu'on aurait dit un grondement. Il y avait de quoi donner envie à un enfant de faire semblant de dormir. Conor entrouvrit à peine ses yeux, en prenant soin de respirer avec régularité.

Un homme était assis à son chevet. Sa silhouette massive était enveloppée de ténèbres. La croix rouge sur sa poitrine attestait qu'il s'agissait d'un des gardes de la Sainte-Croix. Le maréchal Bonvilain en personne.

Le souffle de Conor s'accéléra et il poussa un petit gémissement pour cacher son trouble, comme s'il avait été tourmenté par un cauchemar.

Que faisait donc Bonvilain ici ? À cette heure ?

Sir Hugo était le descendant direct de Percy Bonvilain, qui avait été au service du premier roi de la dynastie des Trudeau, sept siècles plus tôt. Historiquement, les Bonvilain étaient les commandants en chef de l'armée des îles Salines. Il leur avait été également accordé de constituer leur propre garde de la Sainte-Croix, qui servit un moment à faire des incursions en Irlande ou dont les membres furent loués comme sol dats de métier à des souverains européens. L'actuel Bon-vilain était le dernier de la lignée, et le plus puissant. En fait, sir Hugo aurait été déclaré Premier ministre quelques années plus tôt, à la mort du roi Hector, si un généalogiste n'avait déniché Nicholas Trudeau, un aéronaute vivant pauvrement aux États-Unis.

Sir Hugo unissait à un degré rare les qualités du guerrier et celles de l'homme d'esprit. Sa stature imposante de soldat endurci ne l'empêchait pas d'être capable de présenter un argument imparable d'une voix dont la suavité étonnait.

On rapportait que Benjamin Disraeli avait dit de lui : « Si ce gars des Salines ne vous a pas d'un côté, il vous aura de l'autre ! »

Conor avait entendu son père affirmer un jour que la seule faiblesse de Bonvilain était sa méfiance sans bornes envers les autres nations, et surtout la France. Le maréchal avait eu vent d'une rumeur prétendant qu'un corps d'espions français, la *Légion noire* *, était chargé de recueillir des informations sur les moyens de défense des îles Salines. Il dépensait des milliers de guinées pour traquer les membres de ce groupe imaginaire.

Le souffle de Bonvilain était profond, régulier, comme s'il se reposait. Seul le bruit d'un doigt ganté tapotant son genou révélait qu'il était éveillé.

— Vous dormez, mon garçon ? demanda-t-il brusquement d'un ton à la fois doucereux et menaçant. Ou peut-être faites-vous semblant ?

Conor resta silencieux et ferma obstinément les yeux, en proie soudain à une terreur irraisonnée.

Assis sur sa chaise, Bonvilain se pencha en avant.

— Je n'avais encore jamais fait vraiment attention à vous, petit Broekhart. La première fois, vous n'étiez qu'un nourrisson. Mais cette fois, cette fois on pourrait dire à juste titre que vous avez… sauvé quelqu'un qui aurait dû mourir. Les Broekhart. Toujours les Broekhart.

Conor entendit un crissement de cuir lorsque Bonvilain serra son poing ganté.

— J'ai donc voulu vous voir. J'aime connaître le visage de mes… disons, des amis de mon roi.

L'enfant sentait l'eau de Cologne du maréchal, son haleine toute proche.

— Mais j'en ai déjà trop dit, mon garçon. Vous avez besoin de tranquillité et de repos pour vous remettre de votre fuite miraculeuse. Vraiment miraculeuse. Cependant, rappelez-vous que je vous surveille. De très près. Les chevaliers ont l'œil sur vous.

Bonvilain se leva en faisant bruire la robe de garde de la Sainte-Croix qu'il portait par-dessus son costume.

— Très bien, jeune Broekhart. Il est temps que je vous quitte. Peut-être ne suis-je jamais venu ici. Peut-être êtes-vous en train de rêver. Cela vaudrait sans doute mieux pour vous.

Le rideau enveloppant le lit de Conor s'écarta en frémissant pour laisser le passage au maréchal.

Au bout d'un instant, Conor se hasarda à ouvrir un œil – et découvrit le visage de Bonvilain à cinq centimètres du sien.

— Ah ! vous êtes éveillé, finalement. Magnifique. J'ai

oublié de toucher ce plâtre. Je pourrais certainement profiter d'une partie de votre chance.

Conor resta muet, figé, tandis que le maréchal soulevait sa jambe un peu trop haut avant d'asséner deux coups violents sur le plâtre.

– Espérons que vous n'allez pas dilapider toute cette chance extraordinaire, jeune Broekhart. Vous pourriez en avoir besoin.

Bonvilain lui fit un clin d'œil et disparut, en laissant derrière lui le rideau ondulant comme un fantôme.

« Peut-être était-ce un rêve, après tout. Rien qu'un cauchemar. »

Toutefois il sentait sa jambe encore endolorie par la façon dont le maréchal l'avait soulevée. Cette nuit-là, Conor Broekhart ne dormit pas beaucoup.

Sur le milliard et demi d'humains peuplant la terre, cinq cents tout au plus étaient en mesure d'aider Conor à réaliser son potentiel d'explorateur du ciel. Parmi eux figuraient le roi Nicholas Trudeau et Victor Vigny. La réunion de ces trois êtres, en une telle époque d'inventivité fiévreuse, tenait du miracle.

La conquête de l'air est jalonnée de ce genre d'associations fortuites. William Samuel Henson et John Stringfellow, Louis Joseph Gay-Lussac et Jean-Baptiste Biot, sans oublier bien sûr Charles Green et l'astronome Spencer Rush. On ne peut guère ranger sous la même rubrique les frères Wright, dont la rencontre était presque inévitable puisqu'ils dormaient dans la même chambre.

Conor connaissait depuis longtemps l'intérêt du roi Nicholas pour les aérostats, qui après tout avaient été son gagne-pain pendant des années. Conor et Isabella avaient passé bien des soirées au coin du feu, dans l'appartement du souverain, à écouter avec fascination le récit dramatique de ses aventures dans les airs. Victor Vigny apparaissait souvent dans ces histoires. Il était présenté habituellement comme un homme petit et timide, parlant avec un fort accent et ayant immanquablement besoin d'être secouru par Nicholas.

Le Victor Vigny que Conor rencontra lors de son premier jour de cours n'avait rien à voir avec la description qu'en donnait son royal ami. Il n'était ni petit ni timide, et d'après ce qu'on racontait au château, c'était le Français qui avait secouru le roi.

Le lendemain de sa sortie de l'infirmerie, Conor se rendit en boitant au logis que Victor occupait dans le bâtiment principal du château. Jusqu'alors, cet appartement avait toujours été réservé aux hôtes royaux, mais le Parisien semblait s'y être installé pour de bon. Les murs étaient couverts de cartes et des maquettes de corps célestes pendaient au plafond. Dans un coin, un squelette coiffé d'un bonnet à plume roussi par les flammes serrait un cimeterre dans ses doigts osseux. D'autres armes étaient rangées dans un râtelier, par ordre de poids. Fleuret, sabre, épée.

Le maître des lieux se trouvait sur le balcon, torse nu, occupé à faire une gymnastique insolite. C'était un homme grand et musclé. À en juger par ses gestes, il n'avait rien de timoré.

Conor décida de l'observer un moment avant de l'interrompre. Les mouvements du Parisien étaient lents et précis, pleins d'une aisance maîtrisée. Conor eut l'impression que ces exercices étaient plus difficiles qu'il n'y paraissait.

– Ce n'est pas poli d'espionner les gens, dit Victor sans se retourner.

Son accent était léger mais indubitablement français.

– Vous n'êtes pas espion, n'est-ce pas ?

– Je n'espionne pas, répliqua Conor. J'apprends.

Victor se redressa, puis adopta une position nouvelle, genoux ployés et bras tendus le long du corps.

– C'est une excellente réponse, dit-il avec un large sourire. Venez donc ici.

Conor boitilla jusqu'au balcon.

– Ces exercices sont du tai-chi. On les pratique depuis le XIVe siècle en Chine. Je les ai appris d'un jongleur voyageant de foire en foire. Cet homme prétendait avoir cent vingt ans. Il s'agit d'une discipline de l'esprit autant que du corps. Nous commencerons par là nos cours chaque matin. Ensuite nous passerons au karaté d'Okinawa, puis à l'escrime. Après le petit déjeuner, nous ouvrirons les livres : sciences naturelles, mathématiques, histoire et littérature. Nous nous concentrerons sur l'aéronautique car il se trouve que c'est ma passion, *jeune homme* *. Je parie que c'est aussi la vôtre, à en juger par vos exploits en cerf-volant.

Karaté et aéronautique. Ces occupations ne semblaient pas très orthodoxes pour une princesse.

– Isabella suivra les cours ?

– Pas avant onze heures. Auparavant, elle étudiera la tapisserie, l'étiquette et l'héraldique. Elle pourra cependant nous rejoindre à l'occasion pour pratiquer l'escrime. En somme, nous aurons quatre heures par jour pour apprendre à combattre et à voler.

Conor sourit. Combattre et voler. Son dernier précepteur commençait la journée par le latin et la poésie, voire la poésie latine. Combattre et voler paraissait nettement plus séduisant.

– Comment va votre jambe ? demanda Victor en enfilant une chemise.

– Comme un plâtre, dit Conor.

– Ah ! je vois que vous aimez autant plaisanter que voler. Je suis sûr que vous ferez encore des bons mots quand votre planeur foncera droit sur une montagne.

« Un planeur ? songea Conor. Je vais avoir un planeur. Et il est question d'une montagne ? »

Reculant d'un pas, Victor prit les mesures de son élève avec ses bras.

– Vous avez un vrai potentiel, déclara-t-il enfin. Il vaut mieux être mince comme vous, quand on veut voler. La plupart des gens ne comprennent pas que pour diriger un aérostat, il faut une constitution athlétique, des réflexes rapides et ainsi de suite. J'imagine que ce sera encore plus indispensable pour piloter une machine volante à moteur.

Le cœur de Conor fit un bond dans sa poitrine.

« Une machine volante ? »

– Et vous êtes intelligent. La façon dont vous avez

66

échappé à cette tour le prouve. Vous avez plus de cervelle que votre souverain. Stocker des explosifs dans un laboratoire ! Ça durait depuis des années, vous savez. Tout devait sauter tôt ou tard. Quant à votre personnalité, la princesse Isabella prétend que vous n'êtes pas l'habitant le plus odieux du château. Venant d'une dame, ce n'est pas un mince éloge, sir Conor.

Conor tressaillit. Il n'arrivait pas à s'habituer à son titre et aurait préféré qu'il n'en soit plus jamais fait mention. Encore qu'il avait remarqué ce jour même que la cuisinière lui avait donné une pomme caramélisée sans motif particulier, en lui faisant une révérence. Une révérence ! Et c'était cette même femme qui, moins de deux semaines plus tôt, avait maltraité son séant avec un rouleau à pâtisserie couvert de farine.

– Eh bien, avez-vous envie de vous instruire, mon garçon ?

Conor hocha la tête.

– Oui, monsieur. J'en ai plus qu'envie.

– Parfait, approuva Victor. Magnifique. À présent, veuillez clopiner par ici. Je possède quelques onguents qui devraient aider votre jambe à se remettre d'aplomb. Et je connais des exercices excellents pour les orteils.

Tout cela paraissait bizarre, mais pas plus qu'une machine volante à moteur. On était à l'époque des grandes découvertes, et Conor était prêt à croire n'importe quoi.

Victor attrapa un pot de céramique sur une étagère en hauteur. Le couvercle en toile cirée était attaché avec des brins d'osier. Une fois le pot ouvert, il s'en échappa une odeur qui ne rappelait aucun parfum ni endroit connu de Conor.

– Je tiens cette recette d'un natif du Sahara qui faisait un numéro avec un chameau, l'informa Victor.

Il prit un bon morceau d'onguent sur deux doigts et en enduisit la partie de la jambe en contact avec le plâtre, sous le genou.

– Il faut laisser l'onguent s'infiltrer sous le plâtre. Il pue autant que le derrière de Belzébuth, mais une fois le plâtre enlevé, la jambe cassée vaudra mieux que celle qui n'a rien eu.

Conor sentit sa peau picoter sous la pommade, qui semblait donner à la fois froid et chaud.

– Si nous sommes des scientifiques, dit-il d'un ton respectueux, pourquoi devons-nous combattre ?

Victor Vigny referma le pot tout en réfléchissant à sa réponse.

– J'espère vraiment qu'à nous deux nous apprendrons à voler, Conor Broekhart. Quand le jour viendra pour nous de révéler au monde notre machine prodigieuse, quelqu'un viendra nous la dérober. Cela m'est déjà arrivé. J'avais construit un planeur en soie et en osier, une merveille. L'air chantait sur son passage. Avec lui, j'ai fait voler un singe sur plus de trois mètres. Pendant six mois, j'ai été la vedette de la foire. Le chapiteau était bondé tous les soirs.

Conor croyait voir le planeur, avec un singe à bord. Fabuleux.

– Que s'est-il passé ?

– Un lanceur de poignards russe est venu visiter

mon chariot une nuit, avec une demi-douzaine d'amis. Ils ont réduit en cendres mon planeur et m'ont rossé pour me convaincre de décamper. Le progrès les menaçait, vous comprenez. Entre un lanceur de poignards et un singe volant, qui choisirait le lanceur de poignards ?

– Peut-être sa mère.

Victor passa la main dans ses cheveux noirs pour s'assurer qu'ils étaient convenablement hérissés.

– C'est possible, jeune plaisantin. Cela dit, un joli singe n'est pas pour déplaire aux femmes. Plus d'une mère oublierait sa progéniture pour aller admirer un héros simiesque propulsé dans les airs. L'important, c'est d'être prêt lorsque arrive le lanceur de poignards.

Conor songea à la visite du maréchal Bonvilain.

« Espérons que vous n'allez pas dilapider toute cette chance extraordinaire, jeune Broekhart. Vous pourriez en avoir besoin. »

– Par quoi commençons-nous ? demanda-t-il.

Victor sortit une arme légère du râtelier.

– Nous commençons par le fondement de l'escrime, déclara-t-il en faisant siffler l'air sous la lame. Par le fleuret.

Et ils se mirent au travail.

Dans une période plus tardive et plus sombre de son existence, lorsque Conor Broekhart, seul et découragé, se remémorerait la vie qui avait été la sienne, les quelques années passées avec Victor Vigny lui apparaîtraient toujours comme les plus heureuses.

Ils étudièrent les arts martiaux, la boxe et les armes à feu.

— Le premier maître d'escrime à nous avoir laissé une véritable méthode fut Achille Marozzo, déclara Victor à son élève. Son *Opera nova* sera désormais votre bible. Lisez-la jusqu'à ce que vous l'ayez parfaitement assimilée. Quand ce livre n'aura plus rien à vous offrir, nous remonterons dans le temps pour aborder Filippo Vadi.

Ils passèrent des heures sur les tapis d'entraînement à mettre en pratique les théories des maîtres.

— Vous devez d'abord apprendre à tenir une épée. Considérez-la comme la baguette d'un chef d'orchestre. Si vous vous en servez correctement, aucun homme non entraîné ne pourra vous résister.

Avec des épées mouchetées, Conor apprit à allonger une botte, parer, feinter, contrer et riposter. Son corps perdait chaque matin des litres de sueur, qu'il remplaçait ensuite en buvant un plein pot du thé de Victor, un breuvage oriental au goût infect.

Sa première arme fut un fleuret, mais à mesure que ses poignets devenaient plus forts il passa à l'épée, au sabre, puis à la rapière. Victor retira le plâtre de Conor avec un mois d'avance, mais le força à porter à la place un bandage humide qui jaunissait aussi bien sa jambe que ses draps de lit.

— Encore des astuces apprises au cirque ? avait demandé Conor.

— Non, répliqua le Français. Un Américain de mes amis est un vrai magicien des herbes et des cataplasmes.

En fait, Nick l'a envoyé chercher. Je vous en dirai plus quand il aura fini son œuvre.

Il fut impossible d'en tirer davantage de lui.

Toute arme plus lourde qu'un coutelas déplaisait à Victor.

— Inutile de s'encombrer d'une épée à deux tranchants, à moins que vous n'ayez l'intention de partir en croisade. Du reste, regardez ce qui est arrivé aux croisés. Pendant qu'ils soulevaient péniblement leurs glaives, Saladin plongeait son cimeterre dans leurs aisselles.

Le Français initia Conor à l'art de l'évasion.

— Les scientifiques sont les ennemis de la tradition, déclara-t-il en posant sur la table une boîte remplie de menottes de toutes sortes. Et la tradition possède toutes les prisons.

C'est ainsi qu'ils passèrent des heures à crocheter des serrures et mordiller des nœuds. Conor trouva le tai-chi extrêmement utile le jour où il fut ligoté à une chaise non loin d'une pomme brillant d'un éclat tentateur sur une table. Il était maintenant capable d'atteindre des parties de son propre corps qu'il n'aurait pu localiser auparavant avec un gratte-dos et un miroir.

Victor croyait fermement qu'en toute chose il fallait trouver l'homme de la situation.

— Vous devriez parler des armes à feu avec votre père, dit-il à Conor. Nick m'a affirmé que Declan Broekhart était le meilleur tireur qu'il ait jamais vu. Étant donné que nous avons passé un été avec Wild Bill Hickock à Abilene, ce n'est pas un mince éloge.

Declan fut ravi de contribuer à l'éducation de son

fils. Il commença à l'emmener avec lui lors des patrouilles sur la Muraille, et au stand de tir, où ils se rendaient avec un sac rempli d'armes. Le garçon tira ainsi avec des Colt, des Remington, des Vetterli-Vitali, des Spencer, des Winchester et une douzaine d'autres modèles. Conor apprenait vite et ses dons de tireur étaient évidents.

— Pour ton quatorzième anniversaire, tu auras ton propre Sharps, lui promit son père. D'ici là, nous devrions savoir quel modèle convient à ton épaule. Je t'en offrirais bien un dès ton prochain anniversaire, mais ta mère dit que ce serait prématuré à dix ans.

La seule arme pour laquelle Victor donna quelques conseils à Conor était son précieux Colt Peacemaker, qui lui avait été offert par Wild Bill en personne.

— Il m'a invité à l'accompagner à Deadwood, raconta-t-il à Conor. Mais ce n'était pas un choix de carrière très indiqué pour un aéronaute. Les prospecteurs ont tendance à tirer sur les ballons. Du reste, je suis trop élégant pour une ville de chercheurs d'or.

Toutes ces leçons pratiques étaient passionnantes, mais Conor aspirait avant tout à un défi intellectuel. Victor lui avait promis qu'ils construiraient une machine volante, et il tint parole. Apprendre à se défendre était une nécessité, mais conquérir le ciel était une obsession.

— C'est une course contre la montre, *jeune homme* *, dit-il à Conor un matin tandis qu'ils tendaient de la soie sur l'armature d'une aile en balsa.

Le bois faisait partie d'une cargaison apportée spécialement du Pérou.

— Ce problème passionne nombre des inventeurs et aventuriers les plus éminents de la planète. L'homme volera, c'est inévitable. Il y a plus de vingt ans, le planeur triplan de Cayley a transporté un passager. Wenham et Browning ont édifié un tunnel aérodynamique pour étudier la résistance de l'air. Alphonse Pénaud était si certain de ses conceptions qu'il dessina les plans d'un train d'atterrissage escamotable. Escamotable ! La course a commencé, Conor, ne vous y trompez pas, et nous devons être les premiers à franchir la ligne d'arrivée. Heureusement, le roi soutient notre entreprise, de sorte que les fonds ne nous manqueront pas. Nicholas sait ce que la possibilité de voler représenterait pour les îles Salines. Elles ne seraient plus coupées du monde. On pourrait transporter les diamants sans avoir à redouter les bandits. Les médicaments pourraient arriver d'Europe par les airs. Par les airs, Conor !

Tout cela faisait réfléchir Conor. Il ne pensait à rien d'autre. Dès qu'il avait une minute à lui, il esquissait des plans ou construisait des maquettes. Il n'était plus question de jouer aux pirates et de manger des insectes.

Parfois, son père se désespérait.

— Tu n'aimerais pas te faire un ami ? Peut-être pourrais-tu jouer dans la boue et te salir un peu ?

Cependant sa mère était ravie que son fils ait hérité de sa propre passion pour la science.

— Notre garçon est un scientifique, Declan, déclarait-elle tout en aidant Conor à couvrir une aile ou découper une hélice. Ce n'est pas en pataugeant dans la boue qu'on parviendra à conquérir le ciel.

Conor fabriqua un abat-jour pour la lampe de sa chambre. Sur un écran de papier, il représenta avec soin l'appareil à ailes battantes de Léonard de Vinci, un ballon des frères Montgolfier et l'engin volant à vapeur imaginé par Kaufman. La nuit, la chaleur de l'ampoule faisait tourner l'abat-jour et Conor regardait de son lit les silhouettes de ces machines fabuleuses défiler sur le plafond.

«Un jour, se disait-il rêveusement. Un jour...»

Chapitre 3
Isabella

Conor avait quatorze ans lorsque le maître et l'élève furent enfin convaincus que le vol humain était à leur portée. Ils avaient construit une centaine de maquettes et plusieurs planeurs grandeur nature, qui avaient tous fini piétinés, dépecés et jetés au feu. Leurs efforts n'alimentaient pas seulement les flammes mais aussi les conversations des tavernes de l'île. De l'avis général, le Français était fou, et le jeune Broekhart semblait suivre la même voie que lui. Cela dit, il était plutôt distrayant le soir d'aller regarder un homme adulte sauter du haut d'un mur en agitant ses ailes en papier. D'ailleurs, le roi continuait de payer la note et de faire venir d'Allemagne des moteurs expérimentaux ou d'Amérique du Sud des cargaisons d'un bois spécial.

« C'est du bois magique, ricanaient les beaux esprits des tavernes. Plein de poussière enchantée. »

Non que les Salinois aient trouvé à redire à la façon dont le bon roi Nick dépensait ses diamants. Même s'il gaspillait quelques sous avec un Français se prenant pour un oiseau, cela faisait fort longtemps qu'on n'avait pas vécu aussi bien sur les îles Salines. Il y avait du travail pour tous ceux qui en voulaient. L'instruction s'était également développée, et les petits futés, peu enthousiasmés à l'idée de dépendre d'un gagne-pain, recevaient des bourses pour étudier à Londres et à Dublin. L'infirmerie était bien pourvue en instruments permettant d'explorer en tous sens les organes malades. Comme dit le proverbe, un homme qui crie est un homme qui vit. Les égouts fonctionnaient et rejetaient à la mer tous les déchets, si bien que les maladies étaient en diminution. Les rats n'étaient plus qu'un souvenir, au moins sur la Grande Saline, et les chevaliers de la Sainte-Croix ne pouvaient plus agir à leur guise. C'en était fini des raclées sans motif ou des emprisonnements sans procès qu'affectionnait le maréchal Bonvilain, que Dieu le bénisse. Il existait des primes prévues pour l'amélioration de l'habitat et on projetait des liaisons téléphoniques entre la Grande et la Petite Saline, et même l'Irlande. Du coup, personne ne s'inquiétait vraiment de voir le roi se complaire dans ses petites chimères scientifiques. Le Français aurait beau faire, il ne volerait jamais. Même déguisé en oiseau, un homme est toujours un homme.

Le poids et l'envergure, telles étaient les deux préoccupations majeures de Conor et Victor. Comment flotter dans l'atmosphère si l'on est plus lourd que l'air ? En refoulant l'air sur les ailes assez vite pour provoquer une poussée annulant la force de gravité. Il est nécessaire pour obtenir une poussée suffisante d'avoir des ailes vastes, et donc pesantes. Si l'on utilise de petites ailes, il faut les faire battre à l'aide d'une machine, laquelle pèse lourd. Chaque solution pose une multitude de problèmes.

Malgré plus de trois ans d'échecs, Victor était persuadé que leur méthode était la bonne.

— Nous devons apprendre à contrôler le vol, avant d'utiliser un moteur. Planer est la première étape. Il faut nous inspirer de Lilienthal.

L'aviateur allemand Otto Lilienthal avait volé sur vingt-cinq mètres dans son planeur, le *Derwitzer*. C'était le nouveau héros de Victor et Conor.

Victor Vigny, dit *La Brosse* *, ne perdait jamais espoir plus de cinq minutes, qu'il passait généralement à piétiner le dernier prototype raté. Après quoi, il retournait dans la salle de classe pour élaborer de nouveaux projets.

Conor réussit enfin à construire une maquette digne de l'approbation de son professeur. L'élève retint son souffle tandis que le maître examinait son œuvre.

— Tu sais que cet engin ne volera jamais.

— Bien sûr, répliqua Conor. Le pilote joue un rôle essentiel, car ce sont ses gestes qui permettent de diriger le vaisseau. S'il pousse la barre d'horizon vers la gauche, le vaisseau vire sur la droite.

— Nous ne pouvons donc pas tester ta maquette.

— Non, à moins que vous ne connaissiez un singe particulièrement intelligent.

Victor sourit.

— Il me semble que je t'ai déjà parlé de singes volants. Cela dit, ces animaux sont assez malins pour rester sur la terre, où ils sont chez eux.

– Et nous, que sommes-nous donc ?

Victor saisit la maquette et fit siffler dans l'air cet appareil qui lui semblait animé d'un besoin urgent de voler.

– Nous sommes des visionnaires, *jeune homme** *. Quand il lève les yeux, un singe voit une banane et ne regarde pas plus loin. Quand un visionnaire lève les yeux, il aperçoit la lune.

– Laquelle ressemble à une grosse banane, observa Conor avec un sourire narquois.

– Oh ! s'exclama Victor. Oseriez-vous vous moquer de moi, votre professeur ? Une telle impudence mérite d'être châtiée.

Le Français jeta la maquette sur un coussin et se précipita vers le râtelier où étaient rangées les armes. Conor fut plus rapide que lui et s'empara de son fleuret préféré, qui se trouvait être également le favori de Victor.

– Quelle perfidie, *monsieur** * ! déclara Victor en choisissant une épée légèrement plus courte. Prendre l'arme d'un autre ! Je me demande combien de temps vous allez la garder.

Conor recula jusqu'au tapis d'entraînement, sans quitter de l'œil son professeur.

– *En garde** * ! hurla Victor en se ruant à l'attaque.

Durant les premières années, quand l'escrime était une nouveauté pour Conor, le Français lui criait des instructions tout en combattant.

« Portez une botte, parez, ripostez. Attention au jeu de jambes. Bougez donc vos pieds, espèce de lourdaud insulaire ! Encore. Je vous porte une botte, donc parez. Vos pieds, Conor, vos pieds ! »

Cette époque était révolue. À présent, Victor luttait pour garder l'avantage. Il n'était plus question de retenir ses bottes ou d'administrer des tapes indulgentes avec le plat de l'épée. On aurait dit une guerre.

Ils se battirent d'un bout à l'autre de la pièce et finirent par sortir sur le balcon.

« Un vrai démon, pensa le Français. Il n'a pas une goutte de sueur sur le front. À quatorze ans, il me surpasse déjà. Mais le vieux singe a encore quelques tours dans son sac. »

– C'est la meilleure maquette que vous ayez construite, lança-t-il en haletant.

« Riposte, contre-riposte... »

Conor garda le silence. Ne jamais perdre sa concentration. Si votre adversaire fait des plaisanteries sur votre mère, écartez-les de votre esprit comme si vous pariez des bottes maladroites. Une insulte ne fait souffrir que si on la laisse s'enfoncer dans le cœur.

– Je trouve que vous devriez lui donner un nom, déclara Victor.

« Parade du côté faible, esquive et riposte. »

Le coup d'épée du Français fit tomber un bonsaï de la terrasse. Un âne se plaignit avec vigueur dans la cour.

« Victor est à bout, se dit Conor. Il est à ma merci. Enfin. » Il s'élança pour tenter une attaque en flèche, que le Français ne para qu'avec peine.

Victor retomba sur son pied gauche, mais ne baissa pas la garde.

— Je pense que vous devriez l'appeler l'*Isabella*, reprit-il.

Conor ne fut distrait qu'une fraction de seconde par ce nom, mais c'était amplement suffisant pour permettre à Victor de rompre sa garde. Le professeur fit aussitôt une feinte basse avant de relever son épée pour toucher son adversaire, en une *passata sotto* pleine d'aisance. Si les lames n'avaient pas été mouchetées, Conor aurait eu le cœur transpercé.

— *Touché** ! s'exclama Victor d'un ton soulagé, en se reposant un instant sur un genou.

Puis il se redressa avec un gémissement et retourna dans l'ombre fraîche de son appartement.

Conor le suivit d'un air morose et replaça le fleuret dans son étui de cuir sur le râtelier.

— Pourquoi avez-vous dit ça ? demanda-t-il à voix basse.

Victor haussa les épaules.

— Quelle importance ? Vous avez baissé la garde. Notre ami, le singe volant, aurait pu vous vaincre.

Loin d'apprécier ce ton badin, Conor en parut irrité.

— C'était une ruse indigne, Victor.

— Étant donné que je suis vivant, je dirais que c'était une ruse excellente. Vous, en revanche, vous avez le cœur percé.

Conor retira sa maquette du coussin et entreprit d'ôter des peluches de la queue de l'appareil.

— Ah, ne boudez pas, je vous en prie ! l'implora Victor d'une voix théâtrale. Il vous est permis d'aimer une princesse. Tout jeune homme a le devoir de tomber éperdument amoureux d'une princesse. Vous avez la chance d'en avoir une sous la main.

— Aimer... une princesse ? bredouilla Conor. Comment ça ? Je ne sais vraiment pas...

Victor se versa un verre d'eau.

— Quel démenti convaincant, *jeune homme**! Mais ne vous faites pas de reproches. Il m'arrive régulièrement de réduire mes interlocuteurs à des balbutiements inintelligibles. C'est une spécialité française. Les Italiens ont également ce don.

Son élève était si désemparé que le Parisien finit par avoir pitié de lui.

— Je suis désolé, jeune Conor. Je voyais bien que vous aviez le regard égaré, mais je n'imaginais pas à quel point. Vous avez reçu une flèche en plein cœur, pas vrai ?

Conor ne répondit que par un signe de tête presque imperceptible. Assis sur le divan, il redressa la barre de sa maquette et souffla doucement sur les ailes.

Victor s'assit à côté de lui.

— Voyons, pourquoi prendre l'air d'un homme en partance pour l'échafaud ? Vous aimez une princesse, et elle ne semble pas absolument vous dédaigner. Réjouissez-vous, *jeune homme**. Vivez votre vie. Un amour juvénile n'a rien de rare, mais c'est un bien précieux.

Conor mourait d'envie d'aborder ce sujet. Cela faisait un bon moment qu'il en était secrètement tourmenté. S'il n'avait pas été occupé par les planeurs, cette obsession nouvelle aurait fini par le rendre fou.

Comprenant son état d'esprit, Victor resta silencieux. Il avait observé depuis quelque temps que l'aspect physique de Conor évoquait maintenant un homme plutôt qu'un adolescent. Grand et fort pour son âge, il arborait en général un air sérieux et maîtrisait remarquablement ses mouvements grâce à l'escrime. Tout cela faisait qu'il paraissait plus vieux qu'il n'était. D'un point de vue affectif, en revanche, c'était un vrai gamin. Son cœur semblait tellement rempli de sentiments qu'il allait déborder.

– Isabella est ma plus vieille amie, commença lentement Conor. Je n'ai que trois amis de mon âge, et elle est la plus ancienne. Mère raconte que j'avais à peine une semaine lors de notre première rencontre.

– C'est bien jeune, *vraiment**, dit Victor. Je me souviens parfaitement de votre naissance. Nous avons tous eu de la chance de nous en tirer.

– Avez-vous vu la photographie ? Celle du journal français. J'ai l'air d'un vieillard en train de chercher ses dents.

– Je déteste jouer les porteurs de mauvaises nouvelles, *jeune homme**, mais votre apparence ne s'est pas beaucoup améliorée depuis.

Ces railleries détendirent Conor, qui continua à exprimer des pensées qu'il n'avait encore jamais confiées à personne.

– J'ignore si elle est belle ou non – il me semble que oui. Son visage me plaît, c'est tout ce que je sais. Parfois, je n'ai même pas besoin de la voir. Il suffit que je l'entende derrière moi pour qu'aussitôt j'oublie tout le reste. Pour l'amour de Dieu, Victor, j'ai quatorze ans, maintenant, pas douze ! Je n'ai pas le temps de débiter des sottises.

— Ne soyez pas si pressé, répliqua Victor. Quand il s'agit de sottises, on a toujours le temps.

— Tout a commencé lors de son dernier anniversaire. Je lui ai offert un cadeau, comme d'habitude. Mais lorsqu'elle l'a déballé, j'ai compris qu'elle était déçue. Elle avait espéré autre chose.

— Que lui avez-vous offert ? Je ne m'en souviens plus.

— Un planeur à ressort. Vous vous rappelez ? Le modèle avec une seule aile.

— Ah, oui ! C'est le rêve de toutes les princesses.

Conor était éperdu.

— Je sais. Cela ne lui a pas plu du tout. Je suis sûr qu'elle l'a jeté droit dans le canal Saint-Georges. Alors je me suis mis à réfléchir. À propos d'Isabella. Je me suis demandé ce qui pouvait clocher. J'ai compris qu'un planeur n'était pas un cadeau pour une jeune dame, or c'est précisément ce qu'est devenue Isabella. Et moi, je ne peux pas m'empêcher de penser à elle.

Victor s'étira à en faire craquer ses épaules.

— *Jeune homme**, vous avez de la chance de m'avoir avec vous aujourd'hui. Car ma science s'étend à tous les domaines, y compris les femmes.

Conor parut dubitatif.

— Ce qui explique que vous ayez dépassé la quarantaine sans réussir à vous marier.

— J'ai choisi de rester célibataire, expliqua le Français en agitant un doigt. Une foule de dames n'auraient pas demandé mieux que de passer la corde au cou de Victor Vigny. Si j'avais recueilli une goutte de champagne pour chaque cœur que j'ai brisé, j'aurais depuis longtemps un plein magnum.

– Dans ce cas, pourriez-vous m'offrir un avis sincère, sans faire intervenir aucun singe volant?

– D'accord, Conor Broekhart. Écoutez-moi, vous n'allez pas en croire vos oreilles.

Victor se pencha d'un air grave, comme s'il s'apprêtait à donner une conférence savante.

– Je soupçonne Isabella d'avoir été déçue par le planeur parce qu'elle s'attendait à un cadeau exceptionnel.

– C'est tout ce que vous avez à proposer?

– Et si elle s'attendait à un cadeau exceptionnel, poursuivit Victor imperturbable, c'est parce que vous êtes devenus respectivement un jeune homme et une jeune femme.

– C'est de la biologie, Victor. Je suis au courant.

– Non, *imbécile* *. Elle a vu en vous un jeune homme avant que vous n'ayez vu en elle une jeune femme. Elle avait espéré que vos yeux se seraient ouverts à temps pour son anniversaire. Le planeur lui a prouvé qu'elle s'était trompée.

– Elle a donc cru…

– Isabella a cru que vous la considériez toujours comme une simple amie d'enfance.

– Mais ce n'est plus le cas.

– Elle n'en sait rien. Comment le saurait-elle? Par télépathie?

Conor se prit la tête entre les mains.

— C'est si déconcertant. Les machines volantes sont moins compliquées.

— Bienvenue dans votre avenir, *jeune homme* *. Ce sera désormais ainsi toute votre vie. Cependant permettez-moi de conclure ce cours sur une note optimiste. Si Isabella n'avait pas attendu quelque chose d'exceptionnel de vous, de vous en particulier, elle n'aurait pas été déçue. Vous saisissez ?

Le visage de Conor exprimait une incompréhension totale.

— Non. C'est du chinois pour moi.

— Moi-même, je lui ai offert un livre extrêmement ennuyeux, et elle a été ravie. Mais de votre part, elle voulait plus qu'un cadeau, elle voulait un gage.

— Nous sommes en pleine chinoiserie.

Victor se tapa le front.

— Ce garçon est obtus. Elle désirait recevoir de vous un gage d'affection, car elle-même a de l'affection pour vous.

Conor se mit à sourire.

— Vous croyez ?

— Seigneur ! Il se déride. C'est la première fois de la journée. Où est le photographe de la Cour ?

Le sourire s'éteignit comme la lumière d'une lampe.

— Je pense que vous avez raison. Ça se tient.

— Si ça se tient, pourquoi prendre de nouveau cet air lugubre ?

— C'est que quelque chose vient de me revenir. Ce qui m'a ennuyé au départ. Le prince Christian de Danemark a demandé à prendre le thé avec Isabella, afin de commencer à lui faire la cour. Isabella a accepté de le recevoir cet après-midi même.

– Oh ! ne vous en faites pas. Je doute que le prince Christian puisse réduire à néant quatorze ans d'amitié en un après-midi.

– Mais c'est un prince.

– Et vous, vous êtes sir Conor. D'ailleurs, Nicholas est un roi tout à fait moderne. Isabella épousera l'homme ou le singe volant qu'elle aimera.

– Vous le pensez vraiment ?

– Bien sûr. C'est comme dans ce vieux conte de fées. Le garçon sauve la princesse, ils tombent amoureux l'un de l'autre. Il invente une machine volante – avec l'aide de son brillant professeur, évidemment. Ils se marient et donnent à leur premier-né le nom dudit brillant professeur.

Conor fronça les sourcils.

– Je ne me souviens pas qu'on m'ait raconté cette histoire quand j'étais petit.

– C'est pourtant un classique, croyez-moi. Laissez donc Isabella boire son thé. Je serais fort étonné qu'on annonce des fiançailles. La semaine prochaine, nous commencerons à élaborer un plan d'action. Peut-être est-il temps de passer à Shakespeare.

Conor frappa du poing son genou. Enfin un progrès.

– Au diable la semaine prochaine ! Mettons-nous-y dès maintenant. Je pourrais avoir un sonnet prêt pour ce soir.

Victor se leva et commença à arpenter son bureau, qui servait également de salon et de salle de classe.

— D'abord, surveillez votre langage. Vous avez quatorze ans et vous trouvez à l'intérieur d'un palais, en compagnie d'un génie qui plus est. Ensuite, j'ai des affaires à régler cet après-midi. Des affaires importantes. J'ai un rendez-vous. Et demain matin, je dois contrôler une livraison dans notre nouveau laboratoire.

L'esprit de Conor passa d'une obsession à l'autre.

— Notre nouveau laboratoire... Vous y passez presque toutes vos soirées. Quand pourrai-je le voir, Victor ? Dites-le-moi.

Le Français leva la main en un geste qui disait : « Attendez. Silence. »

Il ferma la porte du balcon puis vérifia que personne ne les épiait à l'entrée de l'appartement.

— Permettez-moi une question, dit-il à son élève intrigué. Pourquoi n'avez-vous pas parlé à votre père de vos émois amoureux ?

— J'aurais bien voulu, répondit Conor d'un air perplexe. Nous sommes proches l'un de l'autre. Cependant, depuis un an, il paraît préoccupé. Les chevaliers de la Sainte-Croix voient grandir leur puissance. Des insulaires aussi bien que des visiteurs ont été victimes d'actes de violence. Les chevaliers narguent ouvertement l'autorité royale. Père est inquiet pour la sécurité du roi.

— Il a raison d'être inquiet. Les hommes de Bonvilain se montrent chaque jour plus audacieux. Le maréchal a failli devenir Premier ministre, autrefois, et il croit encore avoir une chance de parvenir à cette position éminente. Toutefois le roi projette d'instituer un parlement, mais en évitant qu'il ne soit dominé par les chevaliers. Des deux côtés, des intrigues politiques importantes sont en cours. L'époque est à la prudence et au secret.

— Y a-t-il un rapport avec la personne que vous devez rencontrer ? Et avec le nouveau laboratoire ?

— Oui, les deux jouent un rôle. Il s'agit d'un homme qui risque sa vie pour nous informer de l'emprise de Bonvilain sur les autorités de la prison.

— Et le laboratoire ?

Victor s'agenouilla devant Conor et empoigna ses épaules.

— Il est presque prêt, Conor. Enfin. La rénovation est presque terminée, même s'il est impossible de s'en apercevoir de l'extérieur. Et l'équipement nécessaire pour construire notre machine volante est arrivé.

Le cœur de Conor s'emballa.

— Tout est là ?

— Oui, tout, et même plus que nous n'en avions demandé. Nicholas a doublé la commande et ajouté le moindre perfectionnement qui lui passait par la tête. Le résultat est une vraie caverne d'Ali Baba, pour deux hommes volants comme nous. Six moteurs. Cinq caisses de balsa. Des rouleaux de soie et de coton, des câbles, des pneumatiques en caoutchouc. Il y en a pour une fortune, Conor, mais ça en vaut la peine. Deux paires de magnifiques lunettes protectrices, le dernier cri de la précision. Nous avons tout ce qu'il faut pour construire un atelier sans équivalent sur cette terre. Et grâce à une subvention généreuse de Nicholas, nous possédons une vieille tour Martello où l'installer, non loin de Kilmore. Là-bas, nous n'aurons pas Bonvilain constamment sur le dos. Nous disposerons de notre propre tunnel aérodynamique, *jeune homme* *. Imaginez !

Des machines volantes prenaient déjà leur essor dans l'esprit de Conor.

– Quand pourrai-je voir ces merveilles ?

– Bientôt, promit Victor. Bientôt. Il n'y a que deux personnes dans l'archipel qui soient au courant de notre équipement. Avec vous, cela fait maintenant trois. Pour les autres, il s'agit simplement d'un bric-à-brac ruineux. Les achats d'un imbécile, enfermés dans une tour délabrée.

– Mais pourquoi tant de mystères ?

– Vous ne vous rendez pas encore compte de l'importance de notre tentative. Si nous réussissons, les îles Salines seront honorées par le monde entier. Le roi Nicholas restera comme celui qui a appris à voler à l'humanité, et sa position sera assurée sa vie durant. En attendant, il n'est qu'un monarque au cerveau dérangé, qui vide égoïstement les coffres de son propre royaume. Nous risquons de donner du grain à moudre à ses ennemis. Notre équipement est pharaonique. Il convient de garder le secret jusqu'à ce que nous soyons prêts. Pour le moment, nous prétendrons que nos voyages ont un but éducatif.

Conor comprenait, mais son excitation lui faisait oublier toute prudence.

— Que le diable emporte Bonvilain ! Il freine le développement de la science.

— Pas pour longtemps, assura Victor d'un ton apaisant. Allons, je vous ferai embarquer discrètement sur le ferry la semaine prochaine. Vous pourrez examiner nos nouveaux moteurs.

— La semaine prochaine. D'accord.

— Nous pourrons lire un peu de Shakespeare pendant la traversée.

Conor le regarda d'un air absent.

— Shakespeare, je…

Puis la mémoire lui revint et il se leva d'un bond.

— Oh ! Isabella doit être en train de prendre le thé ! Il faut que je lui parle tout de suite après. Quelle heure est-il ?

Sans prêter attention à la pendule ornant la cheminée, le Français consulta le cadran solaire installé sur le balcon.

— Je dirais qu'il est à peu près cinq heures et quart.

— Comment pouvez-vous le savoir ? demanda Conor incrédule. On ne voit pas le soleil, aujourd'hui, avec tous ces nuages.

Victor lui fit un clin d'œil.

— Le soleil est peut-être invisible pour les autres, *jeune homme**. Mais moi, je suis un visionnaire.

Les informations nouvelles se bousculaient dans la tête de Conor tandis qu'il traversait le donjon pour rejoindre les appartements des Broekhart. La journée était grise. Les murs de granit paraissaient presque

90

noirs dans la lumière blafarde. Rien ne venait le distraire de ses pensées remplies d'inventions et d'idylles.

Victor avait raison. Isabella était assise à côté de lui chaque jour pour étudier le latin, le français, les mathématiques et maintenant Shakespeare. Il avait ses chances. Et quel meilleur moyen d'impressionner une jeune fille que de lui construire une machine volante ? Un véritable aéroplane, pas un jouet. Il le baptiserait l'*Isabella*, si Victor y consentait – mais comment un romantique ardent tel que le célèbre *La Brosse* * pourrait-il contrecarrer un jeune amour ?

Conor s'élança à travers la cour intérieure, emporté par l'ardeur de ses propres pensées. Il croisa sans les voir amis et voisins. Loin de s'offusquer de son impolitesse, ils se contentèrent de sourire.

« Regardez, le jeune Broekhart est encore dans la lune. Pas étonnant, pour quelqu'un qui est né en plein ciel. »

Un cochon se trouva sur son chemin et Conor rentra dans sa masse crasseuse.

– Désolé, princesse ! s'exclama-t-il en mêlant sa rêverie et la réalité.

Le porcher se gratta le menton.

– Qui appelez-vous « princesse » ? Moi ou le cochon ?

Conor présenta des excuses successivement au cochon et à son propriétaire, avant de reprendre précipitamment son chemin en prenant garde cette fois à ce qui l'entourait.

– Côtelette dit qu'elle est libre le mercredi ! lui cria le porcher au grand amusement des badauds.

Les joues brûlantes, Conor s'engouffra dans la ruelle la plus proche. Ce n'était pas du tout la bonne direction, mais au moins le porcher ne pouvait plus le voir.

Il s'adossa un moment au mur afin de se calmer, sans prêter attention au va-et-vient de soldats, de fonctionnaires et de marchands. Deux des chevaliers de Bonvilain s'avancèrent en titubant, manifestement ivres. Ils prirent au passage tout ce qui leur plaisait sur les éventaires du marché. Ni eux ni les commerçants ne parlèrent de payer ou d'être payés.

Conor entendit s'élever par la fenêtre ouverte d'une arrière-cuisine une voix chantante, à l'accent insolite.

– … d'une telle beauté, dit la voix. Gretchen, vous savez, cette petite princesse allemande pleine de propriétés, elle donnerait n'importe quoi pour prendre le thé avec le prince Christian. Mais lui, il est choisissant votre Isabella. Elle devrait se sentir honorée. À mon avis, il va tout déclarer dès aujourd'hui. Il ne reviendra pas. Le prince Christian n'est pas aimant le bateau, avec les grosses vagues et le devenir malade.

Christian allait donc se déclarer le jour même…

Conor fut sur le point de céder à la panique en pleine rue. Il lui fallut lutter si violemment pour maîtriser ses émotions qu'il lui sembla que son visage était méconnaissable.

« Il faut que je parle tout de suite à Isabella. »

Il allait se rendre chez la princesse. Il lui dirait que le planeur à ressort avait été une mauvaise idée. Peut-être pourrait-il cueillir quelques fleurs et les envelopper dans un papier sur lequel il aurait écrit un poème.

« Pitoyable. Même moi, je trouve ça pitoyable, alors que c'était mon idée. Je ne suis pas poète. Si Isabella m'apprécie, ce n'est pas pour ma poésie. »

Il la verrait et se contenterait d'être lui-même. Histoire de lui rappeler son existence avant que le prince Christian ne l'ensorcelle et qu'elle ne le suive au Danemark. Il pourrait raconter une histoire drôle – une de celles de Victor.

« Qu'est-ce qui m'arrive ? » se demanda-t-il.

Conor avait toujours cru qu'il ne ressentirait jamais d'émotion plus intense que l'excitation des découvertes scientifiques. Faire quelque chose que personne n'avait encore fait depuis que le monde était monde. N'était-ce pas une sensation incomparable ?

Mais il avait commencé ensuite à regarder Isabella avec des yeux nouveaux. Il avait remarqué que ses plaisanteries et son attitude égayaient les cours. Même ses insultes incessantes et ses menaces de tortures avaient quelque chose d'attachant. Il s'était rendu compte que ses yeux marron pouvaient faire disparaître tout le reste dans une pièce. Chaque matin, il attendait avec impatience l'heure où elle entrerait dans la salle de classe.

« Il faut que je lui parle. Même mes machines volantes ne me permettront pas d'aller jusqu'au Danemark ! »

Les appartements de la princesse se trouvaient en dessous de ceux du roi, dans la tour reconstruite. Une sentinelle était postée sur la Muraille au-dessus de la porte de la tour. Conor reconnut l'homme. C'était un des favoris de son père, bien que son attitude face à l'autorité fût des plus décontractées.

« Ce Bates nous perdra tous les deux, se plaignait souvent Declan. Je ne sais ce qui fait le plus de dégâts, de son pistolet ou de sa langue. »

Conor lui fit un salut militaire.

— Quelle belle soirée, brigadier Bates.

— Vraiment ? Pas pour un malheureux juché sur un mur et exposé au vent de l'océan qui n'arrête pas de gonfler sa jambe de pantalon.

— Non, bien sûr. C'était juste histoire de parler. En fait, je suis venu ici pour…

— Pour voir Isabella, comme d'habitude. Vous avez encore votre tête d'amoureux transi. Montez vite, avant que ce Danemarkien l'enlève sur son cheval de bois.

Si Conor avait réellement écouté, ce « cheval de bois » lui aurait donné à réfléchir.

— On dit « Danois ». Et vous croyez qu'il pourrait l'enlever ? Vous avez entendu des rumeurs ?

Bates le regarda comme s'il était fou. Un sourire s'épanouit lentement sur ses lèvres.

— Oh ! je pense qu'il a vraiment ses chances. C'est un solide gaillard. Et sa façon de manger tout son dîner sans se faire prier ! Il ne mérite que des éloges. À votre place, je me dépêcherais.

— Vaut-il mieux que j'attende ici que vous m'ayez annoncé ?

— Non, non, assura Bates. Montez directement. Je suis certain que la princesse sera ravie de vous voir.

C'était un peu cavalier, mais la désinvolture de Bates envers le protocole était légendaire.

— D'accord. J'y vais. Merci, brigadier Bates.

Bates lui fit un salut enjoué.

– De rien, jeune Broekhart ! Mais ne me remerciez pas. Contentez-vous de faire en sorte que je sois invité aux noces.

Conor monta l'escalier quatre à quatre. Quand il arriva à l'étage de la princesse, il était hors d'haleine. Le palier donnait sur un vestibule voûté, où quatre globes électriques éclairaient une tapisserie médiévale normande d'un effet spectaculaire et une fontaine ornée d'un angelot, dont les deux pompes faisaient plus de bruit que d'eau. Le vestibule était désert, en dehors de Conor. Il s'adossa de nouveau au mur pour se calmer, en espérant qu'il n'était pas en sueur ni couvert de crasse.

« C'était vraiment le moment de batailler avec des cochons et de courir dans les escaliers… »

Un rire ravi s'éleva de l'autre côté de la porte d'Isabella. Conor connaissait ce rire. Isabella le réservait aux grandes occasions : anniversaires, baptêmes, fêtes du 1er Mai. C'était le rire des surprises agréables.

« Il faut que j'entre là-dedans. Au diable les conséquences ! »

Conor se redressa, lécha ses doigts pour lisser sa chevelure puis fit irruption dans l'appartement privé d'une princesse royale.

Agenouillée devant sa petite table dorée, Isabella avait les mains dégoulinantes d'un liquide rouge.

– Isabella ! hurla Conor. Tu saignes !

– C'est de la peinture, dit-elle avec calme. Que fabriques-tu ici, Conor ?

Un petit garçon bien habillé était assis à la table.

— Ce drôle de bonhomme sent le sale ! lança-t-il en pointant vers Conor un doigt ruisselant de peinture verte.

Conor se sentit soudain très mal.

« Mon Dieu ! Un petit garçon. La peinture. Le dîner qu'il a mangé sans se faire prier. »

Isabella arborait une mine sévère.

— Oui, drôle de bonhomme, explique donc au prince Christian pourquoi tu sens le sale.

— C'est le prince Christian ?

— Oui, il est en train de me peindre un chef-d'œuvre en se servant uniquement de ses doigts.

— Et aussi de la peinture, précisa le prince.

Isabella hocha la tête.

— Merci, Christian. Vous êtes tellement intelligent. À présent, Conor, raconte-nous l'origine de cet étrange parfum.

— Il y avait un cochon dans la cour, dit Conor d'une voix faible. Une truie, en fait. Je crois qu'elle s'appelait Côtelette. Nous sommes rentrés l'un dans l'autre.

Christian battit des mains avec ravissement, en s'aspergeant copieusement de peinture.

— Le drôle de bonhomme n'avait pas d'argent pour le cheval, alors il a monté le cochon !

Conor ne réagit pas à ces moqueries. Il méritait encore bien pis.

« Je dois avoir l'air d'un demeuré, pensa-t-il. Tout juste bon à manier l'épée et combattre des cochons. »

Isabella s'éclaircit la gorge.

— Hum ! sir Conor. Pendant la minute qu'il vous reste à vivre avant que je vous fasse exécuter, peut-être pourriez-vous nous expliquer ce que vous faites ici ?

Maintenant qu'il était sur les lieux, Conor ne savait plus que dire. Il avait pourtant conscience qu'il devrait se montrer aussi véridique qu'éloquent.

— Tout d'abord, Votre Altesse, veuillez m'excuser pour cette intrusion. Isabella, il fallait… il faut que je te dise quelque chose…

C'était la première fois qu'il lui parlait sur ce ton. En quatorze ans, elle ne l'avait jamais vu ainsi.

— Oui, Conor, dit-elle d'une voix d'où toute malice avait disparu.

— À propos de ton anniversaire…

— Ce n'est pas pour demain.

— Je ne parle pas de ton prochain mais de ton dernier anniversaire.

— Eh bien ?

Tout se taisait, la cour elle-même semblait silencieuse, comme si le monde entier attendait la réponse de Conor.

— Le planeur à ressort…

— Ne me dis pas que tu veux le récupérer ? Parce que la fenêtre était ouverte et je…

— Non, non, il n'est pas question de ça. Simplement, il m'a semblé nécessaire de te dire que ce n'était pas une bonne idée de cadeau. J'espère que tu t'attendais à autre chose. Quelque chose d'exceptionnel.

— Un planeur à ressort est tout à fait exceptionnel,

intervint le prince Christian avec sérieux. Si jamais la princesse n'en est pas désireuse ?

Isabella soutint un instant le regard de Conor, l'air hébétée, puis elle cligna deux fois des paupières.

— Allons, prince Christian, je crois que le goûter est terminé. J'espère que vous avez apprécié le thé, les gâteaux et la limonade.

Le prince Christian n'avait aucune envie de s'en aller.

— Oui, la limonade était agréable. Je me demandais si je ne pourrais pas avoir aussi la vodka ?

— Non, Christian, répondit Isabella d'un ton enjoué. Vous n'avez que sept ans.

— Un cognac, alors ?

— Il n'en est pas question.

— Mais dans mon pays, c'est la coutume.

— Vraiment ? Et si nous demandions l'avis de votre nounou ?

Isabella tira sur un cordon pour sonner et une nounou danoise entra deux secondes plus tard, aussi silencieuse qu'un wagon glissant sur ses rails.

Elle jeta un coup d'œil sur le prince et se retroussa les manches.

— Maintenant, je suis lavant le bébé royal, déclara-t-elle en attrapant Christian par le bras.

— Lâchez-moi, servante ! cria Christian en se débattant vainement. Je suis votre maître !

La nounou se renfrogna.

— C'est assez parler de maître et de servante, Christian. Si vous êtes une bonne petite Altesse, nounou vous fera du *wienerbrød* pour le souper.

Cette perspective apaisa instantanément le prince, qui sortit de l'appartement en laissant derrière lui une traînée de peinture.

Isabella disparut sans un mot dans sa salle de bains, et Conor l'entendit verser de l'eau.

« Elle enlève la peinture, se dit-il. Faut-il rester ou m'en aller ? A-t-elle voulu me congédier en quittant la pièce ? »

La situation avait changé brutalement. Auparavant, ils étaient égaux. À présent le moindre sentiment, le moindre pas d'Isabella le plongeait dans l'inquiétude.

« Je devrais partir. Nous pourrons parler plus tard. »

« Non, je reste. Il le faut. Victor ne s'enfuirait pas. Si je m'en vais maintenant, nous serons de nouveau en pleine confusion demain. »

– À qui parles-tu, Conor ?

Il allait protester qu'il n'avait rien dit, quand il s'aperçut que ses lèvres remuaient déjà.

– C'est juste que je pensais à voix haute. Lorsque je suis nerveux, il m'arrive de…

Isabella lui sourit avec gentillesse.

– Tu es un vrai hurluberlu, pas vrai, sir Conor ?

Il se détendit. Les taquineries d'Isabella le ramenaient en terrain connu.

– Je suis désolé, princesse. Comptes-tu me condamner au garrot ?

– Tu sais bien que je préfère la pendaison.

Conor respira un grand coup et ouvrit son cœur à son amie. Il se dépêcha, comme s'il sautait dans l'océan, afin d'en finir avec la souffrance.

– Je suis venu parce que tu m'avais dit que le prince voulait te faire la cour.

Isabella fut assez bonne pour rougir.

– Il se peut que je te l'aie dit. Ce n'était qu'une taquinerie.

– Je m'en suis rendu compte. Trop tard pour m'éviter une scène gênante.

– Le père de Christian est en relation d'affaires avec nous. Je fais mon devoir de princesse, rien de plus. Personne ne me courtise.

– Non.

Les épaules de Conor se décrispèrent. Au moins, il n'avait plus l'impression de participer à une sorte de course.

– Et donc tu as rassemblé ton courage pour te précipiter ici et me déclarer ton amour ?

– Eh bien, je...

« Pas de panique. Surtout pas de panique. »

– Oui, c'est à peu près ça.

Isabella se dirigea vers le balcon et s'accouda à la balustrade sculptée. Ses cheveux ruisselaient sur son dos en une vague noire et ses doigts paraissaient très blancs contre la pierre. Sur la muraille, au loin, des lumières s'allumaient une à une, comme une armée de lucioles disciplinées.

« Je devrais parler maintenant, pendant qu'elle a le dos tourné. Ce sera plus facile si elle ne me regarde pas. »

– Isabella, les choses... Les choses changent pour nous... entre nous. Et c'est bien ainsi. C'est nécessaire. Naturel. Oui, il est naturel que les choses changent.

Conor gémit intérieurement. Ça n'allait pas du tout.
« Dis ce que tu veux dire. »

– Ce que je veux dire, en fait, c'est que nous avons peut-être passé l'âge d'escalader les cheminées. Non que ce genre d'escalade me déplaise, d'ailleurs, mais il existe sans doute d'autres choses à faire. À partager. Sans que la présence de princes danois soit nécessaire.

Isabella se tourna vers lui. Son sourire moqueur n'était pas aussi assuré que d'ordinaire.

– Quel scientifique tu fais, Conor. N'y aurait-il pas un moyen plus bref, plus concis, de dire tout cela ?

Conor fronça les sourcils.

– C'est possible. Il faudrait que je fasse quelques expériences. Il s'agit d'un problème nouveau pour moi et je me sens maladroit.

Isabella versa avec ostentation de la limonade dans un verre.

– Je suis comme toi, Conor. Parfois, il me semble que nous avons créé notre propre monde ici, et je n'ai aucune envie de le quitter. Tout est parfait. En cet instant même.

Conor se reprit et lui sourit timidement.

– Je ne serai donc pas exécuté ?

– Pas aujourd'hui, sir Conor, dit-elle en lui tendant le verre. Après tout, tu as sauvé la princesse prisonnière de la tour. Il n'existe qu'une conclusion possible pour ce conte de fées.

Conor s'étouffa et arrosa de limonade son pantalon qui semblait déjà sortir d'une porcherie.

– Cette alliance de parfums est fort intéressante, commenta Isabella.

101

– Pardonnez-moi, Votre Altesse, balbutia Conor. Je suis stupéfié par votre accueil si amical. Je m'attendais à être enchaîné par des gardes danois à cette heure.

Les yeux marron d'Isabella se fixèrent sur lui.

– Conor, je pourrais parcourir le monde à la recherche d'un autre savant fanfaron, mais je ne crois pas que j'en trouverais un comme toi.

Voyant qu'elle en avait dit un peu trop, la princesse se sentit tenue d'ajouter :

– Même si tu n'es qu'un grand échalas doublé d'un lourdaud au cerveau hypertrophié.

Conor accueillit la première partie du compliment avec un sourire, et la seconde avec une grimace.

– C'est exactement mon avis, déclara-t-il. En dehors de cette histoire de grand savant lourdaud. Je m'exprime mal, mais tu me comprends.

– Oui, sir Conor, dit Isabella en le taquinant de nouveau avec son titre. Je te comprends.

Chapitre 4
Complot et trahison

Conor ne rentra pas chez lui après son entretien avec Isabella. Il se sentait trop exalté. Il avait l'impression que son cœur était deux fois moins lourd qu'avant. Contre toutes les lois de la science, il semblait que se confier à la princesse ait suffi pour l'alléger. Malgré l'heure déjà tardive, il décida donc de préserver ce sentiment en passant un moment seul dans sa cachette favorite. Cela faisait plusieurs mois qu'il ne s'y était pas rendu.

Combien de fois ses parents lui avaient interdit de monter à la tourelle du donjon ! En général, il respectait leur désir, mais tout adolescent possède un jardin aussi secret que défendu, auquel il ne saurait renoncer. Pour Conor, il s'agissait de ce perchoir niché sous l'avant-toit de la tourelle nord-est. C'était là qu'il se sentait le mieux en accord avec sa nature profonde et se convainquait que la conquête de l'air pourrait être l'œuvre d'un jeune garçon et de son professeur.

Ce soir, toutefois, il ne pensait pas à des machines volantes plus lourdes que l'air tandis qu'il se contorsionnait pour sortir d'une meurtrière médiévale avant de grimper dans le lierre pour atteindre les tréteaux de bois qu'on avait ajoutés après l'incendie du laboratoire de Nicholas. Ce soir, il pensait à Isabella. Rien de précis, c'était juste une rêverie ardente, satisfaite. Dès qu'il fut adossé aux moulures familières de la tour, il fut comme toujours envahi d'un sentiment de paix. Il était surpris de se sentir à l'étroit. Bientôt, il serait trop grand pour cette cachette et devrait trouver un autre endroit pour rêver à voler.

Assis sur son perchoir, Conor regarda le soleil se coucher sur l'océan, en compagnie d'une douzaine de mouettes espérant contre toute raison que quelqu'un oublierait un tonneau de poisson ouvert de ce côté-ci de la courtine. À l'autre bout de la baie, il apercevait un grand feu quelque part à Kilmore, ainsi que la lumière du phare de Hook Head dont le cône lumineux balayait déjà le canal Saint-Georges. C'était une belle soirée de début d'été. L'étroit chenal séparant la Petite et la Grande Saline miroitait, comme si le clair de lune avait jeté un pont lumineux entre les deux îles.

À ses pieds, un groupe de gardes faisaient un exercice d'artillerie. Conor fut certain de distinguer son père arpentant la Muraille des Salines d'un poste de garde à l'autre, dans son grand manteau noir claquant au vent.

Il ne fut pas tenté de l'appeler, car il préférait retarder autant que possible la prochaine punition que lui vaudraient ces escapades en altitude.

« Conor, je pourrais parcourir le monde à la recherche d'un autre savant fanfaron, mais je ne crois pas que j'en trouverais un comme toi. »

Il sourit en se remémorant ces mots.

Ses pensées furent interrompues par un grattement régulier sur la pierre, provenant de l'intérieur de la tour. Des pas dans l'escalier. Depuis qu'il fréquentait ce perchoir secret, les seuls pas que Conor ait jamais entendus en dehors des siens étaient ceux de son père qui montait le chercher. Cependant ce ne pouvait être Declan Broekhart, puisqu'il se trouvait cent cinquante mètres plus bas, sur la Muraille.

Conor se tortilla légèrement dans son refuge étroit afin de s'accrocher au lierre et jeter un coup d'œil à travers les petits carreaux de la meurtrière. Comme il émergeait de son abri, le vent souleva ses cheveux et il se rappela soudain avec intensité qu'il avait l'habitude dans son enfance de se pencher ainsi.

« Je faisais semblant de voler. Ça me revient. »

Il sourit à ce souvenir.

« Bientôt, il ne sera plus nécessaire de faire semblant. Victor et moi allons élaborer la machine, et elle volera devant la fenêtre d'Isabella. »

Une silhouette bougea à l'intérieur de la tourelle. Conor ne vit d'abord qu'une ombre vacillant à la lueur incertaine d'une lampe, puis il distingua les contours sombres de la lanterne qu'une main abaissait afin de n'éclairer que les marches. La lumière éclairait par intermittence les plis profonds du vêtement et du visage de l'inconnu. Une forme rougeoya : une croix rouge. Puis un front sévère, des yeux brillants. Bonvilain.

Conor resta aussi immobile qu'une gargouille. Les

sens du maréchal étaient d'une acuité presque surhumaine. Il était capable de repérer une tête de phoque au milieu d'une mer démontée. Les raisons ne lui manqueraient pas pour juger suspecte la présence de Conor dans les parages de l'administration royale, et il pourrait à bon droit l'accuser de traîtrise et le tuer.

« Je vais retenir mon souffle et rester sans bouger jusqu'à ce que le maréchal soit loin. Ensuite, je courrai à la maison. »

La vision du visage de Bonvilain émergeant de l'ombre avait anéanti toute l'allégresse de cette soirée. Ç'aurait été la fin des aventures du jour, si quelque chose d'autre n'avait brillé à la lueur de la lampe. Quelque chose que Conor connaissait bien. Un revolver au canon allongé, dont la crosse de nacre était visible sous les doigts de Bonvilain.

Le doute n'était pas permis : c'était le Colt Peacemaker de Victor. Voilà qui était des plus étranges. Pourquoi le maréchal Bonvilain rôdait-il dans les passages destinés aux serviteurs du château avec à la main le pistolet de Victor ?

« Tu te trompes. Ça ne peut pas être l'arme de Victor. »

Mais c'était bien elle. Les yeux perçants de Conor avaient reconnu assez de détails pour qu'aucune confusion ne fût possible. Il avait examiné ce pistolet d'innombrables fois, en embuant de son souffle la vitrine où il était exposé.

« Il doit y avoir une foule d'explications. Ce n'est pas parce que tu ignores le motif qu'il n'existe pas. »

L'argument était aussi juste que raisonnable, mais

Conor était à la fois un adolescent et un scientifique, autant dire que sa curiosité était sans égale. Il lui était aussi impossible de détourner sa pensée de ce problème qu'à un prisonnier d'ignorer une porte ouverte. Si Bonvilain détenait l'arme de Victor, celui-ci devait être au courant et savoir pourquoi. Cela faisait longtemps que le professeur de Conor doutait de la loyauté du maréchal, et peut-être tenait-il là la preuve qui lui manquait.

Conor attendit que la lueur vacillante de la lanterne de Bonvilain se soit évanouie et que l'ombre se soit refermée derrière le maréchal, puis il s'élança comme un singe sur le rebord de la meurtrière. S'ils l'avaient vu, ses parents auraient frôlé la crise cardiaque.

La fenêtre avait-elle craqué lorsqu'il s'était avancé jusqu'à la meurtrière ? Cela semblait sans importance à ce moment-là, de sorte qu'il ne s'en souvenait pas. Il tâta prudemment le terrain : aucun craquement, rien qu'un léger grincement des gonds poussiéreux. Ça paraissait jouable.

Il se glissa à l'intérieur, les bras en avant, en avançant sur les mains jusqu'à ce que ses pieds atterrissent sur le sol de pierre.

Conor s'accroupit sur le granit inégal, aux aguets. Le bruit de son propre souffle semblait résonner monstrueusement entre les murailles. Bonvilain allait sûrement l'entendre.

Mais non. Les pas du maréchal continuèrent imperturbablement et Conor aperçut la lueur dansante de la lampe devant lui. Se guidant d'après elle, il suivit

Bonvilain à quatre pattes dans l'escalier en colimaçon, tête baissée, en tâtonnant.

Ce couloir menait à l'entrée de service des appartements privés du roi Nicholas. Quand le souverain était là, elle était verrouillée et gardée. En risquant un coup d'œil dans le tournant, Conor découvrit qu'elle était grande ouverte, sans surveillance. Pas de sentinelle, donc pas de roi. Mais si le souverain n'était pas chez lui, pourquoi Bonvilain rôdait-il dans les parages armé d'un pistolet qui ne lui appartenait pas ?

«Les explications ne manquent pas. Tu ne sais pas tout. Par exemple, il se peut que le roi Nicholas ait demandé le pistolet afin de faire fabriquer pour Victor une copie qui compléterait la série et qu'il lui offrirait pour son anniversaire.»

Improbable, mais possible.

Conor franchit le seuil aussi silencieusement qu'un de ces étranges chats sans queue de l'île de Man dont la race s'était acclimatée dans les Salines. Devant lui, la lueur était faible mais stable. Bonvilain ne bougeait plus. Avait-il entendu quelque chose ou écoutait-il quelque chose ? Était-il figé dans l'attente ou en train d'espionner ?

Conor était nerveux. Il ferait mieux de rebrousser chemin. Tout de suite. Il ne faisait pas bon se mêler des affaires du maréchal Bonvilain. Celui-ci n'hésitait jamais à crier à la traîtrise, et d'honnêtes citoyens avaient été emprisonnés pour moins que cela.

«Mais le revolver. Le revolver de Victor.»

«Encore une demi-douzaine de marches, pas plus, se

promit Conor comme une concession à sa propre prudence. Juste un coup d'œil au tournant, et je bats en retraite. Le risque est minime. »

Ce n'était pas tout à fait vrai, mais Conor avança en palpant prudemment chaque marche avant de monter dessus. Aplati sur le sol, il rasa les murs en cherchant les recoins les plus sombres et émergea avec lenteur du dernier virage de l'escalier.

Bonvilain se trouvait une douzaine de marches plus haut. La lanterne posée à ses pieds projetait en hauteur des triangles de lumière brutale, où le visage du maréchal apparaissait démoniaque. Mais ce n'était qu'une question d'angle, bien sûr…

Soudain, la tête de Bonvilain se tourna vers Conor, lequel maîtrisa avec peine son envie de s'enfuir. Il était invisible, caché dans l'obscurité. Après un instant interminable où il retint son souffle, Conor se rendit compte que le maréchal désirait moins scruter l'escalier que rapprocher son oreille du mur. Il écoutait quelque chose ou, plus vraisemblablement, quelqu'un.

Autre détail : il tenait un objet sombre dans sa main gauche. La lampe éclaira un bord taillé et Conor comprit qu'il s'agissait d'une brique. Bonvilain avait retiré une petite brique du mur et épiait une conversation dans l'appartement du roi.

Des mots résonnaient dans l'escalier. Grâce à l'acoustique de la tourelle, ils étaient aussi clairs pour Conor qu'ils devaient l'être pour Bonvilain.

« La voix du roi. Et celle de Victor. Le maréchal est donc en train d'espionner son propre souverain. »

Conor ferma les yeux et tendit l'oreille en essayant de comprendre ce qu'il entendait, alors qu'il aurait dû courir aussi vite que le pouvaient ses jambes de jeune homme. Courir chercher son père.

Dans l'appartement du roi, Victor Vigny était assis sur un des deux fauteuils Louis XV placés près de la cheminée. La porte principale s'ouvrit brutalement et le roi Nicholas entra d'un bond, en tenant en équilibre deux chopes glacées sur un plateau. S'inclinant d'un air solennel, il offrit à Victor une bière parfaitement fraîche.

— Fantastique ! s'exclama Victor après avoir bu un bon coup. Cette bière est plus froide que le derrière d'un ours polaire. Le réfrigérateur marche bien, à ce que je vois.

Nicholas s'assit et but à son tour.

— Il fonctionne à merveille, sauf que l'ammoniac est un peu dangereux. Il faudrait que ces Allemands trouvent un nouveau gaz.

— Quelqu'un le fera, déclara Victor en essuyant sa moustache couverte de mousse. C'est le progrès.

— Vous imaginez le parti qu'on pourrait tirer d'un système efficace de réfrigération ?

— En plus d'avoir une bière fraîche, voulez-vous dire ? plaisanta Victor.

Nicholas se leva et se mit à faire les cent pas. Le progrès était un sujet qui ne manquait jamais de l'exciter.

— Nous pourrions faire du commerce avec les États-Unis, nous procurer des produits frais. Et nous pourrions aussi exporter.

– Il est inutile de congeler des diamants, observa Victor.

– Il y a d'autres possibilités. La plantago, par exemple. Et nous pourrions congeler des produits hors saison dans un entrepôt géant. Avoir des fraises et du saumon toute l'année.

Victor prit soudain un air sérieux.

– Mon cher ami, vous avez des soucis plus importants en perspective.

– Qu'avez-vous appris ? demanda Nicholas en se rasseyant.

Victor soupira.

– La situation est aussi grave que vous le craigniez, et même pire. Mon agent sur la Petite Saline me dit que Bonvilain tue les prisonniers à la tâche. Apparemment, beaucoup de détenus n'ont rien commis de plus coupable qu'un peu de vagabondage. Nous ne pouvons pas encore le prouver, mais d'après mes estimations au moins la moitié des diamants extraits dans la mine sont perdus pour le Trésor public.

– Bon Dieu ! jura Nicholas en jetant son verre dans la cheminée. Ce Bonvilain est une calamité. Il exerce une influence néfaste sur les îles Salines. Il les traite comme si elles lui appartenaient. Il faut que je me débarrasse de lui.

Victor désigna du menton la cheminée.

– Ça commence bien. Du cristal dans l'âtre, voilà qui devrait faire trembler le maréchal dans ses bottes.

Les yeux du roi se mirent à lancer des éclairs mais il finit par se calmer et regarda l'âtre, en déplorant peut-être la perte d'une bière glacée.

– Depuis combien de temps nous connaissons-nous, Victor ?

– Si je réponds, aurai-je droit à un discours ?

– Oh, comme je regrette ma bière !

Victor s'adoucit.

– Ça fait vingt ans, Nick. Nous avons fait toutes les foires de nos chers États-Unis, et maintenant nous voici maîtres de ce beau château.

– Qu'avons-nous accompli, pendant tout ce temps ? Victor, nous pouvons aider les gens d'ici. Les aider vraiment, pas nous contenter de distribuer quelques sous aux indigents. Il est possible d'améliorer les choses. Tout dépend des machines. Nous pouvons les construire. Regardez le jeune Conor Broekhart. Avez-vous déjà vu un esprit comparable au sien ?

– Je sais, dit Victor avec une certaine fierté. Isabella aussi le sait.

Nicholas sourit.

– Pauvre Conor !

– Je pense que le malheureux n'imagine pas à quel point Isabella va le mener par le bout du nez.

L'humeur du souverain ne tarda pas à s'assombrir.

– Bon sang ! Ce maudit Bonvilain ! C'est un tyran. Je suis le roi, non ? Je vais me débarrasser de lui.

– Soyez prudent, Nicholas. Sir Hugo a l'armée avec lui. Declan Broekhart est le seul qui puisse changer les choses. Les hommes l'admirent. Nous devrions l'inviter à l'un de nos entretiens.

Le roi hocha la tête.

– D'accord. Ce soir même. Il n'est pas question de

tergiverser davantage. Je veux voir Bonvilain en prison avant la fin du mois. L'avenir n'attendra pas plus long-temps. Cette île est coincée en plein Moyen Âge à cause de cet homme. Ses gardes sont de dangereux assassins et sa justice est aussi intéressée que brutale. Après sept siècles, l'alliance entre les Trudeau et les Bonvilain va s'achever.

— Voilà qui mérite d'être fêté, déclara Victor en vidant le reste de sa bière.

Bonvilain s'avança par l'entrée de service. Son Colt était déjà braqué sur sa victime, ses pas calmes et assu-rés. Il n'y eut pas de tirade du traître fanfaron – le maréchal avait connu trop de situations extrêmes pour perdre ainsi son temps. Il ne s'autorisa qu'une phrase :

— Victor Vigny, vous avez tué le roi.

Le Français et le souverain réagirent tous deux promptement, sans se soucier de protester ou d'implo-rer. Il suffisait de voir le regard de Bonvilain pour com-prendre qu'il était venu pour tuer. Victor se précipita pour tenter de faire de son corps un rempart pour son ami, lequel avait déjà la main sur le revolver Smith et Wesson qu'il portait toujours en bandoulière sur le côté, à l'américaine.

Victor, le plus jeune des deux, atteignit presque son but. Mais l'homme le plus rapide va toujours moins vite qu'un pistolet. Bonvilain tira et la balle effleura entre le pouce et l'index la main tendue du Français, qui dévia légèrement sa trajectoire mais pas suffisam-ment pour sauver le roi. Nicholas s'effondra sur son fauteuil et mourut avant que le Smith et Wesson soit tombé par terre.

Bonvilain poussa un grognement satisfait puis ramassa le revolver du souverain, qu'il braqua sur Victor Vigny, lequel gisait sur le tapis devant la cheminée, la main en sang.

– Vous avez été presque assez rapide, dit Bonvilain d'un ton admiratif. Félicitations pour cette tentative.

Victor lut dans les yeux du maréchal que sa propre vie touchait à son terme.

– Je suis donc le meurtrier ? demanda-t-il.

– Oui. Vous avez abattu le roi avec votre propre pistolet. Scotland Yard est en train de mettre au point une méthode pour identifier l'arme d'après le projectile. Je ferai venir un de leurs experts. J'ai également eu recours à un faussaire hollandais pour forger des lettres adressées par vous au gouvernement français et décrivant en détail le dispositif défensif des îles Salines. Je vous le demande, sont-ce là les actions d'un homme qui a coincé ce pays en plein Moyen Âge ?

– Personne ne croira que j'ai tué le roi, protesta Victor. Il était comme un frère pour moi.

Bonvilain haussa les épaules.

– Peu de gens le savent. Vous étiez son espion secret, vous vous souvenez ? Chargé de m'espionner. À présent, parlons affaires. Je suis sûr que vous avez un poignard dans votre botte, ou un pistolet dans votre barbe, ou une autre de vos astuces d'espion. Je vous dis donc adieu, Victor Vigny. Apprenez à votre maître que l'alliance entre les Trudeau et les Bonvilain va continuer encore un peu.

– Vous ne pourrez jamais nous arrêter tous ! cria Victor en sautant vaillamment sur ses pieds et en brandissant un poignard qu'il devait avoir tiré d'un repli de ses vêtements.

Bonvilain prit un air désapprobateur et lui tira quatre balles en pleine poitrine. C'était peut-être un peu excessif, mais après tout sa nervosité était compréhensible. Le roi ne venait-il pas d'être assassiné ?

Une pensée le traversa soudain.

«Nous arrêter tous... Qu'a-t-il voulu dire par là ? Y aurait-il d'autres espions sur les îles ?»

– À moins que tu n'aies tenté de te jouer de moi, sale Français ? dit-il à voix haute en s'accroupissant pour glisser dans la main de Victor son propre Colt Peacemaker. Tu voulais me laisser des doutes pour me tourmenter ?

La porte d'entrée s'ouvrit et un garde apparut.

– Suis-je censé arriver maintenant ? demanda-t-il.

– Oui, oui, dit Bonvilain agacé d'avoir dû recourir aux services d'une sentinelle.

Il faudrait s'en débarrasser à la prochaine occasion.

– Vous voyez ce qui s'est passé ici ? Vous avez entendu des coups de feu et vous êtes accouru. Les deux hommes se sont entre-tués, voilà tout. Vous n'avez pas besoin d'exprimer une opinion. Contentez-vous de dire ce que vous avez vu.

Le garde hocha la tête d'un air ahuri, bien qu'il ait déjà entendu plus d'une fois ces instructions si simples.

– Je dirai ce que j'ai vu. Oui, maréchal. Et vous ne me tuerez pas ?

– Bien sûr que non, Muldoon. Vous portez la croix rouge. Je ne tue pas mes propres hommes.

Le soulagement de Muldoon était manifeste.

– Je suis heureux de l'apprendre. Merci, maréchal. Je vous suis reconnaissant de m'autoriser à continuer ma vie insignifiante.

Bonvilain dut prendre sur lui pour ne pas mettre fin sur-le-champ à ladite vie insignifiante.

– Vous devriez aller donner l'alarme.

Muldoon esquissa un salut.

– Oui, maréchal. Absolument. Mais qui est ce garçon derrière vous, monsieur ?

Bonvilain plissa les yeux.

– Pardon ?

Conor avait l'esprit vif, et il ne lui avait pas fallu longtemps pour comprendre ce qui se passait. Apparemment, outre ses fonctions de précepteur, Victor jouait les espions pour le compte du roi Nicholas. Bonvilain avait dû suivre le développement de cette conspiration depuis son poste d'observation derrière le mur, et il avait décidé d'anéantir ceux qui voulaient l'anéantir.

« Mais pourquoi prendre le pistolet de Victor ? »

Il crut entendre la voix de son professeur le réprimander.

« Au nom du ciel, mon garçon ! N'est-ce pas évident ? »

Conor pâlit dans l'obscurité.

« Bien sûr. L'arme de Victor signera son crime. »

Quand Bonvilain entra dans la pièce, Conor avait déjà élaboré un plan rudimentaire. Il allait se précipiter à sa suite en hurlant un avertissement. Victor réagirait certainement assez vite pour désarmer Bonvilain sans grande difficulté.

Alors qu'il s'était levé et avait gravi la moitié des marches, le premier coup de feu retentit.

« Déjà ? Déjà ? Qui a reçu la balle ? Peut-être le roi Nicholas a-t-il tiré le premier et tout va bien. Il n'y a eu qu'une détonation, après tout. Donc une seule victime. »

Conor continua d'avancer, mais avec circonspection. Il ne voulait pas être exécuté comme un traître par son roi ou son professeur. Ils devaient être nerveux, à l'affût des hommes de Bonvilain. Il n'était plus temps de les avertir. D'une façon ou d'une autre, il était trop tard.

L'adolescent se glissa dans la pièce. Ébloui par la lumière soudaine, il n'eut que le temps de voir Victor abattu par le maréchal alors qu'il se ruait sur lui. Conor se figea, incapable de parler, en prenant conscience de la scène d'horreur qu'il avait devant les yeux. Le roi, mort. Victor aussi. D'une mort affreuse. Et Bonvilain, souriant, parlait tout seul comme un dément. À présent, il plaçait le pistolet de Victor dans la main du Parisien. Ces événements étaient cauchemardesques. Trop violents pour être vrais. Ils effleuraient la surface de la réalité comme des galets ricochant sur une mer étale.

On frappa à la porte, une sentinelle entra. Conor l'avait déjà vue en écumant les couloirs avec Isabella. C'était un abruti, qui ne devait son poste qu'à des relations. Malgré tout, c'était un sujet du roi, il convenait donc de l'avertir.

Alors que Conor s'apprêtait à crier, le garde se mit à parler avec Bonvilain. Il était complice ! Bonvilain allait s'en sortir impunément. Le roi serait mort et la mémoire de Victor salie à jamais. Cette pensée était intolérable.

Il fallait faire échec à ce complot. Empêcher Bonvilain d'approcher Isabella. Conor s'accroupit et rampa vers Victor en se cachant derrière les meubles. Le Parisien était couché sur le côté, comme s'il dormait paisiblement. Ses yeux étaient écarquillés par la surprise et du sang perlait à ses lèvres. Mort. Il était mort.

Conor lutta contre ses larmes. Qu'est-ce que Victor aurait attendu de lui ? Et son père ? Il devait mettre fin à cette conspiration. Son entraînement lui rendrait la tâche facile et il avait un pistolet chargé à portée de main.

Les yeux de Victor se mirent à cligner, son regard se raffermit. Le Français était revenu fugitivement à la vie.

— Ne faites pas ça, mon garçon, chuchota-t-il.

Il semblait avoir remarquablement vite compris la situation.

— La tour Martello à Kilmore… Trouvez-la et brûlez-la. Il ne faut pas que Bonvilain découvre nos secrets. L'aigle a la clé. Allez-y maintenant. Tout de suite.

Conor fit oui de la tête, le visage ruisselant de larmes.

«La tour Martello. Kilmore. Il faut la brûler. Y aller tout de suite.»

Il aurait pu partir sur-le-champ et s'éviter ainsi des années de souffrance, si le Parisien n'avait rendu son dernier souffle à cet instant.

«Mort. De nouveau.»

Conor était sous le choc. Perdre son mentor et ami deux fois en quelques minutes. Il leur serait désormais impossible de voler ensemble.

Ils ne voleraient jamais…

Le Broekhart en lui prit l'avantage sur le scientifique. Victor avait tenté de le protéger, mais c'était inutile. Conor savait se servir de n'importe quelle arme, y compris indienne ou extrême-orientale, s'il en avait eu sous la main.

Conor ôta le Colt des doigts de Victor. Le contact de la crosse de nacre sur sa paume l'emplit à la fois d'assurance et de tristesse. Il avait fait si souvent tournoyer ce pistolet, au grand mécontentement de Victor qui lui disait d'arrêter de faire son intéressant.

Il le fit de nouveau tournoyer afin de se calmer, puis ouvrit le barillet et vérifia les balles : il en restait cinq. De quoi faire pas mal de dégâts. Conor se leva. Les larmes séchaient rapidement sur son visage.

Le garde fut le premier à le voir.

– Mais qui est ce garçon derrière vous, monsieur ? demanda-t-il d'une voix faible.

Bonvilain se retourna lentement, en prenant déjà une expression affligée.

– Ah, mon jeune ami ! dit-il comme si Conor était attendu. Quelle terrible tragédie !

Conor braqua son arme sur la poitrine de Bonvilain, qui constituait une cible facile.

– J'ai tout entendu, maréchal. Je vous ai vu tirer sur Victor.

Bonvilain renonça à jouer la comédie. Son visage retrouva d'un coup sa dureté, ses traits anguleux coupés d'ombres profondes.

– Personne ne vous croira.

– Certains me croiront, répliqua Conor. Mon père, par exemple.

Le maréchal réfléchit.

– Vous savez, je pense qu'il se pourrait bien que vous ayez raison. Je vais donc devoir vous tuer aussi, à moins que vous ne tiriez le premier.

– Je pourrais vous abattre, vous et ce lourdaud, assura Conor en armant le pistolet.

– En théorie, j'en suis sûr. Mais le temps des théories est passé. Ceci n'est pas un terrain d'entraînement, Conor. Nous sommes en guerre, maintenant.

– Restez où vous êtes, maréchal. Des gens ont entendu les détonations. Ils vont arriver.

– Non, pas à travers ces murs. Personne ne va arriver.

C'était vrai et Conor le savait. Victor lui avait raconté qu'un soir Nicholas et lui avaient testé des fusées de feu d'artifice dans la cheminée et qu'aucun habitant du palais n'avait rien entendu.

– Posez votre fusil, soldat, et asseyez-vous sur la chaise.

Le garde n'appréciait guère de recevoir des ordres

d'un garçon de quatorze ans, mais ledit garçon semblait tenir son arme avec une aisance redoutable.

– Cette chaise ? Il y a du sang dessus.

– Non, idiot. Celle qui est contre le mur.

Après avoir posé son arme sur le sol de pierre, le garde se dirigea d'un pas traînant vers le mur où était placé un tabouret.

– C'est un tabouret, marmonna-t-il. Vous aviez dit une chaise.

Bonvilain fit sournoisement un pas en avant, en espérant que Conor serait distrait par les inepties du garde. Mais non.

– Ne bougez pas, traître. Assassin !

Bonvilain sourit. Ses dents luisaient comme des perles jaunes.

– À présent, Conor, je vais vous expliquer ce que je compte faire. Et je vous promets que je le ferai. Je vais m'avancer tranquillement vers vous puis je vais vous étrangler. Pour l'éviter, vous n'avez qu'un seul moyen : me tirer dessus. Rappelez-vous qu'il s'agit d'une guerre, aujourd'hui, pas d'un cours.

– Restez où vous êtes ! hurla Conor.

Mais le maréchal s'avançait déjà. Il n'était plus qu'à cinq pas de lui. Quatre, maintenant.

– Tirez, mon garçon. Bientôt, je serai trop près et vous aurez du mal à envoyer une balle plus loin que mes mains.

« J'ai fait un mauvais choix, se rendit compte Conor. J'aurais dû m'enfuir dans le couloir et aller chercher mon père. »

Il n'avait jamais tiré sur quelqu'un. N'en avait jamais eu envie.

« Ce que je veux, c'est construire une machine volante. Avec Victor. »

Mais Victor était mort. Assassiné par Bonvilain.

— Je suis tout près, dit le maréchal.

Conor tira deux fois, en visant la poitrine sous les deux bras tendus de son ennemi.

« Il le fallait. Il ne m'a pas laissé le choix. »

Bonvilain chancela légèrement mais continua d'avancer. Sous son front empourpré, ses yeux brillants n'avaient pas cillé.

— Et maintenant, dit-il en faisant tomber d'un coup le pistolet de Conor, je vais vous étrangler. Comme promis.

Il souleva Conor, dont les bras et les jambes s'agitèrent dans l'air et frappèrent en vain le corps du maréchal, qui semblait tinter légèrement sous les coups.

— Je suis un templier, mon garçon, déclara Bonvilain. Vous n'avez jamais entendu parler de nous ? Nous aimons porter une cotte de mailles quand nous combattons. J'en ai une sur moi en cet instant même. Simple précaution, au cas où les choses ne tourneraient pas comme prévu. Les événements de ce jour en sont la preuve : on n'est jamais trop prudent.

Cette révélation n'avait plus grand intérêt pour Conor. Tout ce qu'il savait, c'était que Bonvilain était encore vivant. Un coup de pistolet n'avait pu avoir raison de lui.

— Tenez-le bien, maréchal ! lança le garde en ramassant son fusil. Je vais lui tirer dessus.

— Non ! hurla Bonvilain.

Le maréchal imaginait déjà l'indignité d'une épitaphe annonçant : « Tué accidentellement alors qu'il étranglait un jeune homme ».

— Vous préférez le faire vous-même, observa le garde d'un ton boudeur.

Tout en serrant le cou de Conor, Bonvilain réfléchissait. Il tenait littéralement dans ses mains la solution du problème posé par Declan Broekhart. Victor Vigny ne s'était pas trompé : cet homme était le seul obstacle réel à sa mainmise sur l'armée salinoise. Il devait être possible de profiter des événements pour s'assurer la loyauté du capitaine. Cela nécessiterait quelques manipulations, mais n'était-ce pas sa spécialité ?

Une idée surgit des profondeurs du cerveau de Bonvilain, comme un serpent dardant sa tête sournoise du fond d'un marais. Et si Victor Vigny, le rebelle, n'avait pas agi seul ? S'il avait eu un complice – la sentinelle, par exemple. On pouvait sûrement se passer de ce garde…

Bonvilain sentit un frisson le parcourir. Il était à deux doigts d'un coup de génie, il le sentait. C'étaient de tels instants qui rendaient la vie supportable à ses yeux. Des instants qui lui lançaient un défi digne de ses talents particuliers.

— Allez, idiot, lança-t-il au garde. Ouvrez la fenêtre.

— Celle-ci ? demanda le garde bien qu'il n'y eût qu'une fenêtre dans la pièce.

— Oui, dit Bonvilain d'un air innocent. Celle qui donne sur les falaises.

123

Après avoir échappé de justesse à la strangulation, Conor se réveilla dans une cellule humide, sans fenêtre, où il languit pendant des heures. Sa solitude était interrompue par deux gardes qui s'acharnaient avec enthousiasme sur son corps maigre. Lors de leur ultime visite, ils lui arrachèrent ses vêtements pour l'emmailloter dans un uniforme de l'armée salinoise.

« Il faut te changer : tu pues le sang et la peur. »

Malgré la douleur, Conor s'étonna. Pourquoi cet uniforme de soldat ? Avant que son cerveau embrumé puisse parvenir à une conclusion, une pluie de coups s'abattit de nouveau sur lui. Ils le frappèrent en plein visage avec le dos de la main. Il sentit un de ses yeux se fermer, du sang ruisseler sur son nez. Les gardes fourrèrent quelque chose de doux sur sa tête. Une serviette, peut-être ? Pour étancher le sang ? Une telle compassion paraissait insolite.

Ils continuèrent de lui infliger des traitements aux buts mystérieux. L'un tamponna ses joues avec de la poudre à canon, à en juger par l'odeur. L'autre égratigna son bras avec une plume à écrire. Il lui sembla que cela durait des heures.

Quand les gardes furent satisfaits de leur œuvre, le plus gros des deux menotta les poignets de Conor et enfonça sur sa tête une cage comme celle qu'on mettait aux fous. Elle était munie d'une courroie de cuir pour la bouche, qu'il serra si fort que Conor fut forcé d'écarter ses mâchoires et de se laisser bâillonner. Il ne pouvait plus émettre que des grognements ou des gémissements.

La cellule elle-même était un enfer de trois mètres carrés. Conor n'arrivait pas à croire qu'un endroit pareil existât sur la Grande Saline.

Les murs et le sol étaient en granit. Ils étaient taillés à même l'île. Pas de brique ni de mortier, rien que de la roche dure. Toute fuite était impossible. De l'eau dégoulinait dans des sillons creusés par des siècles d'érosion. Conor ne perdit pas son temps à avoir soif. La cage sur sa tête et les menottes à ses poignets rendaient illusoire l'idée d'approcher quelque chose de sa bouche à travers la grille métallique. De toute façon, ces sillons étaient écaillés par le sel. Il s'agissait d'eau de mer.

Ils le laissèrent croupir dans sa misère pendant une éternité. Le roi était mort. Bonvilain avait assassiné le père d'Isabella. Et Victor avait lui aussi péri. En un clin d'œil, son mentor et ami avait été tué sauvagement. Quel serait maintenant son propre sort ? Il était peu probable que Bonvilain permette à un témoin de survivre. Conor sentait la cage peser sur sa tête, les menottes blessaient ses poignets et la menace de sa mort imminente accablait son cœur.

La lourde porte de fer s'ouvrit en faisant grincer ses gonds. Une chandelle éclaira le cachot d'une lumière blafarde, où se dressa la silhouette par trop reconnaissable de sir Hugo Bonvilain, le maréchal et l'assassin du roi. À cause de cet homme, Isabella était désormais orpheline.

Conor sentit la fureur l'envahir, rendre sa vigueur à son corps. Il se leva péniblement en tendant les bras vers Bonvilain.

Cette vision enchanta Bonvilain. Il se mit même à siffloter tout en saisissant la cage et en introduisant ses gros doigts entre les barreaux de la grille. Faisant un pas de côté, il projeta d'un air désinvolte Conor contre le mur. Il tressaillit quand sa victime s'effondra avec fracas.

— Je me suis servi de votre propre élan contre vous, déclara-t-il comme s'il donnait un cours. C'est le B.A.-BA de l'entraînement. Un truc élémentaire. Si l'un de mes hommes commettait cette erreur, je le ferais fouetter. Ce bellâtre français ne vous a donc rien appris ?

Bonvilain s'accroupit et adossa Conor au mur humide et rugueux.

— C'est un grand jour, n'est-ce pas ? Une date historique. Le roi n'est plus. Apparemment, des rebelles l'ont assassiné. Savez-vous ce que cela signifie ?

Même s'il l'avait voulu, Conor ne pouvait répondre. Sans la souffrance qu'il ressentait, il aurait cru être en proie à un rêve affreux. Une terreur nocturne.

Bonvilain secoua la cage pour s'assurer que Conor l'écoutait.

— Holà, jeune Broekhart ! Vous êtes encore des nôtres ?

Conor tenta de cracher sur son ravisseur, mais il ne réussit qu'à avoir un haut-le-cœur.

— Bien. Vous voilà vivant pour l'instant. Pour revenir à la mort du roi, laissez-moi vous dire ce qu'elle représente. Elle représente la fin de ces réformes ridicules. De l'argent pour le peuple. Le peuple ? Un ramassis d'illettrés mal lavés. Fini, l'argent pour le peuple. Vous pouvez parier là-dessus tout le sang de vos veines.

« L'œuvre du roi Nicholas va être entièrement détruite, songea Conor lugubrement. Tout ça pour rien. »

— Isabella va devenir reine. Même si elle ne sera qu'une marionnette, elle régnera. Et devinez quelle sera son obsession désormais ?

Bien sûr. C'était tellement évident qu'un enfant l'aurait deviné, même dans l'état d'hébétude où se trouvait Conor.

— Je vois à votre regard que vous avez compris. Elle va consacrer sa vie à écraser les rebelles. Je veillerai à ce qu'elle y consume toutes ses forces. Je lui dénicherai sans cesse de nouveaux coupables. Le moindre commerçant refusant de me payer une taxe, le moindre jeune mécontent sera considéré comme rebelle. Ils finiront tous pendus. Je suis plus près de devenir roi qu'aucun autre Bonvilain dans le passé.

Cette déclaration resta en suspens entre eux, lourde de siècles de trahison. Les menottes grinçaient dans le silence, l'eau tombait goutte à goutte.

Bonvilain attira vers lui la tête de Conor, aussi près que les barreaux le permettaient, et décrocha le bâillon de cuir.

— Avant de mourir, votre professeur a dit que je n'arriverais jamais à les arrêter tous. Victor Vigny travaillait-il pour les aéronautes français ? Ou pour la *Légion noire* * ?

Malgré ses lèvres tuméfiées et ses mâchoires endolories, Conor parvint à articuler :

— La Légion noire n'existe pas. Vous allez causer la

127

perte des îles Salines en combattant un ennemi imaginaire.

— Laissez-moi vous dire quelque chose, jeune homme, gronda le maréchal. Sans les Bonvilain, ces îles ne seraient que des rochers perdus dans l'océan. On n'y trouverait que du sel et des fientes d'oiseaux. Pendant des siècles, nous avons joué les bonnes d'enfants des Trudeau. Mais c'est terminé. Ces îles m'appartiennent, à présent. Je vais les saigner à blanc et la reine Isabella ne vivra qu'aussi longtemps qu'elle ne contrariera pas mes plans.

Il agita violemment la cage de Conor.

— Je serais curieux de savoir ce que vous pensez de ces projets, jeune Broekhart.

— Pourquoi me raconter tout ça, assassin ? Je ne suis pas votre confesseur.

Bonvilain secoua la cage comme si elle contenait un cadeau surprise.

— Vous n'êtes pas mon confesseur ! C'est excellent. Je regretterai nos échanges. Si je vous raconte tout ça, mon petit, c'est parce que de tels instants rendent la vie digne d'être vécue. Je ne suis jamais mieux qu'en pleine action. Tuer d'un coup de couteau ou de pistolet, comploter, voilà ce que j'aime. Ça me fait jubiler. Les Bonvilain ont passé des siècles à l'ombre du trône, à diriger l'État grâce à leurs machinations. Mais ce triomphe-ci est sans précédent.

Bonvilain était presque abasourdi par son propre bonheur. L'accomplissement de toutes ses ambitions était maintenant à sa portée.

— Et vous, cher petit fouineur, vous avez fait d'un bon plan un plan parfait. Il est question de votre père, voyez-vous. Je dois admettre que c'est un excellent soldat. Merveilleux, même. Il inspire à ses hommes une loyauté sans faille. Je projetais de le supprimer et d'affronter la tempête. Mais voilà que Victor Vigny et vous, son disciple fanatique, vous avez tué le roi. L'honneur exige de votre père qu'il protège jusqu'à son dernier souffle la nouvelle souveraine. Et comme je lui ai promis de ne pas mêler le nom de son fils à l'enquête, Declan Broekhart me devra sa réputation. En somme, vous m'avez assuré sa fidélité. Permettez-moi de vous remercier pour ce service.

Bonvilain se pencha plus près de sa victime, le visage assombri d'une tristesse parodique.

— Toutefois je dois vous dire qu'il vous hait, à présent. Isabella fera de même quand je lui raconterai ma version de ce qui s'est passé ce soir. J'irais même jusqu'à dire que votre père vous tuerait de sa propre main, si je le laissais faire. Mais ce sont là des affaires de famille, qui ne me regardent pas. Le mieux, ce serait qu'il vous parle en personne.

Sur ces mots, Bonvilain rattacha la courroie de la cage et fixa la chaîne des menottes à un anneau dans le mur. Puis il se leva en faisant craquer ses genoux, et sa silhouette énorme remplit la cellule. Son front large, couvert de cicatrices, paraissait soudain pensif.

— Vous pourriez croire que je suis tourmenté d'avoir tué tant de gens et détruit des centaines de vies. Des démons ne devraient-ils pas me rendre visite la nuit ?

Le remords ne devrait-il pas me torturer ? Parfois, je reste immobile dans mon lit et j'attends mon jugement, mais il n'arrive jamais.

Bonvilain haussa les épaules.

– D'ailleurs, pourquoi devrais-je être jugé ? Peut-être suis-je un homme de bien. Après tout, Socrate déclare qu'il n'y a qu'un bien, la connaissance, et qu'un mal, l'ignorance. Comme je ne suis pas ignorant, je dois être bon.

Il fit un clin d'œil.

– Croyez-vous que saint Pierre sera dupe de cet argument ?

À cet instant, Conor comprit que Bonvilain était fou. Dangereusement et complètement fou.

Le maréchal revint à des préoccupations plus immédiates.

– Nous continuerons cette discussion philosophique une autre fois. Si j'allais chercher votre père, maintenant ? J'imagine qu'il a quelques mots à dire à son fils dévoyé.

Bonvilain sortit d'un pas allègre en sifflotant une valse de Strauss qu'il dirigeait d'un doigt.

Conor resta effondré par terre, le cou endolori par le poids de la cage. Cependant, malgré la souffrance, il entrevoyait une lueur d'espoir. Son père percerait certainement à jour cette mascarade. Declan Broekhart n'était pas né d'hier. Il ne laisserait pas son fils croupir dans un cachot crasseux. Conor était convaincu qu'il serait bientôt libre de révéler les crimes de Bonvilain.

Le maréchal ne s'était même pas donné la peine de

fermer la porte de la cellule. Quelques minutes plus tard, il fit entrer Declan Broekhart. Conor n'avait jamais vu son père aussi désemparé. Son dos habituellement si droit était voûté, secoué de frissons. Il se cramponnait à Bonvilain comme un vieillard s'appuyant sur son infirmière. Le pire, c'était son visage. Le chagrin affaissait ses traits. Ses yeux, sa bouche, ses rides semblaient couler comme la cire d'une bougie.

– Le voici, dit Bonvilain d'une voix douce, empreinte de compassion. C'est lui. Rien qu'un instant.

Conor s'adossa au mur et se redressa.

« Père, essaya-t-il d'articuler. Père, aide-moi. »

Mais seuls de faibles gémissements s'échappèrent de ses lèvres gonflées derrière leur bâillon.

Declan Broekhart le dominait de toute sa taille, des larmes ruisselaient sur son menton.

– À cause de vous, chuchota-t-il. À cause de vous…

Puis il s'élança vers Conor, non pour le serrer contre lui mais pour le tuer. Bonvilain s'y attendait et le retint d'un bras ferme.

– Allons, Declan. Soyez fort. Pour Catherine. Et pour la petite Isabella. Nous avons tous besoin de vous. Les îles Salines ont besoin de vous.

Tout en prononçant ces mots, le maréchal fit un clin d'œil par-dessus l'épaule de Broekhart.

Cette alliance du chagrin et de la folie fut comme une volée de coups de poing pour le jeune Conor. Il se recroquevilla devant son père, en pressant son menton sur ses genoux.

Que se passait-il ? Le monde était-il devenu insensé ?

Declan Broekhart se ressaisit, essuya son front avec sa manche.

— D'accord, Hugo, lança-t-il d'une voix entrecoupée. Je suis calme, maintenant. Vous aviez raison. Ce misérable n'est rien pour moi. Rien du tout. Sa mort ne nous rendrait pas ce que nous avons perdu. La Petite Saline lui réglera son compte. Partons d'ici. Ma femme a besoin de moi.

Un misérable ? Son père l'appelait un misérable !

— Bien sûr, capitaine Broekhart... Declan. Bien sûr.

Et Bonvilain le conduisit à l'extérieur. Ils étaient deux soldats, deux compagnons unis par un même chagrin.

« Comment ? Qu'est-ce que ça veut dire ? Declan ? La Petite Saline ? »

Rassemblant ses dernières forces, Conor gémit sous son bâillon pour appeler son père. Et celui-ci se retourna. Mais ce ne fut qu'un instant, et il ne s'en servit que pour proférer quelques mots cinglants et définitifs, en gardant les yeux fermés comme si même la vue de son fils lui était intolérable.

— Votre acte abominable m'a privé de mon roi, lança-t-il. Bien pire, à cause de ce que vous avez fait aujourd'hui, je n'ai plus d'enfant. Mon fils n'est plus, et ce...

Declan Broekhart dut s'interrompre, étouffé par la rage. Après s'être calmé avec peine, il reprit :

— Mon fils n'est plus, et vous vivez. Je vous avertis, traître. Si je vous revois un jour, je vous tuerai.

On voudrait ne jamais entendre de tels mots dans la bouche d'un de ses semblables. Mais adressés par un

132

père à son propre fils, ils étaient d'une dureté indescriptible. Il sembla à Conor que son cœur se brisait. Il ne put qu'élever ses mains menottées et secouer à plusieurs reprises la cage enfermant sa tête blessée, jusqu'au moment où la douleur chassa de sa pensée ces paroles affreuses.

— Il a perdu l'esprit, dit tristement Bonvilain en laissant sortir le capitaine. Mais ne fallait-il pas être fou pour faire ce qu'il a fait ?

En quittant la cellule, Bonvilain eut peine à continuer de feindre le chagrin. Les gardes postés dehors étaient prêts à sortir leurs coutelas, mais il secoua légèrement la tête. Puisque sa machination avait fonctionné, Declan Broekhart resterait en vie pour le moment.

— Raccompagnez le capitaine à sa voiture, ordonnat-il aux gardes. Je veillerai moi-même sur le prisonnier.

Declan saisit le poignet de Bonvilain.

— Vous avez été un ami, aujourd'hui, Hugo. Nous avons pu nous opposer dans le passé, mais c'est terminé. Je n'oublierai pas la rapidité avec laquelle vous avez arrêté le traître. Et j'espère qu'il paiera pour son rôle dans l'assassinat du roi, et aussi pour ce qu'il a fait à Conor. Mon fils.

Une nouvelle fois, son visage se décomposa sous l'effet de la douleur.

« Que cet homme est donc faible, pensa Bonvilain. À quoi rime une telle hystérie ? »

— Bien sûr, Declan. Il va payer son crime. Vous pouvez y compter.

Ils se séparèrent sur une poignée de main et Broekhart s'éloigna d'un pas hésitant dans le couloir de pierre. Bonvilain retourna dans la cellule, où le malheureux Conor avait perdu connaissance. Il gisait là, tel un moucheron sur la toile d'araignée du maître.

Le maréchal s'agenouilla près de lui. Il se surprit à éprouver une ombre de pitié pour le jeune Conor.

« C'est un sentiment naturel, pas une faiblesse, se dit-il. Je suis humain, après tout. »

Il était vraiment incroyable que tout ait marché si facilement. Il avait permis au roi de donner rendez-vous à Victor pour pouvoir ensuite rejeter sur le Parisien la responsabilité du meurtre de Nicholas. Conor Broekhart était tombé à pic. Grâce au fils, le père lui serait loyal. Il fallait avouer qu'il avait un peu joué avec eux, mais c'était là qu'éclatait son habileté. Le talent que Dieu lui avait donné pour manipuler les gens.

La partie finale du plan ne lui était venue à l'esprit qu'après que Conor l'avait surpris dans l'appartement du roi. Le garçon avait échappé de si peu à la strangulation que son visage gonflé était méconnaissable. Même sa propre mère ne l'aurait pas reconnu. Bonvilain avait ordonné à ses gardes d'habiller l'adolescent en soldat, de le coiffer d'une vieille perruque miteuse et de saupoudrer son menton de poudre à canon en guise de barbe. La touche finale avait été apportée par un de ses sergents, qui maniait la plume avec dextérité et avait dessiné sur sa demande une copie du tatouage du régiment sur l'avant-bras de Conor. Ce n'était qu'un détail, mais suffisant pour compléter l'illusion.

Avec le sang, l'ombre, la perruque et l'uniforme, il était peu probable que Broekhart reconnaisse son fils. D'autant qu'il venait d'être informé que Conor avait été défenestré alors qu'il tentait de défendre le roi. Le prisonnier dans la cellule était l'un des soldats impliqués dans le complot criminel. On avait déjà retrouvé le cadavre d'une sentinelle au pied de la muraille. Quant au corps sans vie de Conor, il devait avoir été entraîné vers le sud par les courants.

Bien entendu, si Declan Broekhart avait reconnu son fils, Bonvilain lui aurait tranché la gorge sur-le-champ. On pourrait là encore faire porter le chapeau à Conor. Une rude journée pour ce garçon : régicide l'après-midi, parricide le soir.

À présent, toutefois, grâce aux petites manigances de Bonvilain, le capitaine croyait que son fils était mort et Conor était persuadé que son père le considérait comme un traître infâme. La famille Broekhart était désormais sous la coupe du maréchal. Si jamais Declan se retournait contre lui, il serait toujours possible de ressusciter Conor afin de faire chanter son père. La loyauté sans faille de Declan contre la survie de son fils. Bonvilain savait qu'il était aussi cruel que superflu de jouer avec Conor, mais c'était ce qui l'amusait. Sa propre audace impudente le ravissait.

Bonvilain tapa trois fois doucement dans ses mains.

« Bravo, maestro ! Bravo ! »

« J'adore ça, pensa-t-il. Je suis au septième ciel. »

Deuxième partie
Finn

Chapitre 5
L'île de la Petite Saline

Le soir suivant, Conor Broekhart fut transporté sans ménagements à bord d'un bateau à vapeur qui leva l'ancre pour la Petite Saline. Il était le seul prisonnier sur le pont et fut contraint de partager la cage installée à la poupe avec deux cochons et une chèvre. Deux gardes se trouvaient à bord de l'embarcation crasseuse. Le plus gradé semblait désireux d'informer Conor de sa propre importance.

– Habituellement, je ne me charge pas du transfert des prisonniers, expliqua-t-il avec un fort accent irlandais.

Il donna un coup de pied dans la porte de la cage afin d'être sûr que Conor l'écoute.

– Mais le directeur a insisté pour que je m'occupe de toi personnellement. L'ordre venait directement du maréchal Bonvilain, pour ainsi dire. Qu'est-ce qu'on peut faire ? Dire non au maréchal ? Ça me paraît peu faisable, mon gars. À moins d'avoir envie de serrer la main au bon Dieu dès cet après-midi.

Conor n'avait aucune envie de bavarder. Cette journée le déconcertait autant que s'il avait été un poussin à peine sorti de l'œuf. La surface des choses n'avait pas changé. Il reconnaissait la silhouette de la Petite Saline s'élevant au nord, mais elle lui paraissait désormais terrifiante, même vue de loin. Hier encore, il considérait cette île comme un haut lieu de la justice. Seulement hier ? Était-ce possible ? Tant d'événements avaient eu lieu en un jour.

La coque large du bateau fendait les vagues en soulevant une brume salée qu'il traversait dans un nuage de vapeur. Les embruns assaillaient les plats-bords et trempaient les occupants de la cage. Aucun d'eux ne broncha. L'espace d'un instant, Conor n'éprouva qu'une fraîcheur délicieuse. Puis le sel pénétra dans ses plaies et il ne put retenir un cri.

Sa douleur parut réjouir son accompagnateur.

– Ah ! le sieur Conor Finn est encore vivant ?

« Le sieur Conor Finn ? »

Conor ne fut pas surpris. Bonvilain ne devait pas avoir envie qu'on connaisse le nom véritable de son prisonnier. Il allait donc s'appeler Conor Finn.

– Conor Finn, continua le garde. Ami des contrebandiers et cinglé de première classe. Toujours la tête ailleurs. Un toqué, quoi. Tu ne vas pas t'amuser, dans notre section des fous. Mais alors pas du tout.

« Conor Finn. Contrebandier et fou. »

Bonvilain ne voulait courir aucun risque. Même s'il trouvait quelqu'un à qui parler, qui croirait un bandit à l'esprit dérangé ?

– Non, la Petite Saline n'est pas un endroit pour rigoler. Pas de fêtes ni de numéros de cirque. Surtout pas pour Conor Finn. Bonvilain a demandé qu'on te réserve un traitement spécial dans la section des fous. Et ce que Bonvilain demande, Arthur Billtoe le fait.

Conor souleva péniblement ses paupières boursouflées pour examiner le garde. L'homme lui rappelait une lithographie que Victor lui avait montrée un jour et qui représentait le *Pongo abelii*, ou orang-outan de Sumatra. Son visage agressif était encadré d'une épaisse tignasse hésitant entre le châtain et le gris, comme les poils hirsutes dépassant du col de sa chemise à jabot de pirate. Il portait des cuissardes sur ses jambes courtaudes et musclées. Des anneaux d'argent ornaient ses doigts. En un autre temps, cet accoutrement de bravache aurait peut-être fait rire Conor. Pour l'heure, l'apparence du garde le terrifiait. Comment pouvait-on confier une telle responsabilité à un homme aussi coupé de la réalité ?

Il existait encore en Conor une étincelle de celui qu'il avait été. Le Conor de la veille.

– Jolies bottes, capitaine, marmonna-t-il.

Billtoe ne se mit nullement en colère. Il sourit, en révélant une demi-douzaine de dents jaunies à force de chiquer.

– Nous allons bien rire avec toi, mon gars. Tu n'imagines pas à quel point. Je m'habille comme ça me chante. Et je fais ce qui me plaît dans mon coin de la Petite Saline, le roi c'est Arthur Billtoe.

« Le roi est mort, pensa Conor en s'adossant aux animaux occupant la cage avec lui. Je l'ai vu mort. »

Les animaux étaient décharnés, tremblants, et presque aussi malheureux que Conor lui-même.

Le vapeur contourna la pointe de Galgee Rocken en tanguant et rejoignit une plage en forme de croissant que surplombaient les tourelles de l'entrée du fort de la Petite Saline. Le soleil se couchait entre les sabords et baignait le sable d'une lumière rougeoyante. Des crabes couraient se disputer des débris dans des mares rocheuses. Des mouettes massées à l'intérieur de l'île indiquaient la cuisine de la prison aussi sûrement qu'un drapeau. Billtoe ouvrit la cage avec désinvolture et fit sortir Conor en tirant sur la chaîne de ses menottes, tandis que son compagnon attachait la bouline.

– Nous sommes arrivés, Conor Finn. Je te préviens : on n'aime pas beaucoup les soldats, sur la Petite Saline. Que tu sois ou non un vrai troufion, tu portes l'uniforme.

Pour la première fois, Conor regretta d'être si grand. On pouvait aisément le croire en âge d'être enrôlé, même s'il n'avait pas de barbe au menton.

« J'aimerais tant voler, songea-t-il en regardant avec nostalgie le ciel du soir. Laisser derrière moi ce cauchemar. Rentrer chez moi en volant pour retrouver... »

Mais il ne rentrerait jamais chez lui en volant. C'en était fini des cours avec Victor, des maquettes de planeurs et d'aéronefs, des séances d'escrime avec Isabella.

Et son père avait juré de le tuer s'il le revoyait. Cette promesse était infiniment plus douloureuse que l'acte lui-même ne l'aurait été. Il arrivait souvent à Conor de souhaiter que son père ait tenu parole sur-le-champ.

Billtoe fit culbuter Conor par-dessus le plat-bord. Le garçon atterrit sur un embarcadère en bois, droit dans les bras du second garde.

— Il faut le débarrasser de ses puces, Mr Pike, déclara l'Irlandais. On va lui faire avaler un peu de lavasse. Il s'agit qu'il soit prêt pour la mine.

Arthur Billtoe sortit de sa poche une chique de tabac et la fourra entre ses dents du bas et sa lèvre.

— Nous sommes la famille de ce jeune soldat, maintenant. On va le mettre au travail avec un baiser de la Petite Saline. Un long baiser, que ça soit bon !

Les gardes firent avancer Conor sur la jetée à coups de crosses de fusil. Lorsqu'ils pénétrèrent dans la prison proprement dite, Conor nota que la courtine était en granit massif et avait au moins quatre mètres d'épaisseur. Plusieurs siècles auparavant, Raymond Trudeau avait ordonné la construction de l'édifice à même la roche de l'île. À mesure que les murs s'élevaient, la prison s'enfonçait. Il y eut des effondrements et des inondations où des prisonniers trouvèrent la mort, mais il n'avait jamais été question d'interrompre l'exploitation de la mine, jusqu'au jour où Nicholas était monté sur le trône. À présent que Bonvilain avait pris les affaires en main, la sécurité des détenus ne serait pas vraiment à l'ordre du jour.

Conor dut se glisser sous une herse, dont les pointes de fer noir cliquetaient à chaque vague. Ils émergèrent dans une vaste cour que dominaient des créneaux brûlés par le sel ainsi qu'une bonne douzaine de tireurs d'élite.

Dans un coin de la cour se trouvait un bassin encastré dans la roche et entouré de murs grossiers, qui devait faire à peu près deux mètres sur deux. Sa profondeur était difficile à estimer, du fait de la vase et des algues tapies juste sous sa surface. Il était rempli d'une eau stagnante, exhalant une odeur de pourriture.

– Un petit plongeon pour monsieur ! lança Billtoe avec entrain avant de pousser Conor par-dessus le rebord.

Conor l'entendit encore dire quelque chose à propos de mites qui allaient tout tuer, puis il sentit l'eau trouble se refermer sur lui tandis que ses menottes l'entraînaient vers le fond spongieux.

S'attendant à être de nouveau brûlé par l'eau salée, il tendit tous ses muscles et ses nerfs. En fait, il sentit ses plaies apaisées par cette eau, qui était douce et contenait un élément qu'il avait du mal à analyser. Un anesthésique naturel dans les algues, peut-être ? Avant qu'il ait pu savourer ce bien-être imprévu, des bancs de vase se dirigèrent droit vers lui. Ils étaient vivants ! Conor allait ouvrir la bouche pour hurler, mais son bon sens l'emporta. Il était sous l'eau. En ouvrant la bouche, il inviterait ces créatures microscopiques à entrer dans son intestin. Il serra hermétiquement ses lèvres et souleva non sans peine ses menottes afin de se pincer le nez. Quant à ses oreilles, elles devraient se débrouiller toutes seules.

Les mites se mirent au travail sur sa personne, en éraflant sa peau avec leurs dents infimes. Il avait l'impression de subir un supplice macabre, mais en réalité ces bestioles étaient une bénédiction pour lui. Les spores des plantes, agitées par elles, désinfectèrent ses blessures. Les mites elles-mêmes les nettoyèrent en dévorant toute trace d'infection. Elles grignotèrent sang et croûte, plongèrent au fond des entailles et mâchèrent les plaies à nu. Le moindre poil, la moindre saleté y passa. Elles rongèrent même le faux tatouage de régiment sur l'avant-bras de l'adolescent. Seuls les vestiges de poudre à canon sur ses joues échappèrent à leur attention, mais ils furent promptement lavés par les courants qu'il provoquait lui-même en se débattant.

Conor ne pensait pas que les gardes le laisseraient se noyer. Bonvilain ne l'avait pas fait transporter ici pour qu'il finisse assassiné dans la cour. Toutefois les mordillements de ces mites faillirent avoir raison de sa résistance. Si les gardes ne l'avaient hissé hors du bassin en tirant sur sa chaîne, il aurait ouvert la bouche et accepté de remplir d'eau ses poumons plutôt que d'endurer une seconde de plus les monstres minuscules récurant sa peau.

Hors d'haleine, Conor resta allongé sur les dalles rugueuses dont les stries blessaient son front. Il était encore couvert de mites, dont il sentait les vibrations sur ses sourcils et dans ses oreilles tandis qu'elles s'affairaient sur sa peau.

— Enlevez-les ! supplia-t-il bien qu'il s'en voulût d'implorer ses ravisseurs. Je vous en prie !

Les gardes s'exécutèrent en riant, avec des seaux d'eau salée prévus à cet usage. Le sel traça sur son corps des lignes douloureuses, comme le fil de fer barbelé que le roi Nicholas avait fait venir du Texas. Mais même cette brûlure était préférable à un million de dents microscopiques.

Billtoe donna un vigoureux coup de botte dans le derrière du pantalon de Conor.

— Debout, Conor Finn ! Grouille-toi si tu veux un lit, autrement tu dormiras à la belle étoile. Moi, je m'en fiche, mais on va faire descendre la cloche dès demain et tu auras besoin de toute ton énergie pour jouer ton rôle.

Cette histoire de cloche et de rôle était du chinois pour Conor. Peut-être était-il question de musique d'église ? Il lui paraissait pourtant peu probable que l'élévation spirituelle fût à l'honneur dans cet endroit. Il se leva lentement, en penchant la tête pour déloger les dernières mites.

— Qu'est-ce que c'était ? demanda-t-il d'une voix qui sonna étrangement à ses oreilles bouchées.

— Des mites mangeuses, répondit Billtoe. Des parasites d'eau douce. L'élevage de ces petites merveilles exige beaucoup de soins. En dehors de l'Australie, on n'en trouve que dans ce bassin. C'est un présent d'Hector le Globe-Trotter. Nous le chauffons spécialement pour elles.

Conor écouta ce petit cours avec attention. Victor

146

lui avait dit de ne jamais négliger une information. C'était la connaissance qui sauvait des vies, pas une bravoure ignorante. Pourtant, toutes les informations dont la tête du Français était pleine n'avaient pas réussi à sauver sa vie. Hector le Globe-Trotter n'était autre que le roi Hector II, qui régnait sur les îles Salines avant Nicholas. Il s'était montré nettement plus intéressé par l'exploration d'autres continents que par le gouvernement de son propre pays, ce qui convenait tout à fait au maréchal Bonvilain.

Conor garda les bras baissés afin que le sol porte le poids de sa chaîne pesante. Il entendit quelque chose siffler près de son oreille gauche. Un sifflement brûlant. Il était trop exténué par cette journée pour réagir, sans quoi il aurait pu retarder l'inévitable avant de succomber sous le nombre. Mais dans son état, un seul garde suffit largement pour l'immobiliser contre le mur. Arthur Billtoe plaqua sa main gauche sur la pierre avec un fer rouge, pareil à ceux qu'on utilise pour marquer le bétail.

— Un baiser de la Petite Saline, dit Billtoe. J'espère que ça te fait plaisir !

Conor regarda un instant avec incrédulité l'eau bouillante s'évaporer, sentit l'odeur de brûlé émanant de sa propre chair. Il ne souffrait pas. Mais la douleur allait venir, et il n'avait aucun moyen de l'éviter.

« Je veux m'envoler loin d'ici, pensa-t-il. Il faut que je m'envole. »

La douleur vint enfin et Conor Broekhart s'envola, mais seulement dans son esprit épuisé.

Chapitre 6
Au milieu de l'Hyver

Le matin commençait de bonne heure sur la Petite Saline et s'annonçait par un unique coup de canon tiré en direction de l'Irlande. Ce coup de canon était une tradition salinoise. Depuis que le roi Raymond II avait inauguré cette coutume, on n'y avait manqué que deux fois en six siècles. Une fois en 1348, quand une épidémie de peste avait exterminé la moitié de la population en moins d'un mois, et ensuite, toujours au Moyen Âge, lorsque la flotte du pirate Eusebius Crow avait failli s'emparer de la Grande Saline. La détonation servait à la fois à réveiller les prisonniers et à rappeler aux contrebandiers, aux bandits, voire aux détachements militaires venus d'Irlande, que l'armée salinoise était vigilante et prête à repousser tous les ennemis.

Conor Broekhart se réveilla sur un grabat en bois, au son retentissant du canon. Malgré tout ce qui était arrivé, il avait dormi profondément. Son corps avait besoin d'un repos ininterrompu pour récupérer, ce qui lui avait valu une nuit de sommeil sans rêves. À présent, ses sens étaient assaillis par des douleurs nombreuses, mais la plus pressante émanait de sa main gauche.

« Un baiser de la Petite Saline. »

Tout était donc vrai. Le roi assassiné. Sa bien-aimée Isabella orpheline. Et son propre père qui menaçait de le tuer.

« C'est la réalité. »

En tressaillant, Conor leva la main pour inspecter sa plaie. Il découvrit avec surprise qu'elle avait été pansée avec soin. Un liquide vert suintait au bord de la compresse.

— Êtes-vous content de ce pansement, mon garçon ? demanda une voix. La pâte verte est de la *Plantago lanceolata*. J'en ai mis aussi sur votre visage. Pour me la procurer, j'ai cédé ma dernière chique de tabac à un garde.

Conor scruta les ténèbres de la cellule. Deux jambes longues et maigres émergeaient de l'ombre. Un poignet décharné s'appuyait sur un genou. Des doigts fins effleuraient les touches d'un piano imaginaire.

— Vous avez fait ça ? s'étonna Conor. Ce pansement ? J'ai… J'avais un ami qui s'y connaissait en médicaments.

— Dans ma jeunesse, j'ai passé un an à chevaucher avec les Brigands du Missouri pendant la guerre de Sécession, reprit l'homme avec un fort accent américain. J'ai appris un peu de médecine. Bien entendu, quand ils ont découvert que j'étais un espion yankee, Jesse James en personne m'a asséné un coup de tisonnier sur le crâne. Je suppose qu'il estimait que j'en avais assez vu.

— Merci, monsieur. Je ne m'attendais pas à trouver de la gentillesse dans un endroit pareil.

— Vous n'en trouverez pas beaucoup, assura le Yankee. Mais quand elle se présentera, elle brillera comme un diamant dans un seau de charbon. Évidemment, nous autres fous, nous sommes les plus gentils de la bande.

Conor eut un instant de perplexité.

«Nous autres fous?»

Puis il se rappela que Bonvilain avait prétendu qu'il avait perdu la raison. Un dément, voilà ce qu'il était. Un cinglé.

L'Américain continuait son discours:

— Bien sûr, en principe je suis un infirme, pas un fou. Mais on nous met tous dans le même sac, ici, sur la Petite Saline. Qu'on soit fou, infirme ou violent.

Il se leva lentement, en tendant une main.

— Permettez-moi de me présenter. Je m'appelle Linus Hyver. Avec un y. Au milieu de l'Hyver, vous comprenez. Vous allez m'avoir souvent sous les yeux, mais je crains quant à moi de ne guère vous voir.

Hyver surgit de l'obscurité comme une panoplie de balais tombant d'un placard. C'était un grand échalas qui devait avoir dépassé la cinquantaine et était vêtu des lambeaux d'un habit de soirée dont l'élégance n'était plus qu'un souvenir. Comme Conor, il avait un pansement, mais le sien recouvrait les orbites où se trouvaient autrefois ses yeux. Jesse James n'y avait pas été de main morte avec son tisonnier. Des cicatrices violettes sillonnaient le vaste front du Yankee.

Hyver tira sur son pansement.

– Quand je jouais, j'avais coutume de porter un loup. C'était très mélodramatique. Du vrai Dickens.

Conor serra la main de Linus Hyver avec autant de vigueur qu'il le put.

– Conor… Finn. C'est mon nom, maintenant.

Hyver hocha la tête. Son grand nez et sa pomme d'Adam proéminente projetaient des ombres dansantes et anguleuses sur son visage et son cou.

– Excellent. Un nouveau nom. Sur la Petite Saline, mieux vaut devenir une autre personne. L'ancien Conor est mort et enterré. Pour survivre ici, on a besoin d'acquérir une sensibilité différente. Même quand on est tout jeune.

Conor fit jouer ses doigts. Les tendons étaient endoloris, mais tout fonctionnait correctement. Il examina sa cellule de prison d'un œil peu enthousiaste. Elle était aussi spartiate que son cachot précédent. L'unique fenêtre était petite, vitrée et munie de barreaux. Deux grabats en bois constituaient tout le mobilier.

Une remarque d'Hyver le frappa avec quelque retard.

« Même quand on est tout jeune ? »

Il agita sa main devant les yeux d'Hyver.

– Comment savez-vous mon âge ? Vos autres sens ont-ils pris le relais de la vue ?

– Absolument. Je vous prierais donc de baisser votre main. Mais si je sais tout de vous, jeune Conor Broekhart, ou Finn, comme vous préférez, c'est que vous avez eu de la fièvre et que votre délire m'a empêché de dormir cette nuit. Alors, le roi ? Est-il vraiment mort ?

151

Des larmes montèrent aux yeux de Conor. Ces mots prononcés par un étranger inscrivaient d'un coup le crime de Bonvilain dans le monde réel.

— Oui, je l'ai vu mort.

Hyver poussa un long soupir désolé, tout en passant ses doigts dans ses cheveux fins et grisonnants.

— Voilà une terrible nouvelle. Plus même que vous n'en avez conscience. Avec Bonvilain, ces îles vont sombrer de nouveau dans l'obscurantisme.

— Vous connaissez Bonvilain ?

— J'en sais long sur les affaires des îles Salines.

Hyver semblait sur le point d'en dire davantage, mais il s'interrompit brusquement en penchant la tête sur le côté, à la manière d'un cerf qui sent la présence de chasseurs.

— Nous pourrons discuter ce soir. Pendant le dîner, peut-être.

Il s'inclina en avant et ses doigts s'agitèrent dans l'air comme des pattes d'araignée avant de se poser sur les épaules de Conor.

— Maintenant, écoutez-moi bien, Conor Finn, lança-t-il d'un ton pressant. Les gardes approchent. Ils vont essayer de briser votre résistance. Soyez sur vos gardes. Attention aux lames sournoises ou aux planches dans les tibias. Arrangez-vous pour sortir indemne de cette journée, et ce soir je vous apprendrai comment survivre dans cet enfer. Il ne durera pas toujours et nous assisterons à sa fin, croyez-moi.

— Briser ma résistance ? s'exclama Conor. Mais pourquoi ?

– C'est la règle ici. Quel que soit son âge, un homme brisé a peu de chance d'affecter le rendement de la mine. La Petite Saline est régie par le rendement, en réalité, pas par Arthur Billtoe.

Conor songea au pirate à face de singe qui l'avait escorté jusqu'à la prison. Il n'était guère probable que Billtoe lève un seul de ses doigts couverts de bagues pour protéger Conor.

– Que puis-je faire ?

– Travaillez dur, répondit Hyver. Et ne vous fiez ni aux hommes ni aux bêtes. Surtout pas aux moutons.

Avant que l'Américain n'ait pu expliquer cette remarque inattendue, le lourd verrou de la porte s'ouvrit avec un grincement presque mélodieux.

– Un contre-ut, observa Hyver d'un ton rêveur. Comme chaque matin. C'est merveilleux.

Conor allait se languir de ce son dans les mois à venir, au point de l'entendre dans ses rêves. Le glissement du loquet signifiait qu'il allait échapper enfin à sa cellule humide, mais il lui rappelait aussi que cette libération ne serait que provisoire. Certains chroniqueurs rapportent que les survivants de la Petite Saline souffraient souvent d'insomnie tant que la porte de leur chambre n'était pas munie d'un verrou rouillé.

Arthur Billtoe examina la cellule avec l'air enjoué d'un oncle bienveillant réveillant son neveu pour aller faire un plongeon dans la piscine. Ses cheveux étaient plaqués en arrière par une couche de graisse, et des poils de barbe hérissaient sa peau comme des clous pointus.

— Prêt pour le filon, Conor Finn ? brailla-t-il en faisant tinter une paire de menottes.

Les doigts d'Hyver se serrèrent sur Conor comme des pinces à charbon.

— Tenez votre langue et travaillez dur. Faites attention aux moutons. Et ne contrariez pas Mr Billtoe.

Billtoe entra dans la cellule et menotta Conor.

— Pour sûr ! Ne me contrarie pas, petit soldat. Si tu oses lever un doigt sur moi, on t'attachera à un anneau bien bas au moment de la marée haute. Quant aux moutons, l'aveugle est un sage. Sur la Petite Saline, ces bêtes ne servent pas à faire des ragoûts.

Ces histoires de moutons étaient aussi bizarres que menaçantes. Conor pressentait qu'une surprise l'attendait, et qu'elle n'aurait rien d'agréable.

Sur toute la surface du globe, la tradition veut que les auberges et même les prisons servent un petit déjeuner avant qu'on commence à manier la pelle. Il en allait différemment sur la Petite Saline. Ici la collation matinale servait d'incitation à un travail sérieux. Pas de diamants, pas de pain. Cette équation toute simple s'était révélée efficace pendant des siècles. Alors que Conor attendait à faire un détour dans une cantine, il fut conduit directement à la mine – le filon, comme l'appelaient les occupants de la prison.

Billtoe lui expliqua en chemin la routine en vigueur dans l'île.

— Les saleurs ont tendance à se la couler douce dès qu'ils ont l'estomac plein, déclara-t-il en mastiquant un morceau d'un croûton de pain qu'il gardait dans sa poche entre deux bouchées.

Pour Conor, qui n'avait rien mangé depuis vingt-quatre heures, cette vision était une nouvelle torture. Toutefois sa faim s'atténua quand il s'aperçut de l'habitude répugnante qu'avait Billtoe de régurgiter chaque bouchée à moitié avalée afin d'en savourer encore le goût. Chaque régurgitation s'accompagnait d'une convulsion qui agitait son dos, comme si on tirait sur une corde.

Malgré son dégoût, Conor savait que sa faim reviendrait bientôt. Elle semblait ronger l'intérieur de son estomac, comme si son corps éperdu était prêt à se dévorer lui-même. Il fut distrait de son désespoir par la sonnerie d'une cloche d'église dans le lointain, qui faisait un effet étrange dans un endroit aussi abandonné de Dieu.

Ce son sembla mettre Billtoe de bonne humeur.

— Fais tes prières, mon gars ! gloussa-t-il.

Puis il enfonça la crosse de son fusil dans le dos de Conor et le poussa le long d'un couloir éclairé par des torches et par la lueur de l'aube qui filtrait à travers des ouvertures perçant le plafond. Le ressac déferlait contre la muraille de granit sur leur gauche, laquelle était l'œuvre de la nature autant que de l'homme, comme si l'île s'exhaussait d'elle-même. Chaque vague ébranlait le couloir entier et faisait couler d'innombrables ruisselets à travers le mortier aussi friable que du fromage.

— On est en dessous du niveau de la mer, expliqua Billtoe comme si Conor ne s'en doutait pas. Autrefois, la prison et la mine étaient distinctes. Mais l'avidité des Trudeau et le labeur des détenus les ont réunies. Le sous-sol de la prison s'est développé si bien qu'il a rejoint le filon. Il a suffi de percer un mur. Pour nous autres, les gardes de la section des fous, ç'a été un coup de veine. À présent, nous n'avons plus besoin d'aller dehors affronter les éléments. Nous laissons les cinglés creuser le filon. La moitié du temps, ils ne comprennent même pas que c'est dangereux. La plupart d'entre eux sont prêts à travailler à s'en faire saigner les mains si on leur raconte que c'est ce que voudrait leur maman.

Ce discours fut débité d'une voix joviale, qui semblait en contradiction avec la nature cruelle de Billtoe. Sans la crosse de fusil dans son dos et le baiser brûlant de la Petite Saline sur sa main, Conor aurait pu croire que le garde était un brave homme.

Ils traversèrent un dédale de couloirs parsemés de portes solides et de voûtes délabrées. Le sous-sol entier de la prison paraissait menacé d'un effondrement imminent.

– On dirait que cet endroit tombe en ruine, pas vrai ? dit Billtoe en voyant l'expression de Conor. C'est comme ça depuis que je suis arrivé ici. Crois-moi, ce trou durera plus longtemps que toi. Du reste, comme tu n'es qu'un saleur, ça n'a rien d'un exploit.

Un saleur. Conor avait déjà entendu ce terme. Il désignait les détenus de la Petite Saline. Le s marqué au fer rouge sur leur main en faisait à jamais des saleurs. C'était aussi son sort, maintenant.

En émergeant du couloir, ils pénétrèrent dans un

espace libre qui devait avoir servi de garde-manger dans les siècles précédents. Les murs étaient barbouillés de taches d'épices et de traînées de farine. Le centre de la salle avait été creusé et des échelles permettaient de rejoindre la zone s'étendant dessous. Une vingtaine de gardes surveillaient les lieux. Outre les fusils réglementaires, ils arboraient des armes plus personnelles. Conor aperçut des poignards indiens, des fouets, des dagues, des coutelas, des six-coups américains, des matraques et même un sabre de samouraï. La tradition salinoise d'employer des mercenaires avait laissé des traces dans l'armement local. Les gardes flânaient en fumant, en chiquant et en crachant. Malgré leur indolence affectée, Conor remarqua qu'ils avaient tous la main sur une arme quelconque. Cet endroit était dangereux, et il ne faisait pas bon l'oublier.

Les échelles aboutissaient à une étendue d'eau profonde, noire et sillonnée par les rares rayons de lumière parvenant jusque-là. D'autres gardes étaient postés devant les murs de cette caverne et veillaient à ne pas mouiller leurs bottes. Plusieurs prisonniers s'affairaient autour d'un échafaudage supportant le poids d'une énorme cloche de cuivre qui oscillait comme un balancier dans cet enclos étroit. Chaque fois qu'elle heurtait les parois de la caverne, des éclats de pierre se détachaient et des échos retentissants résonnaient jusqu'aux étages supérieurs comme dans une cathédrale.

— Bienvenue au filon ! dit Billtoe en crachant des miettes de pain.

Grâce aux cours de Victor, Conor avait une idée de la géologie de l'île, si bien qu'il comprit rapidement ce qui se passait en ces lieux. La mine de diamants des Salines trouvait son origine dans les entrailles d'un volcan, de l'autre côté de la terre, et avait été découpée par un glacier avant de former un dépôt au large des côtes irlandaises. Cela signifiait que la réserve de joyaux s'épuiserait un jour, surtout vu l'exploitation intensive de la mine par les Trudeau. Ce n'était pas la première fois qu'on était allé jusqu'à extraire des diamants sous la mer pour maintenir la production, mais le roi Nicholas avait interdit cette pratique six mois après son couronnement. L'instrument en cuivre était une cloche de plongée, à l'abri de laquelle des détenus pouvaient récolter des diamants bruts dans la partie sous-marine du gisement. Les décrets du roi Nicholas avaient été annulés avant même que son corps soit froid. Manifestement, Bonvilain avait passé de longues années d'amertume à préparer son complot.

– Cette cloche est très vieille, dit Conor presque pour lui-même. Elle doit avoir un siècle.

Billtoe haussa les épaules avec ostentation puis détacha ses menottes.

– Je m'en fiche pas mal puisque, Dieu merci ! ce n'est pas moi qui descends là-dessous. On risque de se blesser et bien pire encore, comme tu vas t'en rendre compte ce matin même. C'est à toi de plonger.

Un nouveau coup de crosse précipita Conor vers une large échelle surgissant des ténèbres de la caverne. Sa poitrine heurta violemment les montants de l'échelle, ce qui lui évita de basculer dans l'abîme et de mettre ainsi fin à une très brève carrière de mineur.

– Vous avez de la visite ! hurla Billtoe.

Le chef des gardes leva les yeux d'un air renfrogné dans la pénombre. Conor vit qu'il s'agissait de l'acolyte de Billtoe rencontré la veille. L'homme se distinguait par l'absence apparente de toute pilosité et par une posture recroquevillée, qui lui donnait presque l'air d'être bossu.

– On n'a pas besoin de renfort, Arthur ! cria-t-il. Même si quelques-uns crèvent dans la cloche, ils sont assez nombreux.

Billtoe empoigna Conor par la peau du cou pour l'engager à descendre l'échelle.

– Ça suffit, Pike. Il s'agit du chouchou du maréchal Bonvilain, tu te rappelles ? Il faut veiller sur lui.

Le regard de Pike se fit câlin et brilla d'une joie mauvaise.

– Ah ! le chouchou. Le petit prince. Envoyez-le-moi. J'ai ici quelques béliers qui ne demandent qu'à lui faire sentir leurs cornes.

Encore ces histoires de moutons. Qu'est-ce que ça voulait dire ?

Billtoe marcha sur un doigt de Conor, le forçant ainsi à descendre d'un échelon.

– Tu vas me faire le plaisir d'y aller, Conor Finn. Ne m'oblige pas à te casser les doigts. J'ai de bonnes bottes et elles ne craignent pas quelques gouttes de sang.

Tandis que Conor progressait vers le fond du puits, un silence étrange régnait, lourd d'attente. Il sentit la température baisser à chaque échelon, jusqu'au moment où le froid émanant de l'eau enveloppa ses épaules comme un capuchon invisible. Ce furent des instants de vraie terreur. Il était presque trop pétrifié pour bouger, mais la force de gravité l'entraînait et l'aidait à descendre.

Les détenus de la section des fous formaient une fine équipe, où la mode était aux regards fixes et aux mâchoires tombantes. Ils observèrent Conor avec une peur mêlée de dégoût. L'impression de menace était tangible dans l'atmosphère chargée de sel. Pendant un long moment, on n'entendit que l'échelle grinçante et l'onde clapotant sur le roc.

Quand Conor arriva enfin au niveau de l'eau, il eut l'impression d'être un drapeau ennemi où convergeaient des regards hostiles. Billtoe mit pied à terre derrière lui et désigna la cloche de plongée.

– Voici Flora. Tu sais ce que c'est, saleur ?

– C'est une cloche de plongée, marmotta Conor.

– Non, espèce de toqué. C'est...

Billtoe comprit avec dépit que sa science était inutile. Il martela du doigt la poitrine de Conor.

– Effectivement, c'est une cloche de plongée. Et puisque tu es si savant, tu auras l'honneur de l'inaugurer. Ça fait des années que Flora n'a pas servi, mais je suis sûr qu'elle est en parfait état.

Conor s'obligea à examiner la cloche, même s'il n'avait qu'une envie, aller se pelotonner dans un coin tranquille pour pleurer sur son sort. Bien qu'éraflée par la pierre à de nombreux endroits, elle paraissait assez

160

solide. Elle était suspendue par un ensemble de chaînes attachées à un anneau de fer pendillant au-dessus de sa partie avant. L'anneau était lui-même relié par une douzaine d'autres chaînes à l'échafaudage dominant la cloche. Les chaînes semblaient aussi vieilles que la cloche, et plus d'un maillon rouillé s'écaillait à chacune de leurs oscillations. Un tuyau de caoutchouc fendillé sortant du sommet de la cloche s'élevait en zigzag jusqu'à un engin à manivelle que Conor supposa être une antique pompe à air. Deux détenus étaient chargés de tourner la manivelle. L'un était tourmenté par une toux incessante de phtisique, l'autre s'arrêtait régulièrement pour cracher du tabac sur les rochers. On aurait pu trouver mieux pour faire ce travail. Conor doutait qu'ils fussent capables de fournir assez d'oxygène pour les poumons d'un petit chien.

Billtoe recula prudemment et cria à un garde juché dans les hauteurs :

– Faites-la descendre. Ne cassez pas le tuyau, ou le directeur nous tannera le cuir.

La cloche descendit par saccades, au gré de la force des détenus soumis à rude épreuve et du déroulement des chaînes enroulées tant bien que mal après la séance précédente. Certains maillons s'étaient emmêlés et la cloche vacillait dangereusement lorsqu'ils se dégageaient à l'improviste. Les murs de la caverne résonnaient avec fracas sous les chocs, si bien que tous les hommes ayant les mains libres se bouchèrent les oreilles.

– Cette cloche fait un raffut d'enfer ! brailla Billtoe

à l'intention de son camarade. On se croirait à Saint-Christophe un jour de soûlerie !

Les Trudeau avaient adopté saint Christophe comme saint patron des îles Salines, et l'église de la Grande Saline portait son nom.

— C'est pas ma faute, Billtoe, rétorqua le garde. Elle descend comme une grande. Faites attention qu'elle ne vous atterrisse pas sur la tête.

Ce n'était qu'une plaisanterie, mais Billtoe s'écarta au cas où. Flora continua sa descente vacillante, comme un bébé singe accroché à une corde et faisant des caprices. Elle toucha enfin la surface de l'eau, en envoyant des vagues se briser sur les rochers.

— Tous les jours, soupira Billtoe en s'épongeant le front avec un mouchoir. À partir d'aujourd'hui, nous allons devoir recommencer cette fichue comédie tous les jours.

Il passa son mécontentement sur les préposés de la pompe à air.

— Pompez, espèces de fils à maman de cinglés à la cervelle de petit pois !

— Oui, chef, marmonnèrent-ils en entreprenant d'alimenter en air le tuyau de caoutchouc et la cloche elle-même.

Le tuyau se mit à se tortiller en tous sens et se gonfla légèrement. La cloche s'enfonça lentement dans la mer, en émettant un curieux fredonnement tremblotant sous la caresse des flots.

Billtoe donna un coup de coude à Conor.

— Tu entends ce bruit, petit soldat ? Nous l'appelons le chant des sirènes, car c'est souvent le dernier son que

162

vous perceviez en ce monde, vous autres, les saleurs. Bon Dieu ! j'avais oublié comme c'était apaisant.

Une vitre munie de joints en caoutchouc était encastrée dans le dôme de la cloche. Elle était couverte d'un amas d'algues et de crasse rendant impossible de voir à travers.

Billtoe suivit le regard de Conor.

— Oui, dommage pour ce hublot. Il est aussi sale que la culotte d'un mendiant. On ne verra pas grand-chose de ce qui se passera là-dedans aujourd'hui. J'espère de tout cœur qu'il n'y aura pas d'accidents regrettables.

Conor était à peu près sûr que ce qui s'annonçait serait regrettable pour lui, mais n'aurait rien d'un accident. Billtoe avait l'intention de briser sa résistance dans cette cloche. La situation devenait cauchemardesque. Il eut un mouvement de recul, comme si le garde brandissait une torche.

— Pourquoi tu t'agites, mon gars ? demanda Billtoe. Tu t'affoles déjà ? Tu ferais mieux de ne pas perdre la tête dans la cloche.

Étrangement, cette remarque du garde ne manquait pas de sagesse. Il s'agissait d'un avertissement, et Conor le prit comme tel. Quels que fussent ses problèmes, il ferait bien de les oublier tant qu'il ne serait pas en sûreté dans sa cellule. Linus Hyver l'aiderait à survivre dans cet enfer, mais à condition qu'il vive assez longtemps pour le revoir. Si Conor ne croyait pas que le traître Bonvilain voulût sa mort, il existait peut-être certains moutons qui n'obéissaient pas toujours aux ordres.

– Que dois-je faire ? demanda-t-il à Billtoe.

Mieux valait se préparer autant que possible.

Le garde était ravi de pouvoir faire une conférence.

– Nous allons descendre Flora sur le filon, puis ton partenaire et toi irez extraire des diamants en bas. C'est simple comme bonjour.

Il apostropha un détenu qui traînait au bord de l'eau.

– Dis donc, espèce d'appât à poisson ! Donne-lui ta ceinture.

L'homme posa la main sur son bien d'un air protecteur.

– Mais, chef, ça fait des années que j'astique ces outils ! Ils me viennent de mon père !

Billtoe tapota sa tête comme s'il avait de l'eau dans les oreilles.

– Que signifie ce bavardage ? Je crois que j'entends parler un cadavre. Sans doute qu'il peut causer même avec la gorge tranchée.

Deux secondes plus tard, la ceinture était dans les mains de Conor. Billtoe inspecta les outils.

– Il te faut un pic pour casser la roche. Tu taperas dessus puis tu en retireras les diamants, qui ressembleront plus ou moins à des billes en verre. Tu n'as pas à craindre de les briser, car ils sont…

– La substance la plus dure existant dans la nature, compléta Conor machinalement.

– La substance la plus dure existant dans la nature, continua Billtoe sur sa lancée.

Il se renfrogna et administra une gifle à Conor.

– Les informations, c'est moi qui les donne. Je me

ferai un plaisir de te faire passer l'envie de jouer les professeurs.

Conor acquiesça de la tête sans prêter attention à la douleur irradiant sa tempe – ce n'était que le moindre de ses maux.

Billtoe désigna fièrement un petit outil en forme de trident.

– Voici la fourchette du diable. Inventée sur cette île même par un nommé Arthur Billtoe, il y a plus de vingt ans. Cette petite merveille m'a valu un emploi à vie. Sans compter que le maréchal Bonvilain en personne m'a alloué une maison sur la Grande Saline. C'est télé... télé...

– Télescopique, dit Conor en songeant qu'il était peu probable que Billtoe ait inventé un instrument télescopique alors qu'il était incapable de prononcer ce mot.

Sans doute avait-il plutôt volé cette idée à un détenu.

– Télescopique, exactement. Je l'avais sur le bout de la langue.

Billtoe fit tourner le trident sur son support, ce qui le fit passer de vingt centimètres à un mètre de long.

– On peut introduire ce bijou dans la moindre fissure et attraper les pierres qui sont tombées dedans. C'est génial, non ?

Conor se garda de le contrarier, même s'il ne voyait rien de si remarquable dans une fourchette à rallonge. Cela dit, l'outil était aussi pratique qu'astucieux, et prouvait que Bonvilain savait reconnaître une bonne idée quand il en voyait une.

— En somme, tout ce qu'on te demande, saleur, c'est de nager jusqu'à l'intérieur de la cloche et d'extraire autant de diamants que tu peux jusqu'à la fin de ta période de travail. Tu planques les pierres dans ton filet et tu nous les rapportes. C'est simple comme bonjour. Bien entendu, on fouille tous les plongeurs. Si jamais on trouve le moindre diamant hors du filet, je chargerai le garde le plus costaud de l'île de te cogner suffisamment pour te faire passer l'envie de voler. Est-ce que c'est clair, petit soldat ?

Conor hocha la tête, en se demandant quelle distance séparait le filon de la pleine mer.

Une nouvelle fois, Billtoe manifesta une aptitude troublante à anticiper ses pensées.

— Évidemment, tu pourrais décider de te sauver à la nage. L'appel de la liberté sera peut-être trop fort pour toi. Ne te prive surtout pas d'essayer. Qui sait, il serait même possible que tu réussisses. Remarque, tu serais bien le premier, et pourtant des gaillards nettement plus solides que toi ont tenté leur chance. Nous retrouvons encore des corps échoués dans la grotte des dizaines d'années après leur disparition. Et tu sais quoi ? Ils sont tous pareils. Morts.

Conor attacha la ceinture à sa taille en la serrant jusqu'à son dernier trou. Il ne voyait pas comment échapper à cette épreuve. Dans la mythologie grecque, quand les héros devaient affronter des aventures intimidantes, ils y allaient avec une détermination stoïque et en sortaient victorieux. En fait de détermination, Conor ne sentait en lui qu'un épuisement accablant.

166

Et même s'il était victorieux, sa seule récompense serait d'avoir à recommencer le lendemain, et tous les jours à venir.

Billtoe l'encouragea en lui adressant un clin d'œil amical et en tapotant gaiement la crosse du pistolet qu'il portait à la taille. Conor pénétra dans l'eau. Aussitôt, le froid glaça ses orteils. Il ne put retenir un cri de saisissement, au grand amusement des spectateurs.

Conor s'accorda un moment pour s'habituer à la température de l'eau et jeta un coup d'œil à la ronde, en se demandant si quelqu'un dans cette caverne lui viendrait en aide. Il ne rencontra que des regards hostiles. Ces hommes rudes, vivant dans un environnement impitoyable, n'avaient guère de temps à perdre en compassion. Sans leurs uniformes, il aurait été impossible de distinguer les gardes des détenus. Il était seul dans cette épreuve. À quatorze ans. C'était une des rares occasions dans sa vie où son père n'était pas là pour le guider. Mais si Declan Broekhart avait été là, peut-être aurait-il ri avec le reste de l'assistance. Cette pensée était intolérable.

Malgré son évidente solitude, quelque chose en Conor Broekhart lui interdisait de capituler. L'intelligence de sa mère et le courage de son père s'épanouissaient en son être. Il allait s'arranger pour tout supporter – et survivre. S'il pouvait revenir en vie dans sa cellule, cet Américain, Linus Hyver, lui enseignerait deux ou trois choses sur la Petite Saline.

« Écarte toutes les pensées inutiles, se dit-il. Oublie

167

ta famille, le roi, Isabella. Oublie-les tous. Contente-toi de vivre, afin de pouvoir penser à eux un autre jour. »

C'était plus facile à dire qu'à faire, mais Conor s'efforça de se concentrer sur ce qu'il avait devant les yeux, en mettant de côté son tourment intérieur. S'éloignant de la plate-forme rocheuse, il sombra bientôt dans les eaux obscures et glacées de la Petite Saline.

Pendant un instant, le froid fut si absolu qu'il sembla à Conor que rien au monde ne pouvait être plus glacial. Il se débattit dans l'eau, non par peur mais pour tenter de se réchauffer un peu. Il avait souvent nagé au large des plages salinoises, dans le passé, mais ici les eaux n'avaient jamais connu la bénédiction du soleil. Rien ne pouvait faire remonter la température de quelques degrés.

Conor ouvrit les yeux et scruta les ténèbres liquides. Il aperçut en dessous de lui une tache orangée, comme un soleil perdant son éclat dans l'obscurité de l'espace.

« La cloche. »

« Elle n'est pas si loin, pensa-t-il. Il faudrait vraiment être un piètre nageur pour ne pas pouvoir l'atteindre. Je devrais y être en dix brasses au maximum. »

Il plongea en repliant ses mains pour mieux repousser l'eau. Il avait toujours été bon nageur, et la cloche révéla bientôt sa forme et même la texture de sa surface. Ce petit succès le réconforta un peu.

« Je ne suis pas impuissant. Je peux encore agir. »

La cloche oscillait doucement à moins d'un mètre au-dessus du sol de la caverne. Des bulles d'air semblables à des rangs de perles s'échappaient d'une dou-zaine de trous minuscules. Conor accrocha ses doigts à la base arrondie du dôme et se glissa à l'intérieur. Ses efforts furent récompensés par une bouffée d'air, qui n'avait rien de frais ou de pur, mais qui était quand même de l'air. Il respira à fond, sans prêter attention à l'odeur de caoutchouc ni à la pellicule huileuse dont furent tapissés instantanément son nez et sa gorge.

L'eau montait à une quinzaine de centimètres au fond de la cloche. Le sol sous les pieds de Conor était inégal, glissant et imprévisible. Ce n'était pas un cadre idéal pour travailler. La cloche elle-même faisait à peine trois mètres de diamètre et oscillait capricieuse-ment au gré du courant, non sans heurter Conor au coude et à l'épaule. Il se recroquevilla le plus possible, en protégeant sa tête. La lumière était terne, vacillante.

Conor regarda en hauteur à travers le hublot, mais ne distingua que des silhouettes vagues et tremblantes. Des hommes, peut-être ? Ou des rochers ? Il n'aurait pu le dire. Puis une de ces silhouettes se détacha des autres.

Avec un effroi plus glaçant que l'eau, Conor vit l'in-connu sauter dans la mer en fractionnant sa surface en mille croissants argentés. Le bruit du plongeon résonna à travers la conduite d'air de la cloche. Et un autre bruit parvint à Conor : l'écho de rires remplissant la mine d'une allégresse fantomatique. Des rires sinistres, haineux, menaçants.

Conor lutta pour réprimer sa terreur.

« Il faut survivre. Tu peux agir. Survivre. »

169

Puis une forme pâle passa devant le hublot : un bras énorme et musclé, battant l'eau avec vigueur. Même à travers la crasse luisant sur la vitre, on distinguait sur l'avant-bras les traits larges d'un tatouage représentant un bélier cornu.

« Un mouton, pensa Conor. Sur la Petite Saline, ces bêtes ne servent pas à faire des ragoûts. »

La silhouette disparut en descendant le long de la courbe du dôme. Des mains tapèrent sur le cuivre, en provoquant une cacophonie assourdissante à l'intérieur de la cloche. Le fracas métallique résonna avec tant de force que Conor pria pour que le silence revienne. Ses oreilles devaient sûrement être en sang. Puis de gros doigts s'enroulèrent sous la base de la cloche. Deux mains blanches miroitèrent dans l'eau.

Sur chacun des doigts, une lettre était tatouée. Même à l'envers, il n'était pas besoin d'être grand clerc pour lire ce qu'elles annonçaient.

SOUFFRANCE

Conor était sûr que ce n'était pas une promesse en l'air.

Un homme gigantesque se traîna sur le fond marin, sans prendre garde aux rocs pointus égratignant son corps. Quand il se mit debout dans la cloche, une douzaine de ruisselets rouges dégoulinaient sur son torse. Conor eut soudain l'impression qu'il n'y avait plus assez d'air pour respirer. Il recula jusqu'au moment où la froide paroi de métal épousa la courbe de son dos.

Même si l'espace restreint exagérait la stature de

l'homme, Conor crut que c'était un géant. L'homme écarta les bras, et ses doigts firent tinter le cuivre comme des touches de piano. Ce son mélodieux n'était guère en accord avec la situation. Quelles que fussent les intentions du géant, il ne paraissait pas pressé d'accomplir sa mission. S'étirant en tous sens, il fit craquer sa nuque et ses doigts. Son visage exprimait une satisfaction sereine. Conor lut beaucoup de choses dans son demi-sourire : la confiance en ses talents de brute, le souvenir de violences passées et l'allégresse à l'idée de la tâche qui l'attendait.

L'homme montra joyeusement ses dents jaunies par le tabac, mais il cessa de sourire en constatant l'âge de Conor.

— Sapristi, mais tu n'es qu'un gosse ! Qu'est-ce que tu as fait ? Tu as menti sur ton âge pour pouvoir t'enrôler ? Tu avais tellement envie de patrouiller sur une muraille ? On n'est même pas en guerre.

— Vous êtes un mouton, dit Conor d'un air hébété. Sur la Petite Saline, ces bêtes ne servent pas à faire du ragoût.

L'homme caressa son tatouage avec affection.

— Les gens nous appellent des moutons, mais notre vrai nom est Béliers, comme ces engins qui défoncent les obstacles. C'est notre méthode favorite pour faire le gros boulot.

À présent, Conor comprenait les allusions aux moutons. Les Béliers étaient une bande tristement célèbre de malfrats irlandais basés à Londres. Leurs activités de contrebandiers les amenaient jusqu'à Boston, et leur autre grande source de revenus était le crime à gages. Apparemment, le Bélier qu'il avait sous les yeux n'avait pas chômé.

— Enfin, continua l'homme. J'ai été payé, et je n'aime pas décevoir mes employeurs. Gosse ou pas, tu vas donc devoir y passer.

— Vous allez me tuer ?

L'odeur de l'homme remplissait la cloche et rendait suffocant cet espace confiné à force de sueur, de sang, de tabac et d'haleine chargée.

Le géant ouvrit sa chemise pour montrer une liste tatouée sur sa poitrine.

— Je pourrais te tuer. Et je devrais encore quelque chose à mon employeur, car il m'a payé trois livres.

Conor lut ce qui était inscrit sur la peau pâle :

Coups de poing – 2 shillings
Deux yeux au beurre noir – 4 shillings
Nez et mâchoire cassés – 10 shillings
Passage à tabac (à la matraque) – 15 shillings
Oreille arrachée – comme ci-dessus
Jambe ou bras cassés – 19 shillings
Coup de feu dans la jambe – 25 shillings
Coups de poignard – comme ci-dessus
Gros boulot – à partir de 3 livres

L'homme reboutonna sa chemise.

— Il m'a donné le maximum, mais il m'a dit de répartir les trois livres sur plusieurs jours. Je dois te taper dessus un peu chaque jour, jusqu'à ce que son crédit soit épuisé. Ça fait une sacrée provision de coups, mais avec un petit morveux comme toi, une raclée quotidienne devrait suffire. Si je finis par m'ennuyer, au bout de quelques semaines, je pourrais t'arracher une oreille, histoire d'en finir.

Conor avait du mal à croire ce qu'il entendait. Cet homme parlait avec un détachement tout professionnel, comme un couvreur établissant un devis pour un toit d'ardoises.

– Que ferez-vous si jamais les prix montent ?

Le géant fronça les sourcils.

– Avec le tatouage, tu veux dire ? Je n'y avais jamais pensé. J'imagine qu'il faudrait écrire par-dessus. Je connais un petit gars de Galway qui est un vrai as de l'aiguille. Bon, à demain...

– Comment ?

Mais Conor n'avait pas refermé la bouche que déjà le poing énorme du géant se précipitait vers lui comme un boulet de canon. La dernière chose qu'il vit, ce furent les lettres S O U F F R A N C E. Cependant il resta conscient suffisamment longtemps pour entendre le Bélier chanter cette chansonnette féroce :

On les poignarde
Et on les cogne,
On les 'stropie
Et on les mord.
Nos mutilements n'ont pas d'limites.
Vous nous payez, on les étripe.
Si vous êtes dans l'pétrin

173

À cause d'menteurs ou d'arnaqueurs,
V'nez donc faire une visite
Aux Béliers.

Puis le monde entier se liquéfia et Conor fut trop heureux de s'abandonner aux courants qui l'emportaient.

« Peut-être que cette fois je ne me réveillerai pas, se dit-il. Je n'ai aucun besoin de me réveiller. »

Il se réveilla pourtant, bien des heures plus tard. Linus Hyver était penché sur lui, les doigts dégoulinant d'une matière verte.

— Je crains qu'il ne vous faille encore de la plantago, expliqua-t-il. Ça devient une habitude.

Craignant de se mettre à pleurer, Conor referma les yeux. Il resta un long moment sans bouger, en respirant sans bruit par le nez. Il sentait la pâte froide sur sa tempe, à l'endroit où le géant l'avait frappé, et sur sa main que la marque au fer rouge brûlait encore.

« Il doit bien y avoir une fin à tout cela ? Combien de temps un esprit peut-il endurer une telle torture sans se briser ? »

— Vous avez dormi pendant près de douze heures. Je vous ai gardé vos rations. Prenez au moins un peu d'eau.

« Eau. » Ce simple mot eut le pouvoir de réveiller complètement Conor. Sa gorge était desséchée par la soif.

« Le premier instinct de l'homme est de survivre, lui avait dit un jour Victor. Et il est capable de supporter presque tout pour suivre ses instincts. »

— De l'eau, croassa Conor en redressant sa tête si bien que le jus de plantago ruissela sur son front.

Hyver approcha de ses lèvres un grossier gobelet en terre cuite, dont s'écoula un filet d'eau qui humecta son gosier. Boire était comme retrouver le goût même de la vie. Bientôt, Conor se sentit assez fort pour tenir le gobelet. Il s'assit lentement, en poussant des soupirs de gratitude pour le simple plaisir d'étancher sa soif.

— À présent, vous devriez manger, dit Hyver. Il faut que votre corps reste fort. Un accès de fièvre pourrait vous tuer.

Conor se mit à rire faiblement. Comme si la fièvre aurait jamais l'occasion de le tuer ! Le Bélier avait pour près de trois livres de coups à lui administrer. Il était peu probable que Conor survive à ces séances.

Hyver glissa d'autorité une écuelle dans sa main.

— Quoi qu'il vous soit arrivé, quoi qu'il vous arrive encore, vous n'aurez aucune chance de vous en tirer avec un corps affaibli.

Conor consentit enfin à prendre un morceau de viande froide dans l'assiette de ragoût. Même chaude, cette mixture n'avait sans doute jamais été appétissante. C'était une carne coriace, couverte de gras et brûlée des deux côtés. Mais la viande donnait des forces, et il en aurait grand besoin pour affronter de nouveau un Bélier déchaîné sous la cloche.

— Maintenant, reprit Hyver, racontez-moi ce qui s'est passé aujourd'hui. Ils vous ont ramené ici sur une planche. J'ai cru que votre cœur ne battait plus.

Conor mastiquait un gros morceau de viande. Le gras visqueux entre ses dents évoquait du caoutchouc.

— Ils m'ont envoyé sous une cloche de plongée avec un de ces Béliers.

— Décrivez-le-moi.

— Un homme gros, énorme, couvert de tatouages. Il a le mot S O U F F R A N C E tatoué sur ses doigts et...

— Une liste de prix sur sa poitrine, compléta l'Américain. C'est Otto Malarkey. Le chef des Béliers. Cette brute a rossé plus d'hommes qu'il ne peut en compter. Et pourtant il sait compter, surtout quand il s'agit d'argent.

— Il a été grassement payé pour m'administrer chaque jour une correction. C'est comme ça qu'ils viendront à bout de moi.

— Simple mais efficace, reconnut Hyver. Il suffit de charger le plus grand de battre le plus petit. Cette méthode a toujours marché, même avec Napoléon.

Conor but encore. Maintenant que ses sens se ranimaient, il remarquait que l'eau avec un goût de salpêtre.

— Je dois certainement pouvoir faire quelque chose.

Hyver réfléchit tout en redressant le bandeau sur ses yeux avec ses longs doigts de pianiste.

— Ce problème est plus important que toutes les vexations quotidiennes auxquelles je voulais vous préparer ce soir. Si vous voulez survivre, jeune homme, il faut régler son compte à Malarkey.

— Oui, mais comment ?

— Vous avez besoin de repos. Allongez-vous et pen-

176

sez à vos points forts. Faites appel au moindre enseignement que vous ayez pu recevoir. Convoquez tous les rêves de violence où vous avez pu vous complaire dans vos moments les plus sombres. Vous avez sûrement des talents, grand et fort comme vous êtes.

– Mettons que j'aie des talents. Et alors ? insista Conor.

– C'est toujours aussi simple, chuchota Hyver. Un plan encore plus éprouvé que le premier. La prochaine fois que vous verrez Malarkey, tuez-le.

« Le tuer. »

– C'est impossible. Je ne pourrais jamais…

L'Américain sourit avec bienveillance.

– Vous êtes un bon garçon, Conor. Plein de gentillesse. Tuer vous fait horreur, et l'idée que vous pourriez vous-même mettre fin à une vie est affreuse.

– Oui. Je ne suis pas du genre à…

Hyver leva un doigt de chef d'orchestre.

– Nous sommes tous de ce genre-là. La survie est l'instinct le plus primitif. Mais comme je vois que vous êtes sensible, je vais vous aider à vous engager sur la voie du crime. Depuis qu'on m'a privé de mes yeux, j'excelle à recréer des images dans mon esprit. Je revois les salles de concert de ma jeunesse. À force de temps et de concentration, je remplis l'espace. Aucun fauteuil tapissé de velours, aucune lumière de scène, aucun angelot doré ne manque au tableau.

Pendant un long moment, l'Américain resta plongé dans son passé haut en couleur. Puis les bruits et les odeurs de la Petite Saline anéantirent sa rêverie.

– Tout ce que je vous demande, c'est de fermer les

yeux et de vous représenter l'homme qui vous a envoyé ici. Servez-vous de la haine qu'il vous inspire pour éveiller en vous l'instinct du tueur.

Conor n'eut pas besoin de se concentrer longtemps. Le visage de Bonvilain s'imposa à lui, avec son regard mauvais et son ricanement sarcastique.

— Et maintenant, Conor, dites-moi si vous pensez être capable de tuer.

L'adolescent songea à tout ce que Bonvilain avait infligé à la famille Broekhart.

— Oui, déclara Conor. Je suis capable de tuer.

Le sourire de Linus Hyver se teinta de tristesse.

— Nous en sommes tous capables, dit-il. Que Dieu ait pitié de nos âmes !

Chapitre 7

La fourchette du diable

En face du grabat de Conor Broekhart, la porte était percée d'une petite fenêtre rectangulaire. Trois fois par heure, environ, un garde passait avec une torche. Une lumière vacillante dorait les ténèbres de leur cellule et projetait une lueur dansante sur la main de Conor quand il la levait pour examiner le baiser de la Petite Saline. Un s en écriture cursive, déjà couvert d'une croûte, le marquait à jamais comme un criminel.

Une sorte de paix s'était emparée de lui. Les événements étaient tout simplement trop énormes pour qu'il puisse les affronter, et cela lui donnait une sorte de liberté. Il n'avait rien d'autre à faire que de se concentrer sur Otto Malarkey, ce Bélier meurtrier qui assommait si allègrement sa victime dans la cloche de plongée.

« Faut-il le tuer ? Est-ce la seule solution ? »

Il conclut par l'affirmative. Malheureusement, c'était lui ou Otto Malarkey. Et même si Conor n'avait jamais été gonflé par sa propre importance, il pensait sincèrement avoir davantage à offrir à l'humanité que cette brute criminelle. Au moins, il essaierait de ne pas tuer plus d'un de ses semblables.

« Mais comment tuer Malarkey ? Comment ? »

Quels étaient les talents que lui avait inculqués Victor ? Évidemment, le fleuret avait toujours été son triomphe. Ses poignets étaient ceux d'un maître d'escrime et ses membres avaient l'agilité de la jeunesse. Mais comment combiner ces deux atouts ?

« Je n'ai même pas de fleuret, ni rien qui y ressemble. »

Il se souvint alors de la ceinture à outils qu'il avait attachée à sa taille. Peut-être n'était-il pas tout à fait désarmé. Peut-être Arthur Billtoe était-il venu à son aide sans s'en douter.

Le lendemain se déroula suivant la même routine que la veille. Peu après l'unique coup de canon, Billtoe apparut au seuil de la cellule. Une nouvelle couche de graisse disciplinait ses boucles. Ce matin-là, il semblait avoir rasé une partie de son visage, en laissant le reste hérissé de poils noirs, roux ou argentés.

— Prêt pour la seconde manche avec Malarkey ? demanda-t-il en brandissant son fusil au cas où Conor se révélerait réticent à l'idée d'être roué de coups par un Bélier dans une cloche de plongée.

L'adolescent se leva péniblement, les os raidis et endoloris par les mauvais traitements qu'il avait subis.

— Je ne suis pas prêt, Mr Billtoe, mais j'imagine que ça ne fait pas l'ombre d'une différence.

Billtoe gloussa en détachant les menottes de sa ceinture.

— Tu as raison, mon gars. C'est exactement ça : pas l'ombre d'une différence. Il faut aller à ta petite séance, maintenant. Et pourquoi ne pas commander à Mr Hyver un plein pot de ragoût à la plantago ? Si du moins il y voit assez pour le préparer.

Linus ne releva pas ces railleries et se contenta d'arborer un air sévère. Conor y vit un rappel de la tâche à accomplir. Ce jour allait faire de lui soit un tueur, soit un cadavre.

Ils empruntèrent le même itinéraire pour se rendre au filon, mais ce jour-là une grande agitation régnait derrière les portes des cellules. Les détenus hurlaient des insultes et cognaient contre les battants de bois.

— Ils sont détraqués par la lune, expliqua Billtoe. Cette nuit, elle brillait dans le ciel comme un shilling d'argent. Ça met toujours hors d'eux ces lunatiques.

Conor sentit se raviver d'anciennes connaissances.

— C'est l'origine du mot. Le latin *lunaticus* signifie : qui a l'esprit dérangé par la lune.

Billtoe propulsa Conor dans le couloir avec un vigoureux coup de botte.

— Arrête de me fournir des informations. Ça me donne l'impression d'être idiot, et ça m'agace de me sentir idiot.

— Je parie que ça doit vous arriver souvent, marmotta Conor.

Billtoe se demanda s'il s'agissait ou non d'une insulte. À tout hasard, il frappa de nouveau Conor avec sa botte.

181

– Fais donc le malin avec Malarkey. Il aime bien les insolents, ça l'excite.

Au nom de Malarkey, Conor se rembrunit et son désespoir apparut clairement sur son visage.

– C'est bien, ricana Billtoe. Mets-moi ça dans ton livre de cours. Allez, recopie-moi la leçon. Tu es moins généreux avec les informations, maintenant, pas vrai ?

Quand ils arrivèrent au filon, la cloche de plongée était déjà sous l'eau et seul son sommet affleurait à la surface. On apercevait à travers le hublot les silhouettes indistinctes de deux détenus, qui donnaient des coups de pic frénétiques dans la roche à leurs pieds. Les gardes choisissaient les préposés de la pompe dans un groupe de prisonniers enfermés dans un enclos en bois, au niveau de la réserve. Ils les changeaient souvent afin que l'air continue d'affluer.

– La mine ne dort jamais, déclara Billtoe. Pas depuis que le bon roi Nick est mort. Il s'agit d'arracher de la terre des larmes d'ange à longueur de journée. Et sommes-nous plus riches pour cela ? Non, nous ne touchons pas un penny.

Conor nota l'amertume du garde. Cette information pourrait se révéler utile, si du moins il restait assez longtemps sur cette terre pour en faire usage.

– Il y a des compensations, malgré tout, continua Billtoe en détachant les menottes de Conor. Un peu de sport comme aujourd'hui, par exemple. Encore qu'on ne voie pas ce qui se passe entre les prisonniers à l'intérieur de Flora. C'est trop flou, tu comprends.

« Donc, personne ne sait rien parce que personne ne voit rien. »

Billtoe appela Pike, le chef de groupe.

– Remontez-les, maintenant. Il est temps que Malarkey gagne sa poignée de shillings.

Il tendit à Conor une ceinture à outils.

– Au cas où tu resterais conscient assez longtemps pour dénicher une pierre ou deux !

Pike retira la bonde de liège du tuyau à air de la cloche et aboya un ordre. Quelques instants plus tard, deux prisonniers trempés émergèrent de la mer agitée. Des gardes les entraînèrent aussitôt pour les fouiller sans ménagements, à la recherche de diamants cachés. Ils y mettaient tant de zèle qu'aucun objet plus gros qu'une goutte de sang n'aurait pu leur échapper.

Conor descendit l'échelle en scrutant la caverne pour voir Malarkey. Il repéra aisément le Bélier, vautré sur un amas rocheux évoquant vaguement un trône. Il mima un coup de poing en direction de Conor. Manifestement, il était sûr que la séance de ce jour serait la réplique de celle de la veille.

« Pas cette fois, mouton, pensa Conor. C'est la dernière représentation. Ce matin, on baisse définitivement le rideau. »

Conor posa les deux pieds sur le sol rocheux et se dirigea aussitôt vers le rivage, sans attendre les instructions de Pike. Il n'avait aucune envie de bavarder, des paroles ne feraient que le distraire. Avant de plonger dans l'eau salée, il tapota la ceinture fixée à sa taille afin de s'assurer que la fourchette du diable était dans son support. Sans cet outil tout simple, ses chances de vaincre Malarkey seraient minces.

L'eau se referma sur lui et ses doigts cherchèrent à tâtons des prises sur la cloche de plongée, dont il suivit la courbe jusqu'au moment où il atteignit la base. Une fois à l'intérieur, l'espace affreusement confiné de la cloche faillit avoir raison de sa volonté. Conor dut respirer plusieurs fois à fond avant de trouver la force de se lever.

« Obéis à ton instinct, se dit-il. Laisse-toi emporter par lui. »

À travers le trou d'aération, il entendit un plongeon bruyant, suivi d'un tonnerre d'acclamations. Les Béliers prodiguaient leurs encouragements à leur champion, même si personne ne s'attendait à un vrai combat. Des vagues violentes secouèrent la cloche, qui se mit à résonner majestueusement.

« Je dois agir vite. Être prêt. »

Conor leva les yeux. Malarkey s'était arrêté devant le hublot pour torturer sa victime. Le géant tapa à la vitre en souriant de toutes ses dents jaunes, encore qu'elles ne fussent guère visibles à travers la crasse recouvrant le verre.

Dès que le visage de Malarkey fut hors de vue, Conor se mit à l'œuvre. Il étira le trident jusqu'à sa longueur maximale, en serrant les anneaux du manche afin qu'il ne se rétracte pas trop facilement. Le trident ressemblait au fleuret d'entraînement de sa jeunesse, mais il était terriblement déséquilibré par son extrémité pesante. Malgré tout, un fleuret improvisé valait infiniment mieux que rien.

Conor prit dans sa main gauche la bourse humide prévue pour les diamants et la pétrit en une boule molle. Il était aussi prêt que possible, mais cet enchaînement d'actions lui paraissait vaguement irréel. Des événements incroyables se succédaient à un rythme terrifiant.

Comme beaucoup de garçons de son âge, Conor s'était souvent représenté des combats. Ce qui se passait maintenant n'avait rien à voir avec ses rêveries. Dans son imagination, des soldats pleins de bravoure s'affrontaient sur des champs de bataille battus par les vents, au son du tambour et du clairon. La réalité était nettement moins héroïque. Un lieu étroit, puant l'huile, la sueur et la peur. Et la gorge serrée à l'idée de tuer un autre être humain, même s'il s'agissait d'une brute infâme. C'était comme son père le lui avait toujours dit : la guerre n'avait aucune noblesse.

Un bras pâle, tremblant dans l'eau, se glissa sous la base de la cloche. La tentation était grande de lui assener un coup de trident, mais ç'aurait été stupide. Il aurait sacrifié l'effet de la surprise au profit d'une blessure insignifiante. Malarkey aurait reculé et repris des forces pour revenir avec une détermination inflexible.

Conor se maîtrisa, fléchit les genoux et s'apprêta à bondir. Malarkey émergea peu à peu. Les longues mèches de cheveux fins encadrant son visage se déployaient comme des algues. Il souriait encore et des bulles d'air s'échappaient entre ses dents. Une fois que ses pieds furent à l'intérieur, il se mit à quatre pattes avec insouciance en s'avançant dans l'eau comme un morse.

Le souffle de Conor s'accéléra. C'était maintenant ou jamais. S'il n'attaquait pas sur-le-champ, il était bon pour deux shillings de raclée.

Malarkey commença à se lever. Il était encore plié en deux quand Conor escalada son dos comme une échelle et se jucha sur ses épaules. Cette position précaire ne pourrait durer qu'un bref instant. Toutefois cet instant suffit à Conor pour fourrer sa bourse à diamants dans la conduite d'air, qui se retrouva complètement bouchée.

Malarkey se débarrassa de lui d'une secousse. Son sourire se teintait maintenant de perplexité.

— Qu'est-ce que tu essaies de faire, petit soldat ? Tu voudrais voler ? Dans cette cloche, même un aigle serait battu par un bélier.

— J'ai bloqué l'air, dit Conor d'un ton froid. Nous avons deux minutes pour nous enfuir.

Cette dernière affirmation était un mensonge éhonté, mais il ne pèserait guère sur la conscience de Conor. En fait, il y avait assez d'air pour au moins une demi-heure. Avec un peu de chance, cependant, Malarkey ne le saurait pas.

Pour une fois, la chance était avec Conor. Quand le géant constata que le tuyau était bloqué, son expression enjouée fondit comme du beurre au fond d'une poêle.

— Bougre d'imbécile ! cria-t-il si fort que les parois du dôme vibrèrent à l'unisson. Tu veux nous tuer tous les deux ?

Conor tenait derrière son dos le fleuret improvisé.

– Non. Pas tous les deux.

Le visage de Malarkey se renfrogna comme celui d'un gentil maître d'école venant d'atteindre la limite de sa patience.

– Je t'ai vite expédié hier, petit soldat. Un unique coup de poing a fait l'affaire. Aujourd'hui, je vais prendre mon temps. Tant pis si je t'abîme.

– C'est parfait, mouton, dit Conor. Continue de parler, gaspille l'air.

Malarkey se pencha et saisit Conor à la gorge.

– Maintenant, tu vas remonter sur mes épaules et enlever ce bouchon. Vas-y, et je te compterai peut-être un seul coup pour le prix de deux.

Manifestement, Malarkey estimait que c'était là une faveur insigne.

Conor brandit le trident si vite qu'il siffla dans l'air.

– Le bouchon reste où il est ! déclara-t-il en plantant les trois petites pointes de la fourchette dans la jambe du géant.

Le Bélier lâcha Conor en glapissant comme un chien qui vient de recevoir un coup de pied. En reculant, il heurta violemment sa tête contre la cloche. Sous le choc, sa vue se brouilla et ses oreilles tintèrent.

Conor profita de cet instant pour se mettre en position : genoux fléchis, fleuret tendu et bras gauche dans le dos.

« Attaque tout de suite ! le pressa la voix du bon sens. L'heure n'est pas à l'esprit sportif ! »

Mais ce n'était pas de l'esprit sportif. Conor voulait que Malarkey se rende compte de ce qui lui arrivait. Il ne fallait pas que le tueur à gages puisse attribuer la victoire de son adversaire à la chance. Il attendit donc que la vision du géant se soit éclaircie pour parler. Deux mots seulement :

– *En garde* * !

Malarkey poussa un grognement.

– Tu t'imagines me faire peur avec ces mots ? Tu crois que je ne les ai pas déjà entendus dans la bouche d'une vingtaine de crâneurs d'officiers, dont il ne reste plus que quelques os dans un uniforme ?

Malarkey écarta ses bras et s'avança dans l'eau d'un air menaçant.

– Eh bien, *en garde* *, petit soldat !

Conor croyait presque entendre la voix de Victor.

« Attendez pour bouger. Laissez-le s'engager. »

Il n'eut pas à patienter longtemps. Malarkey s'élança pour décocher comme la veille un uppercut magistral. Il sembla à Conor que le coup paraissait moins foudroyant quand on l'attendait de pied ferme.

Conor riposta par une simple attaque *au fer* *, consistant à faire dévier l'arme de son adversaire – même si en réalité c'était lui-même qui était dévié plutôt que le bras de Malarkey, qu'il traitait comme une lourde épée militaire.

Il continua son offensive en faisant face au flanc du géant. Par trois fois, il abattit le trident si vite qu'on le vit à peine, semblable à un éventail doré. Trois balafres rouges apparurent sur la bande de chair entre la chemise de Malarkey et la ceinture de son pantalon.

Ces balafres étaient destinées à faire souffrir.

Malarkey poussa de nouveau un glapissement, puis se mit à hurler à pleine gorge quand la douleur s'installa. Conor donna un coup d'épaule dans les fesses du géant. Une position peu agréable, mais lui permettant de faire basculer Malarkey en avant. Son front heurta la paroi de la cloche, qui se mit à sonner de plus belle.

Conor frappa alors un grand coup dans l'eau, au-dessus du talon de Malarkey, et sentit les pointes du trident s'enfoncer dans la chair coriace.

Ce coup était destiné à immobiliser.

Malarkey s'effondra comme une muraille bombardée au canon, au milieu d'une gerbe d'eau qui éclaboussa toute la cloche. Le Bélier continuait à hurler, fou de douleur et de colère. Conor sentit sa résolution faiblir.

– Je vais te tuer ! sanglota Malarkey. Je vais t'écorcher vif !

La résolution de Conor se raffermit aussitôt.

Il administra plusieurs coups dans le dos et les épaules du géant, afin de l'enfoncer plus profondément dans l'eau. Avec sa main libre, il planta ses doigts dressés dans les reins de son adversaire, qui ouvrit la bouche par réflexe et but copieusement la tasse. Un truc inspiré par le karaté.

Malarkey était bel et bien réduit à l'impuissance. Vautré dans l'eau peu profonde, la souffrance et le sel l'aveuglaient. Un enfant méchant aurait pu le tuer.

Conor s'adossa contre la paroi du dôme, hors d'haleine. Sa haine envers le géant avait disparu aussi vite

189

qu'elle était venue. Néanmoins, le problème de la gratification devait être résolu dès aujourd'hui. Linus Hyver avait-il raison ? Devait-il tuer cet homme ?

Conor posa sa botte de soldat sur le cou de son adversaire, dont il repoussa dédaigneusement les vaines tentatives de défense.

— Vous comprenez ce dont je suis capable, à présent ? siffla-t-il d'une voix venimeuse qui le surprit lui-même.

Malarkey était hors d'état de répondre. Même sans la botte de Conor sur la gorge, il était réduit au silence.

« N'ajoute pas un mot. Tue-le ! »

Conor enfonça le trident dans les plis de chair sous le menton du géant. Encore une poussée, et les pointes perceraient la peau et trancheraient une artère.

— Cette situation ne doit rien à la chance. Je peux vous tuer aussi aisément qu'un poulet pour le déjeuner du dimanche.

Les yeux de Malarkey s'animèrent soudain. Il n'y a rien de tel que la perspective de l'autre monde pour aider l'esprit à se concentrer.

— Vous avez compris, monsieur le Bélier ? Je pourrais vous tuer.

« Fais-le. Arrête ton bavardage. »

Conor resserra sa prise sur le trident et les muscles de ses bras se tendirent. Trois gouttes de sang perlèrent autour des pointes.

Une ultime poussée, et il n'aurait plus jamais à souffrir de son tourmenteur.

— Je t'en prie, gémit Malarkey d'une voix étouffée.

Conor sentit une goutte de sueur couler dans ses yeux. L'eau clapotait doucement contre la paroi incurvée du dôme.

– Je t'en prie, épargne-moi, dit le puissant Bélier.

« Je ne peux pas. Je n'ai aucune envie de tuer cet homme. »

Conor comprit qu'il n'était pas un tueur, et cette pensée l'emplit de soulagement car c'était la preuve qu'il était resté lui-même malgré tout ce qu'il avait enduré. Il n'avait pas été élevé pour prendre le dessus par un meurtre, du moins pas tant que d'autres voies étaient possibles.

« Il doit exister un autre moyen. Plus intelligent. »

Conor réfléchit à son problème, sans relâcher la pression du trident sur le cou de Malarkey. Il fallait faire du Bélier un allié. Cette lutte ne pouvait continuer chaque jour. Il bricola rapidement un plan leur permettant de s'en sortir tous les deux.

– Écoutez-moi, mouton, dit Conor en faisant tourner le trident. Je vais sortir de cette cloche et remonter à la surface, comme hier.

Le front d'Otto Malarkey se plissa.

– Mais je...

– Taisez-vous ! cria Conor avec une autorité dont il n'avait pas eu conscience jusqu'alors. Écoutez-moi, maintenant. Nous allons combiner quelque chose, vous et moi. Nous descendrons ici chaque jour et vous me donnerez soi-disant mes deux shillings de raclée. De cette façon, vous continuerez de régner sur les moutons. Vous resterez le chef du troupeau. En réalité, nous

191

discuterons tranquillement et vous pourrez m'apprendre comment survivre dans cette prison.

Malarkey avait du mal à se concentrer, dans sa situation critique, mais il eut quand même une étincelle de bon sens.

— Et mon pied ? Je ne peux pas marcher.

C'était effectivement un problème. De l'eau dégoulinait du dôme, leur donnant l'impression d'être sous une averse. Conor se creusa la tête pour trouver une solution.

— Après mon départ, vous n'aurez qu'à attendre une heure ou deux. Ensuite, faites du tapage en sortant de la cloche, débattez-vous dans l'eau. Vous direz que vous vous êtes coincé le pied. Flora sera responsable de votre cheville blessée. C'est une blessure douloureuse, mais sans gravité. Heureusement pour vous, j'ai manqué le talon d'Achille. Bandez bien votre cheville et évitez d'appuyer dessus pendant quelques heures. Dès demain, vous serez aussi solide qu'un chêne.

Malarkey reprenait courage. Conor le voyait à son regard sournois. Il respirait de nouveau et calculait ses chances. Il risquait à tout instant de tenter quelque chose contre son jeune tourmenteur, lequel serait alors contraint de le tuer. Conor abattit le trident sur chacun de ses avant-bras, dont les nerfs furent mis provisoirement hors d'usage.

— Vous avez envie d'autres balafres ? Êtes-vous trop bête pour vivre ? Si vous acceptez ma proposition, mouton, vous garderez à la fois votre vie et votre honneur. Autrement, préparez-vous à être vaincu par un gamin.

La perspective de la défaite semblait plus terrible que celle de la mort. Malarkey hocha la tête en grinçant des dents, incapable de regarder Conor en face.

– J'ai votre parole ?

Victor lui avait dit un jour que les associations criminelles des villes avaient développé un curieux sens de l'honneur, évoquant le bushido, le code des samouraïs.

– Que le diable t'emporte ! Oui, tu as ma parole.

Conor sourit avec froideur – une attitude à laquelle il recourait souvent à l'avenir dans les situations désespérées.

– Je vous crois. Pas la peine d'échanger une poignée de main.

Cette plaisanterie était cruelle, car les bras du géant étaient aussi inertes que deux morceaux de viande dans une boucherie.

– Très bien, mouton. Nous sommes d'accord. Et je vous préviens, si vous essayez de jouer au plus fin demain, vous ne pourrez plus compter ni sur ma pitié ni sur mon silence.

Conor fit tourner les anneaux du trident, qui se rétracta aussitôt.

– Inutile de vous lever pour me raccompagner, je connais le chemin.

Il fut lui-même surpris par cette remarque. Deux plaisanteries perfides en deux minutes. Quelles que fussent les circonstances, cela ne lui ressemblait pas de ricaner ainsi aux dépens de son prochain. Peut-être la Petite Saline était-elle en train de le transformer. De faire de lui un homme capable de survivre.

Il remplit ses poumons d'air pour se glisser sous la base du dôme. Avant que l'eau salée n'ait brouillé sa vision, il assista à l'ultime épreuve du géant : la bourse à diamants tomba de la conduite d'air et atterrit droit sur son visage.

Malarkey jura longuement et épouvantablement, mais ses paroles furent étouffées par la bourse trempée. Il ne pouvait même pas lever le bras pour l'ôter de sa bouche.

Chapitre 8
Conor Finn

Billtoe et Pike ramenèrent Conor à sa cellule sur une planche, sans ménagements excessifs. Les secousses et cahots divers qu'il dut endurer compensèrent presque les deux shillings de coups non distribués par Malarkey.

Le croyant inconscient, les deux gardes bavardaient sur les affaires de l'île.

— Bonvilain va vider cet endroit de ses diamants pour un million d'années, dit Pike. J'aurais presque pitié des saleurs, s'ils ne valaient pas encore moins que des moules.

— C'est vrai, approuva Billtoe. Mais au moins, les moules ne sont pas insolentes. Et on n'est pas forcé de faire une visite au bureau du directeur chaque fois qu'on marche sur une moule.

Ils s'engagèrent dans un virage difficile, non sans écorcher le coude de Conor le long du mur.

— J'ai l'impression qu'on peut marcher à sa guise sur les prisonniers, maintenant que le bon roi Nick est allé voir saint Pierre. Ça n'a jamais déplu à Bonvilain.

— Vous avez raison, Pike ! dit Billtoe en riant puis en régurgitant de bon cœur. Nous devrions avoir du bon temps, au moins jusqu'à la majorité d'Isabella. Peut-être est-elle du genre à s'occuper du peuple, comme son père. J'ai entendu sur elle des louanges qui m'ont inquiété.

— Ah, oui, la princesse Isabella ! s'exclama Pike. À votre place, je ne me ferais pas trop de souci à ce sujet. Elle ne montera pas sur le trône avant son dix-septième anniversaire, c'est-à-dire dans deux ans. Après cette date, je suis prêt à parier mes bottes du dimanche qu'il arrivera un accident tragique à notre petite souveraine si elle commence à faire des difficultés au maréchal.

Conor dut faire un effort sur lui-même pour ne pas saisir l'arme de Billtoe et tenter de s'évader sur-le-champ, mais Conor Finn n'aiderait guère Isabella en mourant sur les pavés glacés d'une prison. Il devait prendre son temps et attendre une occasion favorable.

En arrivant à la cellule de Conor, les deux gardes se contentèrent de soulever la planche pour faire glisser le corps du prisonnier à l'intérieur. Il heurta violemment le mur et resta étendu, les membres inertes. Ses gémissements étaient bien réels.

Les silhouettes de Pike et de Billtoe se dressaient sur le seuil.

— Vous savez quoi, Pike, dit Billtoe en se grattant une épaule. Peut-être que je me ramollis avec l'âge, mais je me suis pris de sympathie pour le jeune Conor Finn.

Pike fut plus que surpris. De la sympathie pour les prisonniers.   ce n'était pas dans le style de Billtoe.

196

– Vraiment ?

– Non, dit Billtoe en fermant la porte de la cellule. Pas vraiment.

Conor ne bougea pas, jusqu'au moment où l'écho des pas des deux gardes s'affaiblit puis se tut. Après avoir attendu encore une minute pour plus de sûreté, il rampa sur son grabat et se cacha le visage dans un bras, bien qu'il fût seul dans la cellule. Il se mit soudain à trembler de tout son corps, comme s'il avait reçu une décharge électrique en touchant un câble, tel un ouvrier qu'il avait vu travailler sur Coronation Square, cela faisait tant d'années. Sur une autre île, dans une autre vie.

Il avait tout simplement trop de choses à quoi penser. Son père, sa mère, le roi Nicholas, Isabella. Sa propre situation critique dans cette prison. Bonvilain, la bande des Béliers, Billtoe et Pike. Des images de ces amis et de ces adversaires défilèrent dans son esprit, en le brûlant plus douloureusement qu'un baiser de la Petite Saline.

Ses parents l'emmenant à Hook Head pour faire voler son cerf-volant en papier. Le roi Nicholas racontant ses histoires de la guerre de Sécession et expliquant pourquoi il s'était battu. Le visage de Bonvilain, figé dans une expression de sarcasme perpétuel. Otto Malarkey, ses yeux noirs pleins de la peur de mourir.

« Trop. C'est trop. »

Conor serra les dents et s'imagina en train de voler, jusqu'à ce qu'il ait cessé de trembler.

Quelques heures plus tard, Pike réintégra d'un coup de botte Linus Hyver dans la cellule. Conor terminait juste le premier repas de la journée.

– J'ai posé votre écuelle sur la pierre plate près de la fenêtre, dit-il à son compagnon dégingandé. Asseyez-vous, je vais vous la chercher.

L'Américain claqua la langue d'un air désapprobateur et se dirigea droit vers la pierre plate.

– Inutile. Je sais où mijote le festin. Ça fait presque un an que je suis ici, jeune Conor.

Il se percha sur son grabat et sélectionna un morceau de cartilage dégoulinant de graisse.

– Seigneur, ce n'est pas tout à fait le Savoy, pas vrai ? J'ai passé une nuit là-bas, en 1889. Un endroit fabuleux. L'éclairage électrique partout, une salle de bains dans chaque suite. Et les toilettes – je rêve de ces toilettes.

– Sur la Grande Saline, nous nous éclairons à l'électricité depuis 1887, dit Conor. Le roi Nicholas dit que nous devons adopter le progrès.

Son visage s'assombrit et il se reprit :

– Enfin, il le disait.

Hyver ne fit aucun commentaire et continua de mastiquer consciencieusement le morceau graisseux dans sa bouche, de peur d'être étouffé au moment de l'avaler.

– Eh bien, jeune Finn, allons-nous échanger des anecdotes sur les lieux d'aisances toute la soirée ou daignerez-vous me raconter vos aventures dans la cloche ?

– J'ai accordé la vie sauve à Malarkey, dit Conor.

Mais je lui ai administré une bonne correction et il sait que je peux recommencer. La prochaine fois, je ne garderai pas le silence, et nous verrons combien de temps il restera le chef des Béliers si cette histoire se sait.

Le morceau de viande dégoulinante qu'Hyver s'apprêtait à porter à sa bouche s'immobilisa à mi-chemin.

– Bon sang ! mon garçon. Si je pouvais vous lancer un regard admiratif, je le ferais. Nick ne se trompait pas sur votre compte.

– Nick ? Le roi Nicholas ? Vous connaissiez le roi ?

– Nous nous sommes rencontrés dans le Missouri. Il faisait partie de la division aérostatique. En fait, il était la division aérostatique. Il remorquait deux ballons déguenillés d'un champ de bataille à l'autre. Nos chemins se sont croisés à Petersburg, en 1865. Je ne pouvais pas vraiment me rendre utile, ayant eu les yeux arrachés par le jeune Jesse James. De son côté, Nick était tout juste toléré par les généraux. Nous sommes donc devenus amis. Il m'a appris à faire des nœuds et à remplir des sacs de lest. Il m'a même emmené plusieurs fois dans les airs. Je ne me doutais pas du tout de sa condition royale. Pas plus que lui, évidemment.

Conor avait toujours eu l'esprit vif.

– Votre présence ici ne peut pas être une coïncidence.

Hyver détourna la tête et resta un instant aux aguets.

– Non, Conor, ce n'est pas une coïncidence. Nick m'a envoyé ici jouer les espions pour lui.

– Vous êtes un espion ? Vous ne devriez pas me le dire. Je pourrais être n'importe qui. Un autre espion chargé de vous percer à jour.

— Ce serait possible, mais ce n'est pas le cas. J'ai déjà entendu parler de vous par Victor Vigny. Il est venu me voir ici, il y a quelques jours, pour transmettre mes informations au roi. Le prétexte de sa visite était un vol que j'aurais commis chez lui. Un vrai roman de cape et d'épée !

L'Américain avança ses longs doigts jusqu'au moment où il trouva l'épaule de Conor.

— Le roi Nicholas vous considérait comme son fils. Victor m'a dit que vous étiez son plus grand espoir pour l'avenir. Vous n'êtes pas un espion.

Conor eut un pincement de cœur. À ses yeux, le roi avait été presque comme un second père.

Il fut frappé par une évidence affreuse.

— Mais à présent, Mr Hyver, vous voici emprisonné pour de bon avec nous autres.

L'Américain soupira.

— Il semblerait que oui. Je peux difficilement informer Mr Billtoe que je suis en fait un espion professionnel se faisant passer pour un musicien ambulant.

— Sans doute pas, approuva Conor. Qui étiez-vous chargé d'espionner ?

Une nouvelle fois, Linus Hyver guetta des bruits éventuels avant de répondre.

— Le maréchal Bonvilain. Nicholas en était venu à le soupçonner de trahison dans de nombreux domaines, mais surtout dans la gestion de la Petite Saline. Bonvilain dirigeait la prison comme s'il s'agissait de son bagne personnel. Les réformes n'étaient appliquées que lors des visites de Nicholas ou de ses

200

émissaires. Le roi avait besoin d'un agent sur place, et un musicien aveugle était particulièrement indiqué pour espionner un directeur amateur de musique. Personne n'imaginerait qu'un homme privé de ses yeux soit un espion.

— Je vois, dit Conor.

— C'est vrai ? demanda Hyver en souriant. Quel effet ça fait ?

Conor sourit à son tour, pour la première fois depuis des jours. Cependant cette lueur de gaieté dans les ténèbres ne dura pas longtemps.

— Je ne crois pas que je m'en tirerai, Mr Hyver. Je ne suis pas assez fort.

— Quelle absurdité ! le réprimanda son compagnon. Vous vous êtes montré courageux, aujourd'hui. Et ingénieux. Quelqu'un capable de corriger cette brute de Malarkey peut certainement trouver la force de survivre à la Petite Saline.

Conor hocha la tête. Certains étaient plus mal lotis que lui. Au moins, il avait pour lui la jeunesse et la vigueur physique.

— Dites-moi, Mr Hyver, comment pratiquez-vous votre métier ?

— De quel métier parlez-vous ? demanda l'Américain d'un ton innocent.

— De celui d'espion, bien sûr.

Hyver prit une expression horrifiée tout à fait convaincante.

— Un espion ? Moi ? Voyons, jeune idiot, je suis aveugle, autant dire que je n'ai pas de cervelle et que je

201

ne vaux guère mieux qu'un mort. Tenez, vous pourriez m'installer au piano dans le bureau du directeur, il continuerait de vaquer à ses affaires exactement comme si je n'étais pas là.

— Mais vous n'avez plus personne à qui faire des rapports, à présent ?

— Effectivement. Il y a quelque temps, Nicholas a demandé qu'on me libère provisoirement afin de jouer dans son orchestre. J'en ai profité pour lui remettre mon premier rapport. Je devais en rendre un second demain. Je soupçonne que je ne communiquerai pas ce rapport, ni aucun autre à l'avenir.

Conor se sentit soudain très proche de ce grand échalas d'Américain.

— Nous sommes dans le même bateau, vous et moi.

— Jusqu'au jour où l'un de nous sera relâché. Et quand je dis relâché, j'emploie ce mot dans le sens qu'il a sur la Petite Saline. De temps en temps, un détenu disparaît et les gardes nous disent qu'il a été relâché.

— C'est-à-dire qu'il est mort.

— Je suppose. Le meurtre est le moyen le plus expéditif d'éviter les problèmes de surpeuplement. Nous qui avons de la chance, espérons que nous ne serons jamais relâchés.

— De la chance ? s'étonna Conor. Le terme n'est peut-être pas très bien choisi.

Hyver agita un doigt décharné et sentencieux.

— Au contraire. Nous sommes deux êtres civilisés, partageant les mêmes valeurs. Songez aux compagnons de cellule que nous aurions pu avoir.

202

Conor revit en un éclair le visage de Malarkey, aux traits façonnés par une vie de violence.

– Vous avez raison, Mr Hyver. Nous avons vraiment de la chance.

L'Américain leva une coupe de champagne imaginaire.

– À votre santé ! lança-t-il.

– À votre santé ! répliqua Conor.

Et il imita le tintement du cristal.

La cellule était un modèle d'austérité. Ce n'était guère qu'un trou creusé dans l'île. L'unique fenêtre était percée en hauteur et pas plus grande qu'une boîte aux lettres. Ce soupirail ne laissait entrer qu'une lumière faible et trouble, qui ne parvenait à entamer qu'une petite partie de l'ombre.

Les murs avaient été taillés avec habileté dans la pierre, presque sans mortier. C'était aussi bien, car le mortier employé s'était depuis longtemps effrité en laissant divers champignons s'épanouir aux jointures. Conor estima les dimensions de la pièce à quatre mètres sur six. De telles conditions de détention n'étaient guère confortables, pour deux hommes de grande taille. Mais évidemment, le confort n'était pas vraiment le problème.

Ce soir-là, étendu sur son lit dur, Conor rêva à sa famille. Ses pensées finirent par devenir si douloureuses qu'un petit cri pitoyable s'échappa de ses lèvres.

Linus Hyver ne fit aucun commentaire mais bougea dans son lit pour montrer qu'il avait entendu, qu'il était réveillé et prêt à une conversation si nécessaire.

— Vous avez dit que vous me donneriez des conseils, chuchota Conor. Dites-moi comment survivre dans cet endroit.

Se couchant sur le dos, Hyver joignit les mains sur sa poitrine et soupira.

— Ce que vous devez faire, ce que nous devons faire l'un comme l'autre, est si difficile que c'est presque impossible. Seuls les caractères les plus résolus peuvent y parvenir.

Il sembla à Conor qu'il pourrait certes faire l'impossible ou presque, si cela lui permettait de survivre à la Petite Saline.

— De quoi s'agit-il, Mr Hyver? Dites-le-moi. J'ai besoin d'un peu de réconfort.

— D'accord, Conor. Deux éléments sont nécessaires pour réussir. Le premier paraît facile à réaliser, mais c'est une illusion, croyez-moi. Vous devez oublier votre ancienne existence. Elle est morte et enterrée. En rêvant à votre famille et à vos amis, vous sombrerez dans un abîme de désespoir. Édifiez donc une muraille infranchissable autour de vos souvenirs et devenez un homme nouveau.

— Je ne sais pas si je peux… commença Conor.

— Vous êtes Conor Finn, désormais! lança Hyver. Vous devez le croire. Vous êtes Conor Finn, un jeune caporal de dix-sept ans, contrebandier et homme d'épée. Conor Finn survivra à la Petite Saline. Le corps de Conor Broekhart survivra peut-être, mais son esprit sera anéanti aussi sûrement que si Bonvilain le serrait dans un étau.

204

— Conor Finn, dit Conor d'une voix hésitante. Je suis Conor Finn.

— Vous êtes un tueur. Malgré votre minceur juvénile, vous êtes impitoyable quand vous maniez l'épée, et votre bras a des muscles d'acier. Solitaire par tempérament, vous ne tolérez aucune insulte. Un regard de travers suffit à vous déchaîner. Vous avez déjà tué. La première fois, vous aviez quinze ans. Un voyou qui voulait fouiller votre poche y a laissé sa peau. C'est là toute la vérité.

— C'est la vérité, murmura Conor. Toute la vérité.

— Vous n'avez pas de famille, continua Hyver. Vous n'aimez personne et personne ne vous aime.

— Personne… dit Conor, mais il lui coûtait de prononcer ces mots. Personne ne m'aime.

Hyver fit une pause et inclina la tête, en entendant la détresse dont vibrait la voix de Conor.

— Il faut en passer par là. Dans cet endroit, l'amour vous pourrira l'esprit. Je l'ai appris à mes dépens. J'avais une épouse, autrefois. La ravissante Aishwarya. Durant les cinq années que j'ai passées dans une prison au Bengale, sa pensée remplissait mes journées. Pendant un moment, ces rêveries ont suffi pour me faire tenir, mais ensuite mon amour a cédé la place aux soupçons et finalement à la haine. Lorsque j'ai appris qu'elle avait succombé à la typhoïde, le remords a failli me tuer. Je serais mort pour de bon, si on ne m'avait pas flanqué dehors.

L'Américain demeura silencieux, le temps de revivre ces heures épouvantables.

— L'amour doit mourir ici, Conor. C'est indispensable. Dès qu'on ouvre son cœur…

— L'amour doit mourir, dit Conor en enfermant l'image de ses parents dans un coffre cadenassé au fond de sa mémoire.

— Mais il faut que quelque chose le remplace, ajouta Hyver d'une voix plus forte. Une obsession qui nourrisse votre enthousiasme. Une raison de vivre, si vous voulez. Dans mon cas, c'est la musique. J'ai un opéra en préparation, que j'élabore dans ma tête et dans d'autres endroits. Il y a de quoi faire pleurer Amadeus en personne. Ma musique n'est jamais loin de mes pensées. Mon plus cher désir serait qu'elle soit jouée à Salzbourg. Un jour, jeune Conor. Un jour… Mon opéra me maintient en vie, vous comprenez.

Les lèvres de l'Américain murmurèrent quelques mélodies de son opéra bien-aimé.

— Et vous, Conor ? demanda-t-il après plusieurs mesures. Avez-vous un rêve ? Quelque chose qui remplisse votre esprit d'un espoir qui n'est jamais douloureux ?

La réponse s'imposa aussitôt à Conor.

« Je veux voler. »

— Oui, dit-il. J'ai un rêve.

La nuit tomba, encore que cela ne fît guère de différence dans leur cellule. L'obscurité crasseuse s'épaissit un peu, rien de plus. Ils étaient pris au piège dans un monde sombre et incertain, où seuls les repas et le travail leur donnaient une idée de l'heure. Allongé sur son grabat, Conor batailla avec les images de sa famille à laquelle il n'était pas censé penser. Se débarrasser de son ancienne personnalité n'était pas aussi simple que jeter une chemise sale. Les souvenirs surgissaient à l'improviste et réclamaient à grands cris son attention. Mr Hyver avait raison : c'était la tâche la plus difficile qu'il ait jamais dû accomplir. Conor sentait la sueur recouvrir son visage comme un gant mouillé et la voix de sa mère lui paraissait aussi réelle que les murs de la cellule.

« Comment as-tu pu faire ça, mon fils ? Comment as-tu pu tous nous trahir ? »

Conor mordit son doigt jusqu'au moment où la voix se tut. Il lui fallait une distraction, et aussi une preuve que cette stratégie d'une vie nouvelle était efficace.

– Mr Hyver, chuchota-t-il. Vous dormez ?

Un bruissement d'étoffe sur l'autre grabat fut suivi par la réponse de Linus :

– Non, Conor Finn. Je suis réveillé. Parfois, il me semble que je ne dors jamais vraiment. Je garde un œil ouvert sur la réalité, pour ainsi dire. C'est la conséquence d'une vie passée à espionner. Vous avez du mal à enterrer Conor Broekhart ?

Conor rit avec amertume.

– J'ai du mal… Vous voulez dire que c'est impossible, Mr Hyver.

– Non, pas impossible, mais horriblement difficile. Il m'a fallu des mois pour oublier mon être réel et devenir ce dandy effronté et désinvolte. Rien qu'en en parlant avec vous, j'ouvre une brèche donnant sur mon ancienne personnalité.

Désolé, dit Conor. Parlez-moi donc de votre rêve. Cet opéra.

Hyver se redressa.

– Vraiment ? Vous aimeriez entendre ma musique ?

– Oui. Peut-être m'inspirera-t-elle pour mon projet.

L'Américain se mit soudain à bégayer.

– D-d'accord, Conor. Mais vous êtes la première personne qui ait jamais… En fait, l'environnement n'est guère favorable. L'acoustique est désastreuse, ici. Même la voix humaine ne peut se déployer dans un espace aussi étroit.

Conor sourit dans l'ombre.

– Je suis un public bienveillant, Mr Hyver. Tout ce que je demande, c'est que vous excelliez davantage comme musicien que comme espion.

– Ah ! s'exclama Hyver en se martelant du poing la poitrine. Un critique ! Voilà donc le compagnon de cellule sur lequel il fallait que je tombe !

Cependant ces plaisanteries l'avaient calmé et il commença la représentation d'une voix assurée.

– Notre histoire s'intitule *Le Retour du soldat*. Imaginez, si vous voulez, l'illustre État de New York. La guerre de Sécession est terminée et les hommes du cent trente-septième régiment d'infanterie sont rentrés chez eux, à Binghamton. C'est une époque d'émotions contrastées, où une joie intense se mêle à un profond chagrin. Car pour ces hommes et ces femmes, rien ne sera plus jamais comme avant…

Après cette introduction lapidaire, Linus Hyver se lança dans l'ouverture de son opéra.

C'était un morceau impressionnant mais sans prétention, à la riche palette émotionnelle, passant des délires du soulagement et de l'allégresse à une insondable tristesse.

La scène aurait pu être comique, avec cet aveugle jouant les diverses parties d'orchestre pour un adolescent terrifié. Toutefois ce n'était pas le cas. Conor avait l'impression d'être immergé dans la musique, et l'histoire se déployait devant lui tandis qu'il écoutait son compagnon.

L'intrigue était triste et pourtant triomphale. Des airs magnifiques alternaient avec des marches exaltantes. Conor commença par s'attacher à l'histoire, mais elle perdit peu à peu son importance au profit de la musique pure. Malgré tout, la musique avait besoin d'images pour l'accompagner, et pour Conor c'étaient celles d'une machine volante. Plus lourde que l'air, elle s'élevait cependant au milieu des nuages, avec Conor lui-même au gouvernail. Cette machine était possible, et ce serait lui qui la réaliserait.

« J'y parviendrai, pensa-t-il. Je volerai et Conor Finn survivra à la Petite Saline. »

Le troisième jour, Billtoe arriva après le coup de canon. On avait l'impression qu'on l'avait traîné dans les égouts pour aller travailler. Conor commençait à comprendre qu'il s'agissait en fait de son aspect habituel.

En entendant grincer les gonds, Hyver huma l'air.

– Ah ! le garde Billtoe. Juste à l'heure.

Billtoe jeta au prisonnier aveugle un os de poulet qu'il venait de sucer.

— Tiens, Hyver, voilà de quoi te faire un peu de soupe. Quant à toi, Conor Finn, remue-toi. Le filon t'attend. Peut-être qu'on obtiendra un peu de travail de toi aujourd'hui, si tu n'es pas trop occupé à flotter dans l'inconscience.

Assis sur son grabat, Conor sentait la crasse et le sel démanger son dos.

— Je viens, Mr Billtoe.

Il se dirigea vers la porte d'un pas pesant, en cherchant désespérément en lui-même une étincelle d'enthousiasme. Linus Hyver y pourvut en lui disant au revoir et en penchant la tête en guise de clin d'œil.

— À ce soir, donc, Conor Finn.

Conor ne put s'empêcher de sourire. Partager un secret donne une grande force.

— À ce soir, pour le retour du soldat.

L'Américain arbora à son tour un large sourire, qui étira les cicatrices partant de ses yeux comme des rayons de soleil.

— Entendu, je vais attendre le retour du soldat.

Billtoe se renfrogna, car tout ce qui ne ressemblait pas à une noire dépression chez les détenus le mettait mal à l'aise.

— Arrête de bavarder et sors de ton trou, Finn.

Conor Finn sortit de la cellule humide. Chaque pas qu'il faisait l'éloignait de Conor Broekhart.

Quand Conor se glissa sous la cloche, Malarkey était déjà là. Le géant tordait ses longs cheveux mouillés, comme une lavandière essorant des serviettes.

– Le sel rend les cheveux cassants, expliqua-t-il en jetant un coup d'œil à Conor de dessous son coude levé. Il faut s'en débarrasser autant que possible, surtout quand on a une prédilection pour les coiffures longues. Parfois, je me dis que ça ne sert à rien, puisque personne ne fait attention à mes cheveux sur ce sale récif.

Conor ne savait comment réagir face à ce type jovial qui avait remplacé la brute vénale de la veille.

– Euh… Pour les cheveux cassants, ma mère recommande l'huile.

Malarkey soupira.

– L'huile, bien sûr. Mais où diable s'en procurer ? Ça fait dix ans que je me débats avec ce casse-tête.

Conor comprit que le géant était sérieux. C'était important pour lui.

– Billtoe semble en avoir une réserve sous la main. Sa tête est aussi luisante qu'un bâton de combat.

– Billtoe ! glapit Malarkey. Ce faux jeton ! Je ne lui ferai pas le plaisir de lui demander un service.

Conor eut une idée.

– Eh bien, j'ai remarqué que notre ragoût quotidien est chargé d'une sorte d'huile de cuisine, qui forme une petite mare dans l'écuelle. Elle vous ferait sans doute plus de bien sur le crâne que dans l'estomac.

Malarkey n'en revenait pas.

– Bon Dieu ! tu as raison, petit soldat. Elle était là

211

tous les jours dans cette bouillie, juste sous mon nez, et je continuais à chercher de l'huile. Voilà un conseil précieux.

— Et pourtant gratuit, ajouta Conor. Cela dit, vous risquez de sentir le ragoût à plein nez.

— Quelle importance ? Mes cheveux seront assez brillants pour une promenade à Piccadilly.

Conor secoua ses propres cheveux mouillés. Avec sa couche de crasse, il devait ressembler à un chien errant en train de s'ébrouer, songea-t-il. Il était temps qu'il prenne soin de son apparence. Peut-être Otto Malarkey était-il l'homme à consulter pour les questions d'hygiène.

Malarkey en finit avec sa chevelure et rejeta la tête en arrière.

— À présent, lança-t-il d'un ton plus sérieux, nous avons une affaire à régler.

Conor se crispa. Une nouvelle bagarre en perspective ? Certains élèves avaient besoin de plus d'une leçon pour assimiler une information. Il posa la main sur le manche de la fourchette du diable fixée à sa ceinture.

— Quelle sorte d'affaire ? Encore un contrat pour une raclée ?

— Non, petit soldat, non ! assura en hâte Malarkey. Ta solution est excellente. Nous allons continuer de faire semblant pendant quinze jours. Du moment que tu tiens ta langue, tout va bien. C'est autant de fatigue en moins pour mes poings et pour ton crâne. Dommage que je n'y aie pas pensé plus tôt. J'aurais pu m'épargner les tourments de l'arthrite. Entre mes articulations douloureuses et mes cheveux cassants, cet endroit me tuera.

Conor se détendit mais garda la main sur son arme.

– Sur la Grande Saline, je connaissais une cuisinière qui avait de l'arthrite. Elle jurait que l'écorce de saule était souveraine contre les douleurs aux articulations. Peut-être pourriez-vous vous en procurer.

Malarkey hocha la tête.

– De l'écorce de saule ?

– Écrasez-la dans votre ragoût ou contentez-vous d'en sucer un morceau. Seulement, ce n'est pas très digeste.

– Ce n'est pas un problème. Je pourrais manger un ours entier sans que mon estomac s'en aperçoive.

Conor fronça les sourcils.

– De quelle affaire s'agit-il, alors ?

– J'ai parlé à Pike, dit Malarkey en pointant un pouce vers le hublot de la cloche. Nous avons décidé qu'il vaudrait mieux que tu travailles un peu avant que je t'assomme. Du coup, j'ai pensé que nous pourrions creuser vaguement pour dénicher quelques pierres, avant de nous la couler douce un moment. Après quoi, je te traînerai hors d'ici et personne ne se doutera de rien. Comment trouves-tu ce plan ?

Conor allait donner son accord, quand il songea à sa nouvelle identité. Conor Finn était un jeune démon, qui n'accepterait que s'il y trouvait son avantage.

– Ça me paraît passable, pour l'essentiel. Mais que deviennent les trois livres que vous avez reçues pour me rosser ?

Malarkey comprit tout de suite.

— Une livre pour toi, deux pour moi.

— Je préférerais l'inverse.

— J'ai une proposition à te faire. On tranche la poire en deux, à condition que tu m'apprennes à me servir comme toi de ce trident. Maniée correctement, une épée est une arme redoutable. Je pourrais gagner gros en transperçant un officier ou deux.

Manifestement, cet arrangement tenait à cœur à Malarkey.

— Et vous pourriez empêcher les Béliers de me planter un couteau dans le dos ? demanda Conor.

Le géant haussa les épaules, non sans faire onduler ses longs cheveux.

— Il n'y a qu'un seul moyen pour en être sûr.

Il retroussa sa manche et le tatouage du bélier cornu apparut.

— Il faut que tu sois tatoué. Seuls les membres de la confrérie sont à l'abri. Si tu m'enseignes l'escrime, je me porterai garant de toi. Je pourrais dire que tu en as vu de toutes les couleurs et que tu as du sang irlandais, même si ton accent est celui d'un Salinois de bonne famille. On pourrait peut-être raconter que ta mère vient de Kilmore ? Je ne crois pas que tu sois en âge de t'enrôler, mais les Béliers s'en fichent. Du moment que tu es assez grand pour tenir un pistolet, tu es assez grand pour t'en servir.

S'affilier aux Béliers n'était pas évident. Conor Broekhart n'aurait jamais rejoint les rangs d'une organisation criminelle, mais évidemment c'était différent pour Conor Finn.

— Je me ferai tatouer comme vous, mais je refuse de payer une cotisation ou de jurer quoi que ce soit.

Malarkey éclata de rire.

— Quand un Bélier jure, il n'est question que de jurons. Quant à une cotisation, les cours d'escrime suffiront.

Conor frotta son biceps, à l'endroit où se trouverait le tatouage.

— Nous sommes d'accord, Otto Malarkey. Je compte sur l'argent demain.

— Pas demain. À partir de maintenant, tu seras fouillé tous les jours. Attends d'avoir le bélier sur ton bras. La loyauté de certains gardes est assez floue. Ils feront moins de zèle. À condition d'être correctement payés, bien sûr.

D'ores et déjà, Malarkey se révélait utile. Il vaudrait peut-être la peine de lui donner quelques cours d'escrime en échange des informations qu'il livrait en bavardant.

— Entendu, Malarkey, j'attendrai que le tatouage soit sec. Dans l'intervalle, nous nous partagerons entre l'escrime et les diamants. En commençant par l'escrime, car elle exige un esprit alerte.

Conor tendit son trident et se mit en garde.

Malarkey imita sa position.

— Alors, Conor Finn, tu vas m'apprendre tout ce que tu sais ?

— Pas tout, répondit Conor avec un sourire pincé. Autrement, vous pourriez me tuer.

Billtoe attendit que Conor ait soi-disant repris conscience pour le ramener à sa cellule en passant par le labyrinthe souterrain de la Petite Saline. Pour la première fois depuis son arrivée, Conor examina avec soin ce qui l'entourait, en comptant chaque marche, en notant la moindre porte ou fenêtre.

Cette partie de la prison avait l'air affaissée, comme si elle était tout entière descendue d'un étage depuis sa construction. Les murs s'inclinaient au-dessus d'eux et le sol s'enfonçait comme un égout. Des arches de pierre avaient perdu leur plafond ou leur clé de voûte, si bien qu'elles étaient de travers et évoquaient des cubes empilés maladroitement par un enfant. Les murs étaient parsemés de taches de poix, aux endroits où l'eau s'était infiltrée par les fissures. Il restait encore des douzaines d'autres petites rigoles à remplir. Au milieu du sol effondré, un ruisseau d'eau salée coulait en murmurant.

— C'est joli, pas vrai ? dit Billtoe en remarquant le regard attentif de Conor. Il paraît que la prison pourrait être inondée d'un instant à l'autre. Bien sûr, on le racontait déjà bien avant que je ne porte l'uniforme. Si j'étais toi, j'essaierais de m'évader de cet enfer. Ça fait toujours une petite distraction. Tu n'imagines pas ce que des désespérés sont prêts à tenter. Un de leurs trucs préférés, c'est de sauter de la muraille. Les crabes n'ont jamais faim, sur la Petite Saline. Il y a aussi ceux qui creusent des tunnels. Des tunnels ! Où se croient ces cinglés, je te le demande ? Au milieu d'une prairie ? Nous avons à peine une cuillerée d'argile, sur cette île, mais ça n'empêche pas ces types de passer leur temps à flairer des veines dans le sol tellement la prison leur a tapé sur le système. Franchement, petit soldat, si jamais tu trouves de la terre sur la Petite Saline, plante plutôt des légumes.

Conor se garda bien de l'interrompre. Après tout, dans une existence antérieure, il avait appris que des informations pouvaient sauver des vies. Et Dieu sait qu'il y avait beaucoup à apprendre sur ce lieu. Par chance, le garde Billtoe semblait avoir à cœur de déverser le plus de ragots possible de sa bouche infatigable.

Il poussa Conor dans un corridor sensiblement plus bas que le reste de l'établissement. Le sol s'inclinait doucement et de l'eau coulait bel et bien sous certaines portes.

— Quelle joie de rentrer à la maison! gazouilla Billtoe. Voici la section des fous. Nous en avons un grand choix. Des sourds, des muets, des aveugles. Avec un seul bras, ou une seule jambe. Des gars qui ont reçu un coup sur la caboche. On trouve ici toutes les sortes de toqués qu'on veut. Nous en avons un qui ne peut pas parler, seulement compter. Il passe sa journée à aligner des chiffres. Par dizaines, par centaines et même par milliers. On dirait un vrai banquier. Comme il ne connaît même pas son nom, nous l'appelons Calcul. Il fallait y penser, non?

Conor enregistra cette information. Un as de l'arithmétique pourrait se révéler utile, si ses comptes avaient le moindre sens. Tout plan avait sa part de calculs.

Ils arrivèrent à la porte de sa cellule. Conor nota les gonds en acier et les lourds verrous.

Billtoe tourna une clé dans la serrure.

– La porte est impressionnante, pas vrai ? Les portes sont la seule chose qu'on répare, dans ce trou.

Il fit un clin d'œil à Conor.

– On ne peut pas laisser des nigauds comme vous courir la nuit. Vous vous feriez peur les uns les autres en appelant vos mamans, en comptant et ainsi de suite. Je préfère que vous restiez à hurler dans vos cellules.

Le garde essuya une larme imaginaire sur sa joue.

– On croirait entendre un chœur d'anges. Ça m'aide à dormir pendant mon séjour sur cette île.

Cet homme était une brute, d'une bassesse ignoble. Dans un monde juste, il serait le prisonnier et Conor l'homme libre. L'inclinaison du mur facilita l'ouverture de la porte.

– Entre donc, saleur. Savoure ta solitude.

Conor s'avançait déjà sur le sol déformé quand il réalisa ce qu'il venait d'entendre.

– Ma solitude ? Où est Mr Hyver ?

Billtoe lança dans l'entrebâillement de la porte, dont la raie de lumière s'amenuisait rapidement :

– Hyver ? Cet insolent de mendiant aveugle ? Eh bien, il a été relâché. À partir de maintenant, tu seras seul. Ordre du maréchal.

Conor sentit qu'il s'effondrait et se retrouva à genoux avant d'avoir pu se retenir.

« Le meurtre est le moyen le plus expéditif d'éviter

les problèmes de surpeuplement, avait dit Linus. Nous qui avons de la chance, espérons que nous ne serons jamais relâchés. »

– Vous l'avez tué, souffla Conor.

Mais il parlait à une porte close.

Chapitre 9

La lumière au bout
du tunnel

Après ce dernier désastre, Conor s'était blotti au fond de la cellule en sanglotant comme un bébé. Il était seul, désormais. L'amitié aurait pu éclaircir même les heures sombres passées ici, mais il n'avait plus personne. Il se traîna aussi loin qu'il put dans la pièce minuscule, et découvrit avec un étonnement morose qu'elle s'étendait plus avant dans la roche qu'il ne l'avait cru. Derrière le grabat d'Hyver s'ouvrait une profonde alcôve, ayant à peu près les dimensions de quatre cercueils empilés. Il ne put faire ces constatations qu'en tâtonnant, car aucune clarté ne pénétrait dans ce trou noir.

Pendant des heures, il resta étendu là. Il sentait sa résolution se dissoudre comme des herbes lavées à grandes eaux sur une cale de construction. La nouvelle identité qu'il s'était créée se dissipa pour ne laisser émerger que le malheureux désespéré qu'était Conor Broekhart.

Conor ne semblait plus capable que de s'apitoyer sur son propre sort. Il passa la nuit à songer sans retenue à sa famille, en une orgie de rêves aussi absurdes qu'inutiles. Son cœur brisé aurait pu le mener à sa tombe dans les jours suivants, s'il n'y avait eu un petit trait de lumière.

À son réveil, au lever du jour, Conor vit une ligne rouge et tremblante sur le mur d'en face. Pendant un long moment de somnolence, il resta perplexe devant cette ligne qui ressemblait à un chiffre 1 fantomatique oscillant doucement. Était-ce une sorte de message ? Sa cellule était-elle hantée ? Puis il se réveilla pour de bon et comprit qu'il s'agissait évidemment d'un rayon de soleil. Mais d'où venait-il ?

Pour se distraire un peu, il décida d'enquêter. Il ne lui fallut qu'un instant pour découvrir qu'une étroite fissure à la jointure de deux blocs de l'alcôve s'étendait jusqu'au monde extérieur et laissait filtrer une faible lumière. En tapotant le bloc de gauche avec un ongle, Conor constata avec surprise qu'il bougeait en éraflant les pierres voisines. Quand il poussa plus fort, le bloc chancela sur sa base non sans faire tomber une croûte de saletés. Le bloc lui-même se craquela, car ce n'était pas une vraie pierre mais un amas de terre séchée. Conor glissa un doigt sur le côté du faux bloc et le fit sortir de son trou. Un fragment de jour lui sauta aux yeux, en l'éblouissant un bref instant. Non que ce fût une lumière bien vive, mais c'était le premier contact direct de Conor avec le soleil depuis de longues heures.

Bien qu'il fermât les yeux, il ne se détourna pas. La chaleur sur son visage était délicieuse, comme un cadeau de la main même de Dieu. Il tapa sur les blocs attenants pour vérifier si d'autres ne seraient pas faux, mais en vain. Le reste du mur était aussi solide qu'une montagne. Il n'y avait qu'un trou, grand comme ses deux poings.

Il resta accroupi un moment à sentir la chaude lumière sur sa peau, à l'intérieur de ses paupières, en attendant d'être enfin prêt à ouvrir les yeux. Comme il s'était refusé tout espoir, il ne fut pas déçu par ce qu'il vit. Ce trou était terriblement petit et profond, enchâssé dans plus d'un mètre de roche massive, avec au bout un morceau de ciel à peine plus large qu'une serviette. Seul un rat pourrait s'échapper par ce tunnel, encore vaudrait-il mieux qu'il ne soit pas bien gros. Et même si Conor parvenait à imiter le docteur Redmont, le célèbre roi de l'évasion, et franchissait ce tube étroit en se tortillant, où irait-il ensuite ? L'océan l'engloutirait en moins de temps qu'il n'en faudrait à une orque pour avaler un poisson. S'il réussissait à voler une barque, les tireurs d'élite postés sur les remparts l'abattraient pour s'amuser. Personne ne s'était jamais évadé de la Petite Saline. Pas un seul prisonnier en plusieurs siècles.

« Accepte donc cette lumière comme un petit cadeau secret, se dit Conor. Laisse-la réchauffer ton visage et soulager les souffrances de ton esprit, ne serait-ce qu'un instant. »

Conor s'adossa au mur de l'alcôve et savoura la maigre chaleur. Qui avait fabriqué ce faux bloc de pierre ? se demanda-t-il. Et quelle était l'origine du trou ? Ces deux questions pouvaient avoir de nombreuses réponses, dont il était impossible de confirmer aucune.

Peut-être les murs de la prison s'étaient-ils affaissés imperceptiblement, en faisant converger sur ce point un tel poids que la pierre s'était pulvérisée. À moins que des générations successives de détenus ne l'aient grattée à l'aide d'outils primitifs. Il y avait aussi l'érosion provoquée par l'eau de mer ou la pluie, même si c'était peu probable en moins d'un millénaire. Sans doute tous ces facteurs avaient-ils joué, en fait, sans compter une douzaine d'autres auxquels il n'avait pas pensé.

Conor examina le bloc d'argile qui avait caché ce trésor de lumière. Il était éraflé mais intact, et pourrait certainement servir à colmater le trou pendant son séjour en ces lieux. Toutefois Conor n'entendait pas boucher l'ouverture tout de suite, car il restait encore un peu de temps avant l'arrivée de Billtoe. Dans l'intervalle, il profiterait de l'aube comme des dizaines de prisonniers avant lui. Au diable ses ennuis !

« De l'eau, songea-t-il. Un gobelet d'eau serait bienvenu. »

Il ferma les yeux de nouveau, mais comme des images de ses parents le tourmentaient il les rouvrit. Pendant un long instant, il crut qu'il rêvait ou était devenu fou. Ce qui arrivait était impossible, inconcevable. Le mur de l'alcôve secrète était étincelant. Ce n'était pas simplement la lumière du soleil, mais une étrange clarté d'un vert fantomatique. Elle ne brillait pas sur l'intégralité du mur, juste sur des points et des lignes, lesquels formaient des signes familiers à Conor. Il vit soudain qu'il était en train de contempler de la musique. Les murs et le toit de cette alcôve minuscule étaient couverts de notes de musique.

Mr Hyver avait dit : « J'ai un opéra en préparation, que j'élabore dans ma tête et dans d'autres endroits. »

Ces autres endroits se trouvaient donc ici, dans ce réduit clandestin. L'Américain l'aurait mis au courant, s'il n'avait pas été tué.

Conor effleura des doigts une série de notes, qui montaient et descendaient comme les sommets d'une chaîne montagneuse.

« Quelle est cette clarté ? Comment peut-elle se produire ? »

Le fantôme de Victor revint le tancer.

« Voyons, jeune idiot. Nous avons étudié les bases de la géologie. Et vous prétendez être un homme du nouveau siècle ! »

Bien sûr. C'était du corail phosphorescent. Il ne s'épanouissait que dans des conditions particulières, dont cet environnement anormalement humide et confiné avait dû lui donner un équivalent.

Conor gratta une fine couche de boue pour mettre au jour les plaques rugueuses de corail brillant dessous. Cette partie de la cellule était un amas vivant de corail, alimenté par l'eau de mer filtrant en permanence. Il avait grandi à travers la roche au cours des siècles et le soleil le faisait resplendir. Quelle merveille ! Conor ne s'attendait pas à trouver des merveilles ici.

Il y avait aussi d'autres signes, plus pâles que les notes de musique. Des écritures plus anciennes, au langage plus pittoresque. Conor découvrit le journal de Zachary Cord, un empoisonneur avoué. Il lut également une longue malédiction décousue griffonnée par un certain Tom Burly, vouant aux gémonies le directeur du XVIIe siècle pour sa haine de la justice. Conor n'avait aucune peine à le croire.

C'était donc ainsi que Linus avait sauvegardé sa santé mentale pendant ses heures de solitude. Il avait gravé sa musique sur la seule surface à sa disposition, le mur couvert de boue d'une crypte. Jamais il ne s'était douté qu'il écrivait sur un parchemin lumineux. Conor avait les larmes aux yeux quand il arriva aux dernières notes, suivies du mot *Fin* * calligraphié avec exubérance. Linus Hyver était parvenu à terminer l'œuvre de sa vie avant d'être « relâché ».

Toutes ces inscriptions constituaient une tradition vénérable, que Conor fut soudain certain de vouloir perpétuer. Il allait confier ses propres idées aux murs de cette alcôve minuscule. En fait, cette perspective suffisait à accélérer les battements de son cœur. Il n'aurait jamais espéré disposer d'un fond sur lequel dessiner ses plans.

Il fouilla à tâtons le grabat de l'Américain pour trouver ce qu'il attendait : son dernier instrument d'écriture. Il était caché sous un des pieds du lit. L'os de poulet jeté par Billtoe avait été taillé en pointe. C'était parfait.

En quelques traits assurés, Conor Finn grava son

premier prototype dans la boue humide. Un instant plus tard, le corail vert faisait étinceler le dessin. Il s'agissait d'un projet auquel il avait travaillé avec Victor. Un planeur muni d'un gouvernail et de deux ailes réglables pour l'équilibre latéral.

Sur le mur, le prototype était immobile, mais dans l'esprit de Conor il s'élevait comme un oiseau. Libre.

Chapitre 10
Le nombre porte-malheur

1894. DEUX ANS PLUS TARD

Arthur Billtoe mâchonna une dernière fois sa chique de tabac, avant de cracher un épais filet de salive en direction d'un trou du sol. Le projectile filandreux manqua sa cible et atterrit au bout de la botte du garde.

– Désolé, dit-il.

Comprenant qu'il venait de présenter des excuses à sa propre personne, il regarda à la ronde dans l'espoir qu'on ne l'avait pas entendu. Il redoutait d'apparaître comme un simple d'esprit et d'être enfermé avec les cinglés.

Personne n'avait entendu en dehors de Pike, lequel ne comptait guère car il était lui-même à deux doigts du crétinisme. Par précaution, Billtoe décida de justifier l'excuse qui lui avait échappé.

– Désolé, répéta-t-il plus fort. Je suis vraiment désolé pour ces pauvres toqués de saleurs enfermés dans Flora cette nuit.

Les deux gardes se trouvaient dans le garde-manger souterrain surplombant le lieu de plongée. À leurs pieds, Flora reposait par quinze mètres de fond dans les eaux sombres de l'archipel salinois. La mer était agitée et le tunnel relié au large ressemblait maintenant à une bouche d'aération, laquelle secouait la cloche à chaque émission de bulles que dégorgeait son orifice. Ces chocs faisaient vibrer l'intérieur de la cloche comme un carillon.

— Oui, je suis désolé pour eux, insista Billtoe. Ils feraient mieux d'être agiles, sans quoi Flora va les estropier vite fait.

Pike ne crut pas une seconde en sa sollicitude envers des prisonniers qui n'étaient que des mauvaises herbes à ses yeux. Toutefois il valait mieux ne pas contredire Arthur Billtoe, quand on était son inférieur dans la hiérarchie de la prison, sans quoi il vous envoyait passer Noël à surveiller la section des fous.

— Ne gaspillez pas votre compassion légendaire, Arthur, dit Pike en frottant son crâne chauve.

Billtoe regarda attentivement son compagnon. Faisait-il de l'esprit à ses dépens ? Non, c'était peu probable de la part d'un homme qui considérait l'électricité comme un don des fées.

— Ne vous inquiétez pas pour l'équipe de nuit. Il s'agit de Finn et de Malarkey.

Billtoe hocha la tête. Finn et Malarkey. Ces deux-là formaient la meilleure paire de mineurs qui ait jamais travaillé dans la cloche. Le jeune Finn était sans aucun doute le cerveau et dénichait les endroits prometteurs,

228

mais c'était Malarkey qui creusait avec la force d'un géant.

Et pourtant, quand Conor Finn était arrivé sur la Petite Saline, deux ans plus tôt, il n'était guère qu'un adolescent malingre destiné à être cousu dans un sac de toile et jeté à la mer en guise de sépulture. À présent, c'était un membre influent de la bande des Béliers et un des principaux pourvoyeurs de Billtoe lui-même.

Billtoe se racla la gorge.

– Je fouillerai moi-même Finn et Malarkey, Pike.

Pike lui fit un clin d'œil sournois.

– Comme d'habitude, Arthur.

Billtoe ignora cette allusion peu respectueuse. Mieux valait ne pas entamer une discussion sur les revenus procurés par le trafic de diamants. Néanmoins il se promit de charger Pike de superviser l'entretien des égouts. Non seulement ses réflexions frisaient l'insolence, mais Billtoe avait entendu dire qu'il vendait des informations aux Béliers de la section de Kilmore sans songer à donner à son vieil ami Arthur une part du gâteau.

Billtoe se pencha pour scruter le gouffre éclairé par des lampes. La cloche chatoyait dans les eaux noires et résonnait à chaque caresse du courant. À travers le hublot crasseux, il apercevait des ombres et des mouvements vagues. Il supposait que c'étaient Finn et Malarkey en plein travail de mineur.

« Bonne chance, les saleurs. N'oubliez pas de rapporter un œuf d'or à l'oncle Arthur. »

Billtoe cracha une nouvelle chique de tabac, qui

229

cette fois vola jusqu'au trou et atterrit sur la conduite d'air en caoutchouc de la cloche.

Il grogna avec fierté et fit un clin d'œil à Pike. Puis il se dirigea à grands pas vers l'échelle, en essayant de prendre un air incorruptible. Il voulait être sur les rochers quand Finn et Malarkey feraient surface.

— Dites donc, Arthur ! s'écria Pike. Votre démarche est bizarre. C'est à cause de ce hareng ?

Billtoe se renfrogna. Il allait devoir s'occuper sérieusement de Pike.

— Mais non, espèce de fils chauve et bossu d'un phénomène de cirque. Je suis incorruptible, c'est tout.

— C'était ma seconde hypothèse, assura Pike.

Comme beaucoup de lourdauds, il pouvait se montrer terriblement sarcastique.

Conor Finn et Otto Malarkey se battaient avec furie dans la cloche de plongée. Leurs épées improvisées sifflaient dans l'air et jetaient des étincelles en se croisant. Les deux hommes suaient abondamment. Ils respiraient si fort que le niveau de l'eau s'élevait à leurs pieds, la pompe ne parvenant plus à fournir assez d'air.

— Votre *balestra* est maladroite, lança Conor en haletant. Un peu de grâce, Otto. Vous n'êtes pas un cochon dans une porcherie.

Malarkey eut un sourire pincé.

— Les cochons sont des animaux dangereux, Conor. Si on ne fait pas attention, ils peuvent vous transpercer.

Sur ces mots, il abandonna les règles de l'escrime,

laissa tomber son arme et fonça sur son adversaire en écartant les bras.

Conor réagit sans tarder. Se jetant à plat ventre, il roula sous l'eau et souleva les jambes de Malarkey. Le géant s'effondra lourdement et sa tête heurta au passage la paroi de la cloche. Le temps qu'il reprenne ses esprits, Conor avait planté son trident sous les mentons de son gros compagnon.

— Vos cheveux ont fière allure, dit Conor. Ils resplendissent de santé.

Malarkey s'épanouit.

— Tu n'es pas le seul à l'avoir noté. J'ai mangé du poisson gras, comme tu l'avais suggéré. Ça m'a coûté une fortune en pots-de-vin et je déteste cette mangeaille, mais vu le résultat je suis prêt à supporter son goût.

Conor aida Malarkey à se relever.

— Il faut vous exercer à la *balestra*. C'est un bond de danseur, pas un trébuchement d'ivrogne. Mais à part ça, vos progrès sont remarquables.

Malarkey se frotta la tête.

— Les tiens aussi. Tu as drôlement bien roulé à terre, tout à l'heure. Le roi des bohémiens n'aurait pas fait mieux. Je n'ai jamais vu un combattant comme toi, Conor. Il y a d'abord l'escrime, qui est espagnole pour l'essentiel mais avec un apport français. Puis la boxe proprement dite, qui me paraît une spécialité anglaise. Mais tu te sers aussi de tes mains et de tes pieds dans un style qui m'a l'air plutôt oriental. Une fois, dans le West End, j'ai vu un type faire une démonstration de ce genre de technique. Il a cassé une planche d'un seul coup de pied. À l'époque, j'avais cru en une supercherie, mais maintenant je suis heureux de ne pas l'avoir traité de tricheur.

L'image de Victor s'imposa soudain à Conor, mais il la chassa aussitôt.

— J'ai appris un ou deux trucs durant mes voyages, déclara-t-il.

Malarkey se vexa.

— C'est bien toi. La plupart des types ici rêvent que quelqu'un écoute leur histoire. Ils sont prêts à la raconter aux murs. Mais pas Conor Finn. Voilà deux ans que tu me donnes des leçons, et pendant tout ce temps je n'ai découvert sur ton compte qu'une douzaine de faits sans intérêt. Le plus évident étant que ta barbe est multicolore.

Conor se pencha pour examiner dans l'eau sa barbe naissante. Pour autant qu'il pût en juger, des poils blonds se mêlaient à d'autres roux dans ces touffes clairsemées. Il y avait même quelques poils gris, ce qui était certes peu courant chez un garçon de seize ans. Peu importait. Cette barbe le vieillissait d'au moins cinq ans.

Les deux années venant de s'écouler l'avaient énormément changé. L'adolescent maigre et dégingandé, qui avait passé en sanglotant sa première nuit de captivité, avait été remplacé par un grand jeune homme musclé, à l'air dur, qui imposait le respect aussi bien aux gardes qu'aux détenus. Les gens pouvaient ne pas l'apprécier ni rechercher sa compagnie, mais ils évitaient de l'insulter ou de se mêler de ses affaires.

– Tu devrais raser cette barbe, déclara Malarkey. Ces poils miteux font un drôle d'effet à côté de tes beaux cheveux. Les gens ne remarquent que la barbe, tu sais.

Conor se redressa. Sa chevelure blonde était attachée en arrière avec une lanière, afin de ne pas gêner son travail. Elle avait un peu foncé depuis la dernière fois qu'il avait marché au soleil.

– Je ne suis pas aussi coquet que vous, Otto. Ce qui m'intéresse, ce sont les affaires. Dites-moi, comment se porte notre réserve ?

– Elle grossit, répondit Malarkey. Nous avons maintenant sept sacs enterrés. Tous dans les plantations de salsa.

Conor sourit avec satisfaction. Il avait lui-même suggéré à Billtoe d'ordonner de planter des carrés d'une sorte de soude, la *Suaeda salsa*. Ces plantes poussaient comme du chiendent, résistaient au sel et procuraient des repas à bon marché pour les prisonniers, ce qui permettait à Billtoe de soustraire quelques livres par mois au budget nourriture. Bien entendu, il fallut autoriser des détenus à entretenir les plantations. Malarkey et ses Béliers en profitaient pour enterrer leurs diamants volés.

– Non qu'ils nous servent à grand-chose dans la terre, poursuivit Malarkey. À moins qu'un arbre à diamants ne se mette à pousser. Et encore, Billtoe se chargerait de le dépouiller.

– Faites-moi confiance, Otto, dit Conor. Je n'ai pas l'intention de moisir ici toute ma vie. Je m'arrangerai pour récupérer nos pierres et faire parvenir votre part à votre frère, Zeb. Je vous le promets, mon ami.

Otto posa les mains sur ses épaules.

— Les Béliers disposent de certains fonds, mais avec une telle richesse mon frère pourrait acheter ma liberté. Je pourrais sortir de cette prison et aller flâner à Hyde Park en exhibant ma chevelure magnifique.

— Je réussirai, mon ami, ou je mourrai en essayant. Si vous n'êtes pas libre dans un an, cela voudra dire que je suis mort.

Malarkey ne gaspilla pas son souffle à lui demander des détails sur son plan. Conor Finn ne dévoilait son jeu qu'avec parcimonie. Le géant passa donc à un autre sujet.

— Badger Byrne n'a pas encore payé sa cotisation. Et si je lui administrais quelques tapes ?

— N'oubliez pas que les violences sont terminées. D'ailleurs, j'ai entendu dire que Badger s'était alité à la suite d'un zona. Accordons-lui un peu de repos.

Malarkey fit une moue boudeuse.

— Du repos, Conor ? Du repos ? Avec toi, c'est toujours la même réponse. Depuis que tu as été tatoué, je n'ai pas distribué la moindre raclée.

Conor frotta le tatouage sur le haut de son bras.

— Ce n'est pas tout à fait vrai, Otto. Vous avez failli envoyer MacKenna en pleine mer.

— D'accord, admit Malarkey avec un large sourire. Mais c'est un garde. Anglais, de surcroît.

— Tous les grands stratèges savent quand recourir à la force et quand préférer la raison. Songez à Alexandre de Macédoine, à Napoléon.

Le géant éclata franchement de rire.

234

– Pour sûr, le petit Bonaparte était un modèle de raison. Il n'y a qu'à demander à ceux qui étaient à Waterloo.

– L'important, c'est que nous ayons maintenant sept sacs alors que nous n'en n'avions aucun. Sept sacs représentent un joli magot.

– Ils pourraient aussi bien contenir de l'argile, persifla Malarkey. En attendant que ton plan ait réussi. Je ne sais pas comment tu pourras y arriver. Même les gardes ne sont jamais parvenus à faire sortir clandestinement des diamants de la Petite Saline. Il faudrait avoir des ailes.

Conor lui jeta un regard inquisiteur. Le géant saurait-il quelque chose ?

« Non, pensa-t-il. C'est juste une façon de parler. »

– Oui, dit-il. Il faudrait vraiment avoir des ailes.

Billtoe les attendait sur le rivage, avec de l'eau jusqu'aux chevilles, au cas où un autre garde voudrait procéder avant lui à la fouille.

– Allons, espèces de tire-au-flanc, inutile de jouer aux plus fins avec moi. Écartez-vous l'un de l'autre et levez les bras.

Conor lutta contre son envie de frapper cet escroc dérisoire. Se jeter sur Billtoe lui apporterait sûrement une satisfaction momentanée, mais lui vaudrait non moins sûrement une raclée qui le laisserait à moitié mort et handicapé. Il ne pouvait se permettre d'être handicapé alors que son plan marchait si bien et que les cérémonies du couronnement se rapprochaient.

Billtoe commença la fouille avec un zèle ostentatoire.

— Tu ne pourras rien me cacher, Finn. Même un morceau d'algue ne m'échapperait pas. Non, monsieur. Arthur Billtoe connaît tous tes trucs.

Cet idiot semblait avoir à cœur de rendre publiques ses intentions.

« Il en fait trop », se dit Conor.

Le garde venait de trouver le petit diamant dissimulé dans la jambe du pantalon de l'uniforme maintes fois raccommodé de Conor. Sans un mot, il glissa la pierre dans sa propre manche. C'était son salaire pour une fouille négligente.

— Rien de neuf ? demanda Conor tandis que Billtoe passait à Malarkey.

Le garde éclata de rire.

— Vous autres, les saleurs, vous êtes affamés de nouvelles, pas vrai ? L'événement le plus assommant est comme une pépite d'or pour vous.

— Comme un diamant, plutôt, dit Conor.

Les mains de Billtoe se crispèrent sur les épaules de Malarkey.

— Est-ce une insolence, petit soldat ? Ai-je bien entendu ?

Conor baissa la tête.

— Non, Mr Billtoe. J'essayais de faire de l'humour. Histoire d'être amical. Mais je crois que j'ai mal choisi mon moment.

— Je le crois aussi, dit Billtoe en fronçant les sourcils.

Cependant son visage s'éclaira quand il découvrit le diamant dans la poche de la chemise d'Otto.

— Cela dit, un peu d'humour ne fait pas de mal. Nous sommes tous des hommes, après tout. Je ne voudrais pas que vous pensiez que nous autres gardes n'avons pas de cœur dans notre poitrine.

— Oui, Mr Billtoe. Peut-être devrais-je améliorer ma façon de communiquer.

— Ce ne serait pas du luxe, dit Billtoe. À présent, laisse-moi te communiquer quelques nouvelles.

Il fit une pause.

— Tu as remarqué ? J'ai repris ton mot dans ma propre phrase. Ça, c'est de la communication. Ouvre bien tes oreilles, Finn, tu pourrais apprendre quelque chose.

« Il n'y a qu'en prison qu'on puisse endurer un tel casse-pieds », songea Conor.

— Je vais ouvrir mes oreilles et fermer ma bouche, Mr Billtoe.

— C'est bien, Finn. Tu fais des progrès, même s'ils sont lents.

Un an plus tôt, Billtoe aurait accompagné cette leçon d'un coup de crosse, mais ces temps-ci il hésitait à frapper Finn. Mieux valait ne pas contrarier inutilement les Béliers. Et Conor Finn lui-même n'était pas un jeune homme qu'on avait envie de se mettre à dos. Son aspect était intimidant, en dehors de sa barbe qui aurait eu besoin de s'étoffer un peu.

— Enfin, voici ma précieuse nouvelle. La reine Victoria de Grande-Bretagne a émis le vœu d'assister au couronnement de la princesse Isabella. Elle se refuse à venir le quatorze, car elle a perdu un petit-fils à cette date et estime que ce nombre porte malheur.

Le couronnement a donc été avancé de deux semaines pour tomber le premier jour du mois, même si Isabella n'aura encore que seize ans. Nous verrons enfin tes ballons. Ou plutôt, mes ballons.

Malgré sa maîtrise de soi, Conor faillit perdre son sang-froid et révéler le trouble qui s'était emparé de lui.

« Le premier. Je ne suis pas prêt. Il reste des détails à mettre au point. »

— Le premier ? laissa-t-il échapper. Vous avez bien dit le premier, Mr Billtoe ?

Le garde émit un gloussement et cracha.

— Mais oui, Finn. Tu n'as pas reçu ton invitation ? Je garde toujours la mienne sur moi, glissée dans la ceinture de velours de mon smoking.

Ses ricanements de mauvais goût s'étouffèrent dans sa gorge quand il remarqua le visage de Conor. Il était effrayant, il n'y avait pas d'autre mot. Bien que le prisonnier n'ait esquissé aucun geste agressif, Billtoe jugea préférable de ne plus le toucher à l'avenir. Il décida également en lui-même que, Bélier ou pas, Conor Finn allait devoir passer quelques jours de solitude dans sa cellule, afin d'apprendre un peu l'humilité.

Tout en les escortant jusqu'à l'échelle, il débarrassa Conor et Malarkey de leurs filets à diamants. Il palpa des doigts la douzaine de pierres humides que contenait chaque filet. Glissants, cliquetants, les diamants bruts ressemblaient à des yeux vitreux. Manifestement, ce n'étaient que des rebuts : le meilleur de la récolte se trouvait dans la manche de Billtoe.

— Fermez-la, maintenant, tous les deux. Grimpez là-haut et remerciez Dieu que je n'aie pas décidé de vous abattre simplement parce que ça me chantait. Si vous êtes vivants aujourd'hui, c'est grâce à Billtoe. Ne l'oubliez jamais.

Malarkey roula des yeux.

– Oui, Mr Billtoe. Nous remercions Dieu pour cette grâce.

Ils émergèrent du gouffre et s'avancèrent dans le garde-manger. La salle tout entière vibrait continuellement sous le choc des marées, et des dizaines de jets d'eau jaillissaient et retombaient à chaque pulsation des vagues. Il ne s'était pas écoulé un jour depuis deux ans sans que Conor redoutât de voir s'effondrer la mine souterraine. Il rêvait de travailler au-dessus du niveau de la mer, avec les détenus dits normaux, mais toutes ses demandes avaient été refusées.

« Ordres du palais, lui avait dit Billtoe. Si Bonvilain veut que tu restes sous terre, tu y resteras. »

Depuis qu'il était sur l'île, Conor n'avait été autorisé qu'une fois à sortir à l'air libre, pour superviser la plantation des carrés de salsa. Ce jour-là, la surface rongée par le sel de la Petite Saline lui était apparue comme un paradis.

Conor prit congé de Malarkey en lui faisant un clin d'œil tandis que Pike le ramenait à sa cellule. Luimême accompagna Billtoe hors du bâtiment principal pour se diriger vers l'entrée de la section des fous. Comme toutes les portes des différentes sections, elle n'avait pas de serrure mais un lourd verrou vertical qui se relevait depuis l'étage supérieur. Billtoe sonna puis ôta son chapeau pour montrer son visage au garde posté au-dessus de lui.

— C'est l'endroit qui vous convient, Billtoe! cria le garde à travers le judas avant de remonter le verrou.

— Tous les jours, marmonna Billtoe en ouvrant brutalement la porte. J'ai droit à la même remarque tous les jours.

Conor attendit pour parler qu'ils se soient suffisamment avancés dans le couloir s'effondrant lentement de la section des fous. Ses arrangements avec Billtoe devaient rester secrets.

— Mes draps sont-ils arrivés?

Cette question rendit aussitôt sa bonne humeur à Billtoe. Il avait oublié les draps.

— Ah! oui, les draps spéciaux de Sa Majesté. Ils devraient être là aujourd'hui ou demain, je ne sais plus. Tu es pressé?

Conor s'efforça de prendre un air honteux.

— Je n'arrive pas à dormir, Mr Billtoe. Je me suis mis dans la tête que si j'avais des draps, comme au temps où j'habitais chez ma mère, je pourrais peut-être avoir un jour de repos.

Billtoe désigna de la tête un des conduits de cheminée parsemant le mur.

— On devrait peut-être te fourrer dans la cheminée. Les fantômes pourraient te chanter une berceuse.

Les conduits formaient un labyrinthe compliqué derrière les murs de la prison. Cet ancien réseau d'air chaud était à présent hermétiquement fermé à l'aide de pierre et de mortier, mais il arrivait encore que des saleurs s'y introduisent à l'occasion et se retrouvent perdus dans ce dédale de boyaux se ressemblant tous.

– D'ailleurs, avoir des draps est contraire au règlement, dit Billtoe en tendant sa main vide bien qu'il ait déjà été payé.

Conor glissa dans sa main le diamant brut qu'il avait gardé pour lui-même.

– Je sais, Mr Billtoe. Vous êtes un saint. Si j'arrive à dormir quelques heures, je travaillerai deux fois plus dur pour vous.

Le garde lui jeta un regard rusé.

– Disons plutôt trois fois plus.

Conor baissa la tête.

– D'accord, trois fois plus.

– Et j'ai besoin d'autres idées, ajouta Billtoe d'un ton pressant. Du même genre que la salsa et les ballons.

– Je vais y réfléchir. Avec un peu de sommeil, je suis sûr que mon cerveau sera plus frais. J'ai pensé à un revolver à douze coups.

– Je ne sais pas si c'est une bonne idée, dit Billtoe en fronçant les sourcils. Autoriser des prisonniers à piocher dans un jardin ou manier des ballons est une chose, mais de là à les laisser jouer avec des armes à feu…

Conor haussa les épaules.

– Pensez-y, Mr Billtoe. Les armes rapportent gros. Nous pourrions être partenaires après ma libération.

La cupidité fit briller les yeux du garde comme un accès de fièvre jaune. Partenaires ? À d'autres ! Si le douze-coups de Finn marchait, ce serait l'idée d'Arthur

Billtoe. Cette perspective valait bien quelques draps de lit.

— D'accord pour collaborer avec toi. Je t'apporterai ces draps à la prochaine relève.

— Il faut qu'ils soient en soie, lui rappela Conor. Ceux de mon enfance étaient en soie.

Billtoe faillit regimber mais se retint. Un revolver à douze coups… Son nom entrerait dans l'histoire à côté de ceux de Colt et de Remington.

— Entendu, Finn. Mais je te préviens, il vaudra mieux que tes ballons fonctionnent le jour dit. Autrement, tu vas en baver.

« Si mes ballons ne marchent pas, je ferai plus qu'en baver, pensa Conor. Je mourrai. »

Durant sa détention sur la Petite Saline, Conor avait réussi à se procurer quelques menus conforts. Un seau de mortier posé sur une pierre servait à retaper le mur suintant. L'enveloppe de cuir d'un nécessaire à couture pour réparer son uniforme usé était accrochée à une patère. Il avait même réussi à obtenir un matelas de paille pour son lit. Le grabat de Linus Hyver avait été converti en table où il pouvait étudier les quelques textes jugés inoffensifs par Billtoe et travailler aux plans de ses projets officiellement approuvés, tels que les carrés de salsa et les ballons du couronnement.

En fait, la plantation de salsa n'était pas une idée de Conor. C'était Victor qui lui en avait parlé lors d'un de leurs cours d'horticulture. Le Parisien avait même écrit au roi Nicholas à propos de l'introduction de cette plante dans les îles Salines. Ce potager présentait un triple avantage. Il permettrait aux prisonniers de faire un peu d'exercice à l'air libre, leur apprendrait une activité utile et ajouterait à l'ordinaire de la prison un légume qui lui faisait cruellement défaut.

Il s'agissait d'un projet inoffensif, que Conor avait présenté à Billtoe pour gagner sa confiance. Il n'offrait aucun inconvénient, aucun risque d'évasion ou de blessure. Personne n'était jamais mort attaqué à coups de légumes. Les ballons du couronnement furent la deuxième proposition de Conor. Enivré par le succès des carrés de salsa, Billtoe l'avait acceptée avec enthousiasme. Dans l'esprit du garde, ces ballons devaient lui assurer une promotion. En réalité, ils devaient assurer la liberté à Conor Finn.

Plusieurs obstacles majeurs se dressaient entre Conor et son évasion. Il y avait les verrous, évidemment, et les portes qu'ils fermaient, et les murs où ces portes étaient encastrées, et les gardes postés devant ces murs. Mais la principale difficulté était l'île en soi. Même si un détenu passait à travers les murs de la prison comme un fantôme, il resterait encore trois kilomètres d'océan entre lui et le village irlandais de Kilmore Quay.

Ce bras de mer avait une triste réputation. Il était rendu dangereux par les courants et contre-courants tapis sous la surface, tels des serviteurs malveillants de Poséidon. Il s'était perdu tant de vaisseaux dans cette partie du canal Saint-Georges que la marine britannique la signalait en rouge sur ses cartes. Et même si un fugitif échappait aux flots, les célèbres tireurs d'élite des îles Salines se chargeraient de trouer sa nuque. Nager jusqu'au rivage n'était donc pas une solution réaliste. Non, le seul moyen de s'évader de la Petite Saline était de voler, et c'était là qu'intervenaient les ballons du couronnement inventés par Conor.

— Ce serait un embellissement saisissant pour les fêtes du couronnement, avait-il dit un soir à Billtoe en se dirigeant vers le filon. Imaginez des ballons que les tireurs d'élite salinois prendraient pour cible dans le ciel nocturne. Quelle démonstration de leur adresse !

Billtoe n'était pas convaincu.

— Tirer sur des ballons, répliqua-t-il en faisant la moue. C'est bon pour les enfants.

Conor s'attendait à cette réaction.

— Mais si les ballons abritaient des fusées de feu d'artifice ? Et si les tireurs, en les faisant éclater, déclenchaient une série spectaculaire d'explosions illuminant la nuit ?

La moue de Billtoe s'effaça.

— Des explosions spectaculaires, dis-tu ?

— Il s'agit d'une invention toute nouvelle, continua Conor. Du jamais-vu. Le maréchal Bonvilain serait fortement impressionné.

— Impressionner le maréchal serait une bonne chose, admit Billtoe d'un ton rêveur.

— Les gens les appelleront les ballons Billtoe. Dans moins d'un an, on en aura lancé à Londres, à Paris, lors de la prochaine Exposition universelle.

Le regard absent, le garde plongea dans une rêverie

pleine de sa gloire et de sa fortune. Puis il revint sur terre.

– On n'aurait jamais la permission. Laisser des prisonniers manier de la poudre à canon ! C'est impossible.

– Je n'ai pas besoin de poudre à canon, assura Conor d'un ton apaisant. Tout ce qu'il me faut, c'est du papier et de l'encre pour dessiner les ballons. Faites-les fabriquer sur la Grande Saline si vous voulez, mais veillez à ce qu'ils s'élèvent de nos murs pour assurer des tirs impressionnants.

Billtoe hocha lentement la tête.

– Il ne te faut que du papier et de l'encre ?

– Et peut-être une journée à l'air libre, comme récompense. Une fois par semaine, c'est tout ce que je demande.

Le garde avait maintenant l'impression d'être en position de force.

– C'est ça. Tu veux que je défie le maréchal Bonvilain en personne.

– Rien qu'une journée. Je me contenterais même d'une promenade nocturne. J'ai besoin d'air pour mes poumons, Mr Billtoe. Ces ballons pourraient faire votre fortune. Vous allez devenir célèbre.

Billtoe fourra une chique de tabac sous sa langue et réfléchit un bon moment.

– Je te fournirai le papier et l'encre, dit-il enfin. Et je ferai fabriquer un ballon à mes frais sur la Grande Saline. Si l'essai est concluant, tu auras ta journée à l'air libre après le couronnement. Dans le cas contraire, je dépouillerai ta cellule de la moindre trace de confort et la prochaine fois que le soleil t'éclairera, tu seras trop mort pour en profiter.

L'essai avait été un succès spectaculaire. Bonvilain donna immédiatement son accord pour la fabrication de plusieurs ballons à feu d'artifice dans un atelier de la Grande Saline. Le maréchal était toujours avide de prouver la sophistication des îles aux visiteurs de haut rang. Ces ballons seraient à la fois un spectacle aussi délicieux qu'innovant et un rappel intimidant de l'habileté des tireurs d'élite salinois.

Le maréchal assura joyeusement au garde Billtoe que les ballons porteraient bel et bien son nom, s'ils explosaient avec succès la nuit des festivités. Ses efforts seraient en outre récompensés par une recommandation et une pension généreuse. En fait, Billtoe n'avait jamais vu le maréchal aussi content. Il insinua même que Billtoe pourrait être envoyé dans diverses capitales étrangères pour faire la démonstration des ballons. Le garde revint de l'audience rayonnant et bien disposé envers Conor Finn.

Les ballons explosifs étaient une trouvaille ingénieuse. Bonvilain ne crut pas un seul instant que l'idée était de Billtoe. Toutefois l'essai fut une réussite si éblouissante qu'il ne se soucia pas de savoir chez qui le garde avait puisé son inspiration. L'invention fonctionnait, et ni les Français ni les Anglais n'avaient rien de comparable.

Chaque ballon pyrotechnique consistait en un simple ballon gonflé à l'hydrogène et revêtu de peinture phosphorescente. Outre des fusées de feu d'artifice, il contenait une amorce. Les tireurs n'avaient qu'à atteindre le centre du ballon étincelant avec une balle à la nitroglycérine. L'hydrogène prenait feu et l'amorce s'enflammait à son tour, en déclenchant le feu d'artifice.

Afin de divertir la reine Victoria, les tireurs d'élite de Bonvilain feraient éclater ces ballons à plus de un kilomètre de distance. De quoi conclure brillamment les fêtes du couronnement.

Conor n'avait pas donné cette idée à Billtoe dans un désir patriotique d'enthousiasmer le public de la cérémonie royale. Si tout se déroulait conformément à son plan, un des ballons transporterait une cargaison supplémentaire. Une cargaison humaine.

Mais voilà qu'à cause de la superstition de la reine Victoria, la date du couronnement avait été avancée, alors que Conor n'était pas prêt. Les draps de soie, cet élément essentiel, se trouvaient encore dans une armoire à linge sur la Grande Saline. Ses plans n'étaient pas terminés. Après des mois de préparatifs, il serait cruel d'essuyer un échec.

Conor s'approcha de la niche derrière ce qu'il considérait encore comme le lit de Linus Hyver. Quand il retira la fausse pierre, des rayons de soleil d'un rouge éclatant inondèrent la pièce. La lumière pénétra le corail, qui l'absorba et la convertit en énergie verte. Cela faisait longtemps qu'il avait troqué son travail diurne contre un service de nuit lui permettant de profiter davantage de la lumière du jour pour dessiner ses plans.

En moins d'une minute, la cellule tout entière resplendit de milliers de calculs, de schémas et d'épures. Ce trésor scientifique s'animait grâce à la nature. Les murs s'ornaient d'innombrables croquis de ballons, de planeurs et de machines volantes plus lourdes que l'air. L'ensemble de ces gravures représentait deux ans d'étude et d'obsession. Toutes les inscriptions antérieures avaient été recouvertes, excepté les quatre mesures finales de l'opéra de Linus Hyver et le mot *Fin**.

Les premiers mois, rêver à ces machines avait suffi à soutenir Conor au long des heures solitaires, mais un homme ne peut passer tout son temps dans le ciel, même en rêve. Il lui fallut donc trouver un but pour ses machines volantes. Un lieu où atterrir.

Conor Broekhart aurait volé vers ses parents, vers Isabella, mais en deux ans ceux-ci n'avaient jamais remis en question la version des événements de Bonvilain. Sans quoi, il aurait certainement reçu une visite ou un message. Isabella aurait pu le sauver. Elle n'aurait eu qu'à lever son royal petit doigt pour obtenir son pardon ou son bannissement, si du moins leur amour de jeunesse avait compté à ses yeux. Manifestement, ce n'était pas le cas. Le jeune Conor était méprisé, abandonné. Il sentait ces choses avec autant d'évidence que la roche froide sous ses pieds. C'est ainsi que son cœur s'endurcit et que l'altruisme en lui fut suborné par l'égoïsme.

Conor Finn prit l'avantage et supplanta Conor Broekhart. Si Broekhart avait eu de la grandeur d'âme,

Finn ne connaissait que son intérêt. Il entendait s'enrichir en volant les gens qui lui avaient volé sa vie. Les îles Salines allaient payer pour les deux dernières années. Un diamant par jour. Et une fois qu'il aurait assez d'argent, il achèterait la liberté d'Otto puis s'embarquerait pour l'Amérique afin de repartir de zéro. Tel était son plan, qui le faisait vivre aussi sûrement que les battements de son cœur.

Mais comment s'évader ? En parcourant la terre, la mer ou l'air ? Il n'y avait pas de terre, la mer était périlleuse, il ne restait donc que l'air. Il devait s'échapper en volant, ou du moins en tombant lentement. Une idée lui était venue, mais elle devait lui prendre plus d'un an en préparatifs et en manipulations.

Puis le couronnement fut déplacé à l'improviste et ses projets volèrent en éclats, comme un miroir brisé. Il n'avait que quelques jours pour tout réparer.

Allongé sur le sol inégal, sans prendre garde à l'eau de mer obscurcissant ses vêtements, Conor étudia ses plans. Il fallait qu'il les mémorise maintenant afin de les détruire. Ces croquis seraient précieux pour n'importe quelle armée du globe, mais surtout pour Bonvilain. Et aucun tourment ne pouvait être plus intolérable pour Conor que la pensée d'avoir aidé en quoi que ce soit le maréchal Hugo Bonvilain.

Il suivit du doigt chaque trait. Il fit ainsi pour chaque aéronef, chaque torsade d'hélice, la moindre ligne ou gouverne, les flèches indiquant l'écoulement d'air, et jusqu'aux nuages fantasques que son côté artiste l'avait poussé à dessiner presque inconsciemment. Dès qu'un planeur, ballon ou aéroplane était gravé dans sa mémoire, il barbouillait de boue le croquis en colmatant le moindre sillon.

Quand le soleil se coucha, ces plans extraordinaires n'existaient plus que dans la tête de Conor Finn.

Ce soir-là, Billtoe arriva avec une demi-heure de retard, enveloppé des pieds à la tête dans des draps de soie.

— Admire le spectacle ! gazouilla-t-il. Je suis l'empereur de Rome. Arthur Billtoe César.

Conor attendait près de la porte. Il fut consterné en voyant une botte du garde se prendre dans l'ourlet d'un des draps. Il avait suffisamment de couture en perspective sans devoir en plus raccommoder des déchirures.

— Mes draps ! dit-il d'une voix étranglée.

Billtoe arrêta ses clowneries. Le détenu Finn avait de nouveau cette expression singulière. Il était vraiment effrayant.

— Voici pour toi, lança-t-il soudain, impatient de sortir de cette pièce minuscule. Et quand tu dormiras sur eux, rêve un peu à ce revolver à douze coups, partenaire.

« Partenaire ! songea Conor dubitatif. Comme si Arthur Billtoe accepterait jamais un prisonnier comme partenaire. »

Le garde lui jeta les draps, qu'il attrapa et étendit soigneusement sur son lit.

— Merci, Mr Billtoe. Ces draps sont très importants pour moi. Autant que mes promenades à l'air libre.

Billtoe le menaça du doigt.

– Après le couronnement, petit soldat. Pas avant.

– Bien sûr, dit Conor d'un air contrit.

Il s'avança timidement.

– J'espérais terminer le plan du revolver à temps pour le couronnement. Peut-être que si je pouvais ne pas travailler pendant quelques nuits…

Billtoe sortit à reculons de la cellule.

– Ce n'est même pas la peine de demander, petit soldat. On finirait par croire que nous avons des relations. Comme si nous faisions des choses l'un pour l'autre. Comme si nous nous rendions service ou je ne sais quoi. Eh bien, non, il n'existe aucune relation entre nous. En tout cas, rien qui ressemble à de l'amitié. Tu fais ce que tu peux pour m'empêcher de t'égorger dans la nuit. Un point c'est tout.

Conor se garda d'essayer de l'amadouer. Une fois que Billtoe s'était emballé, toute tentative pour le faire changer de direction ne faisait qu'aggraver les choses.

– Je suis désolé, Mr Billtoe. Vous avez absolument raison, bien sûr. Il faut que le travail soit fait.

Comme chaque jour depuis deux ans, Conor tendit ses mains vers les menottes. Et comme toujours, Arthur Billtoe les attacha si serrées qu'elles lui pinçaient la peau. D'autres gardes renonçaient à menotter leurs prisonniers après la première fois, mais pas lui. Quelques secondes de précaution pouvaient sauver des années de vie. Billtoe n'avait aucune intention de terminer ses jours la tête défoncée par un détenu hébété ayant perdu toute envie de vivre au profit du désir de commettre un meurtre.

– C'est vrai, saleur. Ces diamants ne vont pas surgir du sol et sauter d'eux-mêmes dans le trésor royal, n'est-ce pas ?

Conor tressaillit sous la morsure de l'acier.

« Encore deux jours, songea-t-il en s'efforçant de cacher sa haine envers Billtoe derrière un masque de soumission. Encore deux jours, et je pourrai commencer à récupérer mes diamants. »

Billtoe faisait lui aussi ses réflexions.

« Ce type n'est pas un homme brisé. Il fait le modeste, mais ses yeux sont pleins d'ardeur. Il va falloir que je tienne à l'œil Mr Conor Finn. »

Conor Finn était important pour Billtoe. Et pas seulement à cause de ses idées ingénieuses et du calme qu'il semblait faire régner dans la bande des Béliers. Le maréchal Bonvilain s'enquérait régulièrement de la santé du jeune homme. Il y avait un secret quelque part dans le passé du petit soldat, mais Billtoe n'avait pas envie de connaître les détails. Quand le maréchal commençait à se demander si un homme savait tenir sa langue, la situation était malsaine. Il pourrait aussi bien décider que l'homme en question garderait mieux le silence au fond de l'océan, où seuls les crabes s'intéresseraient à ce qu'il avait dans la tête.

Billtoe frissonna. Par moments, des images vraiment horribles surgissaient dans son esprit. Peut-être étaient-ce des souvenirs suintant des murs de la Petite Saline.

– Remue-toi, saleur ! Il y a d'autres prisonniers que toi, et Billtoe est tout seul pour s'en occuper.

Après avoir jeté un dernier regard nostalgique aux précieux draps sur son lit, Conor suivit Billtoe dans le couloir inondé. Il y avait une marée d'équinoxe, en ce jour de printemps, et l'eau de mer coulait le long des sillons creusés dans le mortier. Conor aurait juré avoir vu une anguille se tortiller dans ce torrent minuscule. La section des fous tout entière était un piège mortel, et il en était ainsi depuis des siècles. Lorsqu'il était arrivé, on voyait encore des traces de la rénovation projetée par le roi Nicholas : échafaudages, échelles et autres outils. Mais ils avaient tous disparu quelques jours après la mort du souverain.

« Non, pas sa mort, se dit Conor. Son assassinat. On lui a volé sa vie, comme on m'a volé la mienne. »

Mais il allait bientôt reprendre son bien.

Les jours suivants furent noyés dans un labeur fébrile. La nuit, Conor travaillait dans la mine, en aspirant l'air graisseux de la cloche aussi vite que l'équipe de pompeurs pouvait l'insuffler dans le tuyau. Dans la journée, il s'occupait de ses draps. Il les cousait avec du fil acquis en faisant du troc et les coupait avec une pierre aiguisée sur les murs de la cellule. Il avait douze pans à couper, ourler et coudre. La soie n'était pas tissée aussi serré qu'il l'aurait voulu, mais il n'y pouvait rien. Il faudrait bien qu'elle convienne. Conor savait que son travail était imparfait, mais quelle précision pouvait-on espérer de lui avec cette faible lumière, ces matériaux improvisés et son manque d'expérience ? Il était probablement en train de coudre son propre linceul, cependant même l'idée d'une mort rapide était plus réconfortante qu'une vie passée dans cette cellule.

La veille du couronnement, Conor faillit se trahir. Épuisé par son labeur de mineur et de couturier, il commença à se comporter comme le fou qu'il était censé être. Quand Billtoe vint le chercher pour son service de nuit, le visage de Conor était aussi flasque qu'un linge humide et ses lèvres remuaient en marmonnant des mots indistincts.

« Il est brisé, se dit Billtoe avec satisfaction. C'est l'effet des draps. Parfois, se souvenir de son foyer est tout bonnement insupportable. Le travail va aller vite, maintenant. Il ne pensera plus qu'à me contenter. »

Le garde attacha les menottes et conduisit le prisonnier à travers le couloir inondé. Il demanda à Conor où il en était avec le plan du revolver, mais n'obtint pour toute réponse que des chiffres marmottés à voix basse.

Billtoe s'arrêta brusquement, en faisant gicler des vaguelettes autour de ses bottes.

– Qu'est-ce que tu racontes là ? Des chiffres ? Tu fais des calculs ?

Conor eut du mal à détourner l'attention du garde. Il avait bel et bien compté à voix haute, et il s'agissait d'un calcul aussi essentiel que secret. Il comprit que la moindre bévue pourrait être désastreuse pour son plan.

– C'est une comptine, Mr Billtoe, dit-il en rougissant. Rien de plus.

Billtoe le regarda bien en face.

– Tu es aussi rouge qu'un homard dans une marmite,

petit soldat. Tu ne manigancerais pas quelque chose ?
Un plan avec des chiffres ?

Conor baissa la tête.

— Je suis embarrassé, c'est tout. Ces draps m'ont fait
penser à ma mère. Aux comptines qu'elle me chantait.

Billtoe éclata de rire. Peut-être Conor Finn n'était-
il pas aussi redoutable qu'il l'avait cru. De toute façon,
le garde avait vu des hommes plus imposants que lui
serrer dans une main le mouchoir de leur maman et
dans l'autre un poignard ensanglanté.

— Reviens sur terre, conseilla-t-il. Une cloche de plongée n'est pas un endroit pour rêvasser. Te voilà dans les
nuages.

« Pas encore, pensa Conor. Mais bientôt. »

Le dernier jour passa à toute allure. Pendant des
mois, le temps l'avait nargué en se traînant indéfiniment. Chaque instant avait été comme un abîme béant.
Maintenant, au contraire, le temps ne suffisait pas pour
tout le travail de la journée. Une simple aiguille à enfi-
ler lui semblait prendre une éternité. Son esprit subtil
était hébété d'angoisse. À deux reprises, il cousit à l'envers des morceaux de son engin, si bien qu'il dut tout
recommencer. La sueur coulait sans relâche sur son
front et tachait les draps de soie.

« C'est ridicule, se répétait-il. Je suis un scientifique.
Il faut que je considère ceci comme une expérience. »

Mais il ne parvenait pas à se calmer. Le spectre de
l'échec tapait sur son épaule au même rythme que
l'eau dégoulinant du plafond. D'autres plans étaient

certainement possibles, il en avait déjà ébauché une demi-douzaine. Certains étaient plus compliqués, d'autres moins. Il avait imaginé un casque de plongée ressemblant à une cloche miniature, qui contiendrait suffisamment d'air pour nager jusqu'au large, après quoi il pourrait gonfler à la main une vessie de cochon et gagner le rivage dans la nuit. Pour rassembler le matériel nécessaire à ce plan, il lui faudrait cinq années au bas mot.

« Encore cinq années. Une perspective insupportable. »

Conor redoubla d'efforts, en plissant les yeux pour mieux voir et en pressant ses doigts les uns contre les autres pour s'empêcher de trembler. Le couronnement aurait lieu ce soir. Il fallait qu'il soit prêt.

Chapitre 11

Que la reine reçoive sa couronne

Les Salinois se préparaient à festoyer. Le HMY *Victoria & Albert II*, le yacht de la souveraine britannique, un vapeur à aubes de cent dix mètres de long, se prélassait majestueusement dans la baie du Pétrel, où les vagues du canal Saint- Georges l'effleuraient aussi doucement que les doigts d'un enfant tapotant un ballon en caoutchouc. La reine elle-même était ravie de son installation dans un des somptueux appartements du palais. Elle écrivit dans son journal: « Je trouve l'ambiance industrieuse régnant dans ce royaume miniature merveilleusement revigorante. En regardant par ma fenêtre à balcon les commerçants s'affairant tout en bas, on a l'impression d'être arrivé dans le Lilliput de Swift. »

La moindre parcelle ou presque des deux cents arpents de la Grande Saline avait été affectée aux festivités. Le mont du Sud s'ornait de groupements de piques arborant des drapeaux rouge et or. Les rues de Fort-Promontoire étaient peintes aux mêmes couleurs.

Chaque homme muni d'un marteau était occupé à clouer, et ceux qui n'en avaient pas suspendaient des banderoles aux clous. Même les divinités de l'air semblaient bienveillantes en ce jour et baignaient de soleil la petite principauté, en faisant danser des étincelles à la crête des vagues. Les falaises méridionales perdaient un peu de leur austérité, avec les barbes d'écume blanche se déployant à leur base.

Ces messieurs de la presse internationale avaient l'impression que le royaume des Salines était une oasis de tranquillité au milieu des problèmes politiques accablant l'Europe. Assis dans les tavernes du bord de mer de la baie du Pétrel, ils incendiaient leur gosier avec les traditionnelles crêpes épicées aux mouettes avant de le rafraîchir avec des chopes de bière brune irlandaise. Aucun journaliste n'était autorisé à se rendre sur la Petite Saline, et on n'en avait invité aucun susceptible d'insister sur ce point.

En surface, tout n'était que bonheur et satisfaction, mais comme souvent la surface était trompeuse. Nombreux étaient les mécontents dans le royaume. On avait réintroduit des impôts et frappé les importations de droits de douane exorbitants. À force d'économiser sur les services publics, on les avait presque réduits à néant. Une bande hétéroclite d'individus peu brillants s'était vu accorder le droit de résidence. Bénéficiant de protections occultes, ils avaient été nommés officiers dans l'armée salinoise et occupaient les meilleures casernes. La plupart étaient des vétérans sortis de rien et couverts de balafres, qui débarquaient dans le port avec des sacs remplis d'armes cliquetantes. Bonvilain recrutait des mercenaires et refusait tout soldat inexpérimenté. De l'avis général, il se constituait une armée personnelle, même si lui-même proclamait qu'il ne faisait que protéger la princesse contre les révolutionnaires.

Autrefois, le capitaine Declan Broekhart se serait opposé avec véhémence à la politique de Bonvilain, mais il était désormais en proie à trop de démons. Catherine Broekhart était elle aussi obsédée par son chagrin, même si elle le cachait pour le bien de son second fils, Sean, un bébé de dix-huit mois.

Declan était ravagé et usé par la tristesse. Elle l'enveloppait comme un manteau et semblait plus inséparable de son être que ses yeux ou ses oreilles. Il avait perdu tout appétit, toute vigueur, et sa stature imposante paraissait comme rongée de l'intérieur. Declan Broekhart était devenu un vieillard avant l'âge.

Catherine l'encourageait souvent à lutter contre ses idées noires.

— Nous avons un autre fils à présent, Declan. Le petit Sean a besoin de son père.

Il répondait toujours à peu près en ces termes :

— Je ne suis pas digne d'être père. Conor est mort en faisant mon devoir, à mon poste. Ma vie est fichue. Terminée. Je suis un mort qui respire encore.

Autant Declan Broekhart fuyait toute intimité, autant il était avide de punitions. Il était devenu sévère et susceptible. Il avait repris ses fonctions au palais, mais son comportement avait changé. Alors qu'auparavant il inspirait du dévouement, ses hommes ne lui obéissaient plus que par peur. Il les faisait travailler dur et châtiait des soldats honnêtes qui étaient à son côté depuis des années. Aucune négligence, même insignifiante, ne restait impunie. Declan arpentait la Muraille des Salines la nuit, entièrement vêtu de noir, à la recherche d'une sentinelle en faute. Il rétrogradait des soldats, diminuait leur solde. Il lui arriva même une fois de renvoyer un garde parce qu'il s'était assoupi dans sa guérite.

Ce dernier incident avait eu lieu trois jours avant le couronnement, alors que la tension de Declan était à son comble. Quand il apprit que le garde puni si sévèrement était épuisé par des jumeaux nouveau-nés et une épouse encore alitée, Catherine crut que son mari allait revenir à la raison, au lieu de quoi Declan se montra encore plus glacial.

Dérangé dans son sommeil de midi, le petit Sean se mit à pleurer dans la chambre à coucher.

Catherine essuya ses yeux, afin d'apparaître heureuse à son bébé.

– Crois-tu que Conor voudrait ça ? dit-elle en faisant une ultime tentative. Crois-tu qu'il baisse les yeux sur nous du haut d'un paradis pour héros et se réjouisse de ce que son père est devenu ?

Declan fut ébranlé, mais ne se rendit pas.

– Que suis-je donc devenu, Catherine ? Ne suis-je pas resté un homme qui fait son devoir de son mieux ?

Les yeux de Catherine jetèrent des éclairs à travers ses dernières larmes.

— Le devoir du capitaine Broekhart, certainement. Mais celui de Declan Broekhart, ses responsabilités d'époux et de père ? Comme tu le dis toi-même, cela fait un moment que tu les négliges.

Sur ces paroles sévères, Catherine laissa son mari à ses idées noires. Quand il fut sûr qu'elle ne pouvait plus le voir, Declan Broekhart serra sa tête entre ses mains, comme s'il pouvait en faire sortir le chagrin.

Il ne s'était jamais remis de la mort prétendue de Conor. Peut-être cela aurait-il duré indéfiniment, si deux événements ne s'étaient produits successivement le jour du couronnement d'Isabella. À eux seuls, ils n'auraient sans doute pas été suffisants pour le tirer de sa prostration, mais ils s'étaient combinés pour détruire la léthargie où il avait sombré.

Le premier fut un simple incident. Aussi banal que rapide, le genre de péripétie familiale qui ne mériterait pas normalement d'être appelée un événement. Mais dans le cas de Declan, ces quelques instants réchauffèrent son cœur et le mirent sur la voie de la guérison. Plus tard, il se demanda souvent si Catherine avait machiné ce premier incident – et aussi le second, d'ailleurs. Toutefois il eut beau l'interroger, elle se refusa toujours aussi bien à nier qu'à avouer.

Voici ce qui arriva. Le petit Sean sortit en se dandinant de sa chambre, encore mal assuré sur ses jambes dodues. Lorsque Conor avait cet âge, Declan qualifiait ses jambes de saucisses bien grasses et ils roulaient ensemble sur le tapis comme un chien avec son chiot.

Cependant il ne prêtait guère attention à Sean et laissait à Catherine le soin de l'élever.

– Papa, dit le petit garçon légèrement déçu de ne pas voir sa mère.

Papa l'ignorait. Papa n'était pas une source de nourriture ou d'amusement. Sean se dirigea donc d'un pas hésitant vers la porte-fenêtre ouverte, derrière laquelle se trouvaient le balcon, puis une balustrade en fer forgé peu élevée. Pas de quoi arrêter un enfant curieux.

– Catherine ! appela Declan.

Mais son épouse ne se montra pas. Sean contourna une chaise, en chancelant un instant à tribord, puis reprit le chemin de la fenêtre.

– Catherine ! L'enfant ! Il est près de la fenêtre !

Elle ne répondait toujours pas, et le petit Sean était maintenant sur le seuil et levait un pied grassouillet pour le franchir.

Il ne restait plus à Declan qu'à agir. Avec un grognement agacé, il fit les deux enjambées nécessaires pour rejoindre l'enfant. Ce geste n'avait rien de remarquable, sauf si l'on considère que c'était peut-être la cinquième fois que Declan Broekhart s'occupait de son fils. Et à cet instant précis, l'enfant se retourna en pivotant sur ses talons comme seuls savent le faire les tout-petits, et les doigts de Declan effleurèrent la joue de Sean. Leurs yeux se croisèrent et le bébé tendit la main pour tirer sur la lèvre inférieure de Declan.

Ce contact fut magique. Le cœur de Declan tressaillit et pour la première fois il vit Sean dans sa réalité, et non comme une ombre de son défunt frère.

– Oh, mon fils ! dit-il en le soulevant et en le serrant contre lui. Ne t'approche pas de la fenêtre. C'est dangereux. Reste ici avec moi.

Declan était à moitié ressuscité. Peut-être aurait-il continué de renaître à la vie par à-coups, à force d'échanger un sourire à l'occasion ou de raconter quelques histoires au chevet de son enfant, mais on frappa soudain à la porte. Plus exactement, on donna une série de coups sur le bois avec une autorité royale.

Avant que Declan ait pu prendre conscience de ce qui se passait, la porte s'ouvrit brutalement et l'un de ses hommes s'avança afin de la tenir tandis qu'entrait la princesse Isabella.

Declan fut ainsi surpris en train de serrer tendrement son fils dans ses bras, ce qui ne lui ressemblait guère. Il fronça deux fois les sourcils. Le premier froncement était destiné au soldat, pour l'avertir qu'il ferait mieux de garder pour lui ce qu'il avait vu. Le second s'adressait à la princesse, qui était dans toute la splendeur de sa robe de couronnement. Apparition éblouissante de soie et de satin rouge et or, elle était plus belle que son père même ne l'aurait rêvé. Que faisait-elle ici en un jour pareil ?

Isabella se mit à parler. Elle avait soigneusement préparé sa requête. Declan avait demandé à être de service sur la Muraille pendant la cérémonie, mais elle avait besoin de lui à son côté, surtout en ce jour. Conor et le roi lui manquaient plus que jamais. Elle ne pourrait affronter la cérémonie que si l'homme qu'elle considérait comme un second père lui était rendu. Pas seulement physiquement, mais moralement. Aujourd'hui, il fallait que Declan Broekhart se souvienne de l'homme qu'il avait été.

Le discours était bien mené – manifestement, la jeune fille ferait une souveraine accomplie. Toutefois personne n'en entendit un mot, car dès qu'Isabella vit Declan en train de bercer son fils elle abandonna son attitude de reine pour redevenir une adolescente, qui se précipita vers lui en pleurant. Declan Broekhart n'avait guère le choix. Il serra son bras libre autour de la princesse en larmes.

– Allons, allons ! dit-il d'une voix incertaine. Voyons, voyons !

– J'ai besoin de vous, sanglota Isabella. À mon côté. Toujours.

Declan était au bord des larmes.

– Bien sûr, Majesté.

Isabella martela de son poing délicat la large poitrine du capitaine.

– J'ai besoin de vous, Declan. Vous.

– Oui, Isabella, dit Declan d'un ton bourru. Je serai à votre côté. Toujours.

Catherine sortit du balcon, où elle avait attendu, et se joignit au groupe enlacé. Le garde sur le seuil fut tenté d'en faire autant, mais préféra s'abstenir.

Le couronnement était une cérémonie bavarde, débordant de clergé et de velours, avec assez de psalmodies en latin pour alimenter un monastère pendant des dizaines d'années. Elle parut passablement floue à

Declan Broekhart, qui s'installa derrière sa reine sur l'autel, de façon à pouvoir lui lancer un sourire encourageant quand elle le cherchait du regard, ce qui arriva souvent.

Peu après que le nonce du pape eut posé la couronne, Declan remarqua la robe de son épouse.

– Une nouvelle robe ? chuchota-t-il. Je croyais que nous ne devions pas venir ?

Catherine sourit avec malice.

– Oui, c'était ce que vous croyiez.

Declan sentit une chaleur dans sa poitrine et comprit qu'un bonheur circonspect s'éveillait en lui. C'était une émotion douce-amère, sans Conor à côté de lui.

Au sortir de l'église Saint-Christophe, ils montèrent dans le carrosse royal pour se rendre à Fort-Promontoire, bien qu'en réalité la ville recouvrît maintenant la quasi-totalité de l'île. À mesure que la population augmentait, des maisons avaient surgi ou plutôt s'étaient élevées en s'entassant dans le moindre espace disponible. Cette cité chaotique rappelait à Declan la Chaussée des Géants, ce dédale inextricable de colonnes de basalte dans le nord de l'Irlande. Toutefois ces colonnes étaient munies de portes et de fenêtres, et arboraient les couleurs hardies propres aux maisons traditionnelles des îles Salines. Quant aux insulaires, ils semblaient tous descendus dans les rues avec la moitié de l'Irlande et s'enrouaient à force d'acclamer leur jeune et belle souveraine.

Le carrosse accueillit également le maréchal Bonvilain, en grand uniforme de cérémonie, lequel incluait une robe de chevalier de la Sainte-Croix flottant sur le reste de sa tenue. Les templiers salinois étaient la seule branche de l'ordre à avoir survécu à l'épuration décidée par le pape Clément V au XIVᵉ siècle. Même le Vatican avait préféré ne pas risquer d'interrompre les livraisons de diamants.

Bonvilain profita de la distraction de la nouvelle reine pour se pencher vers Declan et lui chuchoter :

– Comment allez-vous, Declan ? Je suis étonné de vous voir ici.

– Moi aussi, Hugo, répondit Declan. Je n'avais pas prévu de venir, mais je suis heureux de ce changement de programme.

Bonvilain sourit.

– Je m'en réjouis également. Il est bon que les soldats voient votre visage. Cela les maintient sur le qui-vive. À propos, vous avez bien fait de renvoyer ce garde. Les rebelles ne demandent qu'à s'engouffrer dans la brèche ouverte par une sentinelle endormie. Il suffit d'une fissure dans la Muraille pour qu'ils entrent. Et je n'ai pas besoin de vous dire quelles souffrances ils peuvent infliger.

Declan hocha la tête d'un air tendu, mais le discours de Bonvilain lui parut un peu creux ce jour-là. Cela faisait des mois que les rebelles se montraient peu actifs, et certaines arrestations ordonnées par le maréchal reposaient sur des preuves plus que douteuses.

Bonvilain remarqua l'expression du capitaine.

– Vous n'êtes pas d'accord, Declan ? Je ne saurais le croire. Après tout ce que les Broekhart ont enduré ?

Declan sentit les doigts de son épouse enlacer les siens. Il regarda par la fenêtre, au-delà du visage rayonnant d'Isabella, les têtes de centaines d'insulaires et plus loin la masse bleue et indistincte de la mer et du ciel.

— Ce n'est pas que je ne sois pas d'accord, maréchal. Simplement j'ai besoin de penser à autre chose aujourd'hui. Mon épouse et ma souveraine ont besoin de moi. Au moins pour cette journée.

— Bien entendu, approuva Bonvilain.

Son ton était affable, mais son regard s'était durci et il grinçait des dents derrière ses lèvres closes.

« Broekhart va mieux, songea-t-il. Ses scrupules reviennent déjà. Combien de temps faudra-t-il attendre pour voir le chien mordre son maître ? »

Hugo Bonvilain salua de sa main gantée la foule en liesse au bord de la route.

« Autant ne pas prendre de risque. Peut-être est-il temps de commencer un petit chantage. Declan Broekhart ne pourrait supporter de perdre son fils aîné une seconde fois. »

PETITE SALINE

Conor était prêt pour son envol. Il avait terminé ses travaux d'aiguille. Une couture double aurait été préférable, mais il ne lui restait plus un fil. Son engin serait aussi solide que les circonstances le permettaient.

Des rumeurs de réjouissances s'élevaient de la Muraille des Salines. Les gens chantaient, applaudissaient, tapaient du pied. Il devait y avoir un grand rassemblement, mille visages empourprés dans la chaude lumière des lampes de la Muraille. Conor se représenta la foule compacte attendant le somptueux feu d'artifice. On avait l'impression que les murs de la prison tremblaient, bien qu'un bras de mer séparât les prisonniers de la fête.

Le brouhaha excité du couronnement s'était communiqué à la prison, et de nombreux détenus poussaient des cris à leur fenêtre ou cognaient leur gobelet d'étain contre les barreaux.

Même si cela pouvait paraître étonnant, la plupart des prisonniers avaient des sympathies monarchistes malgré leur incarcération «selon le bon plaisir de Sa Majesté». Un chœur hétéroclite entonna *Défendez la Muraille*, l'hymne national salinois, qui résonna entre les murs et jusque dans la cellule de Conor.

Il se surprit à fredonner l'air. Il était étrange d'entendre les mots «roi Nicholas» déjà remplacés par «reine Isabella».

«Comment as-tu pu croire aux mensonges de Bonvilain? Pourquoi ne m'as-tu pas envoyé chercher, Isabella?»

En proie à un trouble violent, Conor sentit son front s'échauffer, son cerveau s'embrumer. Ses sens semblaient se mêler confusément. La vision, le toucher, l'odorat. Les rides de son front étaient crasseuses. La porte de la cellule semblait trembler dans ses gonds. L'espace confiné l'imprégnait de sueur, d'humidité, de pire encore. Il ferma les yeux en respirant profondément par le nez. C'était une astuce de Victor, qu'il avait apprise en Orient.

« Respire l'air froid, éclaircis-toi l'esprit. »

Conor repoussa la pensée d'Isabella. Il était temps qu'il se concentre. On entendait les pas de Billtoe sur les dalles. Une dernière vérification.

« Le dos couvert de boue ? »

Oui. Il la sentait s'incruster dans son col. Au moins, le mur humide aurait servi à quelque chose. Tout peut être utile, lui avait dit Victor. Même la souffrance.

« L'engin bien attaché ? »

Conor chercha à tâtons sous sa chemise lâche le paquet rectangulaire caché sur sa poitrine. Les cordes gémirent quand il tira dessus. Il est vrai qu'il les avait fabriquées avec les moyens du bord. Après avoir tissé entre eux des bouts effilochés, il les avait épissés et enduits de cire à bougie.

« Le piquet à menottes ? »

Dissimulé dans sa main. Il s'agissait d'un cône d'ivoire déchiqueté, dont il avait mesuré les dimensions en pressant sa paume contre le rochet des menottes quand Billtoe les lui retirait. Ce piquet était un vieux truc des spécialistes de l'évasion. Il ne pouvait marcher qu'avec des menottes dotées d'une serrure unique et de pênes commençant à branler. Cependant les menottes de Billtoe étaient assez vieilles pour avoir appartenu à Moïse, et cela faisait six mois que Conor tirait sur les pênes. Il y avait maintenant suffisamment de jeu. Quand Billtoe lui attacherait les menottes, Conor boucherait rapidement le trou avec le piquet en ivoire. Le rochet serait dévié tout en paraissant fermer.

« De la boue, un engin, un piquet ! Ce plan est de la folie. »

Mais du coup, personne ne pourrait s'y attendre. Conor écarta fermement ses doutes. Il n'avait plus le temps de réfléchir. Son plan le libérerait ou le tuerait. Dans les deux cas, cela vaudrait mieux que de passer des années interminables dans cet enfer.

La clé de Billtoe cliqueta dans la vieille serrure, où elle tourna non sans mal. Le garde ouvrit la porte d'un coup d'épaule, en se répandant comme toujours en plaintes mais en posant prudemment la main sur son pistolet.

— Un ange, voilà ce que je suis. Quand je pense que je supporte des balourds de votre genre, alors qu'un homme comme moi serait bienvenu dans n'importe quelle compagnie un peu délicate. Je pourrais être un prince, tu sais, Finn. Un empereur, bon sang ! Mais je reste ici, pour le plaisir de t'entendre m'annoncer que mon revolver à douze coups n'est pas encore prêt.

— Il est prêt ! s'écria Conor avec l'enthousiasme d'un prisonnier désireux de se faire bien voir. J'ai le plan ici même.

Billtoe était assez malin pour se montrer méfiant. De moins prudents que lui auraient eu un moment de distraction, avec pour résultat de se faire défoncer le crâne, mais l'instinct fondamental d'Arthur Billtoe était celui de la survie.

— Et où est-il censé se trouver exactement, ce plan ?

Je n'ai pas l'intention de me pencher ou de farfouiller dans l'ombre.

– Bien sûr que non. Il est sur la table. Voulez-vous que je vous le donne ?

Le garde réfléchit, non sans dégurgiter un vieux reste de repas afin de le mâchonner de nouveau.

– Non, petit soldat. Je vais plutôt te menotter comme d'habitude, après quoi je jetterai moi-même un œil à ce plan.

Conor tendit les mains avec empressement.

– Est-ce que j'aurai droit à mes promenades, Mr Billtoe ? Vous avez promis que ça marcherait.

Billtoe sourit tout en attachant les menottes, les yeux fixés sur la table.

– C'est ta barbe qui me fait sourire. Quel duvet minable. Et ça n'a pas l'air près de pousser. Tu devrais le raser pour l'épaissir un peu. Les Béliers n'accepteront jamais les ordres d'un avorton qui n'a pas un poil au menton. Quant à tes promenades, on en parlera quand j'aurai bien étudié ce dessin.

Billtoe ramassa le dessin sur la table avec deux doigts maigres et crasseux.

– J'ai parlé avec plusieurs copains, tu sais. Apparemment, il y a un Allemand qui fabrique des revolvers à douze coups.

Il cracha un filet de chique sur les dalles, afin d'exprimer son mécontentement.

– Mais ils sont de petit calibre, objecta Conor. Pour pouvoir loger les balles. Alors que dans mon projet, le barillet est en fait un écrou et peut donc accueillir des

271

balles de toutes tailles. De plus, le poids est mieux réparti, si bien que ça peut marcher aussi pour des fusils.

Le projet était absurde et absolument irréalisable, mais il avait fière allure sur le papier.

— Je ne sais pas, marmonna Billtoe. Un écrou, tu dis ?

— Faites-en fabriquer un. Comme pour les ballons. Faites un essai.

Billtoe plia sommairement la feuille et la fourra dans une de ses poches.

— D'accord, Mr Finn. Et s'il apparaît que ce truc n'est qu'une lubie de cinglé, tu ne reverras la lumière du soleil que le jour où je te balancerai du haut du mur.

Conor hocha la tête d'un air abattu, en espérant que son excitation n'était pas aussi visible que le phare de Hook Head brillant dans la nuit.

Billtoe venait de commettre une erreur. Dans son impatience de voir le dessin du revolver, il n'avait pas remarqué le tour de passe-passe de Conor, qui avait bouché le trou des menottes Belle & Bolton et dévié le rochet. Le prisonnier avait les mains libres, mais il n'était pas encore temps de s'en servir.

— Ce n'est pas une lubie, Mr Billtoe. C'est notre avenir. Vous pourrez déposer le brevet, et ensuite il vous sera peut-être possible de payer quelques pots-de-vin pour me sortir d'ici.

Le garde feignit l'indignation.

— Des pots-de-vin ! Tu oses ! Je suis vraiment offensé.

Conor déglutit, comme un homme qui veut garder son sang-froid.

— Parlons clair, Mr Billtoe. Je suis enfermé dans ce trou pour toute ma vie, à moins que vous ne puissiez m'en tirer. Je ne m'attends pas à être libre tout de suite…

Billtoe gloussa.

— J'aime mieux entendre ça. « Il me met la pression, que je me disais. C'est la liberté immédiate sinon rien. » Mais puisque tu ne t'attends pas à être libre, c'est un souci de moins.

— Cependant j'aimerais beaucoup avoir une cellule à la surface, ou pas trop loin. Peut-être avec un copain. Je crois que je cohabiterais bien avec Malarkey.

— J'en suis sûr. Entre Béliers, vous vous la couleriez douce. Mais c'est trop tôt pour me faire du charme, Finn. Je vais d'abord faire fabriquer le revolver. S'il ne m'explose pas en pleine figure, on pourra négocier.

— Mais Mr…

Billtoe leva la main avec autorité.

— Non. Plus un mot, petit soldat. Tes ballons ne se sont pas encore envolés. Il est possible que je vienne t'égorger dès demain matin.

Conor baissa la tête, vaincu. En réalité, il espérait ne pas en avoir trop fait. Toute cette histoire de revolver n'était qu'une diversion, comme les magiciens en pratiquent tous les jours. Il s'agissait d'occuper l'esprit de Billtoe afin qu'il soit moins attentif à ce qui se déroulait sous ses yeux.

— Maintenant, au travail. Enfin, je parle pour toi. En ce qui me concerne, je vais aller en haut surveiller tes… mes ballons du couronnement.

Conor passa furtivement devant Billtoe pour sortir, en veillant à ce que le garde ne pût voir son dos couvert de boue. Son plan était un château de cartes, une citadelle de cartes. Un coup d'œil intempestif, et tout s'effondrait.

« Ce n'est pas le moment d'y penser. Commence à compter. »

Il compta. Encore une carte fort hypothétique de cette citadelle. Conor avait découvert depuis longtemps l'existence d'un recoin invisible entre la porte de sa cellule et la section de la cloche de plongée. Six mois auparavant, il s'était trouvé derrière un pensionnaire de la section des fous, alors qu'ils se rendaient à la conférence hebdomadaire du directeur. L'homme était minuscule mais nanti d'une tête disproportionnée, surtout le front énorme s'avançant au-dessus de ses sourcils comme une limace en porcelaine. C'était lui que Billtoe appelait Calcul, car dans cette tête étrange tout se réduisait aux mathématiques, la plus pure des sciences. Il débitait de longues séries de chiffres puis éclatait de rire, comme s'il assistait à un spectacle de cabaret à Paris.

Ce matin-là, il y avait maintenant six mois, Conor avait regardé l'homme trottiner dans la file devant lui, en marmottant des chiffres et en mesurant ses pas.

Calcul arriva à « quatorze ».

Puis il fit un saut de côté et disparut.

Non. Il n'avait pas disparu, mais il était bel et bien invisible. Tapi dans une zone imprévue d'ombre noire, il riait convulsivement de sa propre plaisanterie. Une plaisanterie qui pouvait lui coûter la vie.

Calcul resta là jusqu'à ce que Pike eût remarqué son absence. Il sortit alors d'un bond de sa cachette.

– Quatorze ! s'écria-t-il d'une voix stridente. Quatorze, quatre-vingt-cinq, un demi !

La plaisanterie ne fut pas du goût de Pike, qui administra plusieurs gifles au prisonnier.

Calcul ne recommença pas sa démonstration, mais Conor apprenait vite. Maintenant qu'il avait vu ce petit tour de magie, il entreprit de le décrypter.

« Comment découvrir le secret d'un magicien ? »

« Partir de la révélation finale et remonter en arrière. »

Il existait dans le couloir un abri naturel, analogue à ceux créés artificiellement sur scène par les magiciens et autres escamoteurs à l'aide de lumières, de tentures ou de miroirs. Un minuscule îlot d'obscurité, entouré de détails attirant le regard. À cet endroit, on était pratiquement invisible. Un examen attentif le découvrirait sans peine, mais dans une ambiance agitée l'illusion pourrait durer quelques instants.

Pendant les semaines qui suivirent, Conor étudia l'espace et analysa les chiffres.

« Quatorze, quatre-vingt-cinq, un demi. »

Ce n'était pas un code compliqué. Calcul avait fait quatorze pas depuis sa cellule, puis avait bondi d'un demi-pas sur la droite, suivant un angle de quatre-vingt-cinq degrés. Droit dans l'antre d'invisibilité. Conor se contenta d'ajouter les cinq pas nécessaires pour arriver lui-même à cet endroit.

Une fois dans cette cachette, il fut stupéfié par son

évidence. L'ombre s'accumulait dans un coin, hors de portée des torches. Une corniche légèrement affaissée approfondissait encore les ténèbres, et une tache de peinture rouge s'étalait sur les dalles à trente centimètres sur la gauche. Il ne fallait qu'une seconde pour pénétrer dans ce cercle obscur, mais une fois à l'intérieur on était pratiquement à l'abri des regards. Quelques manœuvres de diversion pouvaient accroître encore cet effet d'invisibilité.

Billtoe marchait à côté de lui, en récriminant contre ses supérieurs indignes de respect.

« Douze. »

— Et le directeur ? Ne me parle pas du directeur. Ce type prend des décisions ahurissantes. Il a passé trop de temps au soleil de l'Inde, si tu veux mon avis. Calcutta lui a tapé sur le système.

« Quinze. »

— Et la prodigalité de cet homme. Tout cet argent qu'il dépense, ça me fend le cœur. Je me sens malade rien que d'en parler, même à un saleur.

« Dix-neuf. »

Billtoe claqua des doigts pour inviter Conor à faire halte.

« Voici l'heure de vérité. Tout converge vers cet instant. Il s'agit maintenant de vivre ou de mourir. »

Billtoe s'avança vers la porte de la section et sonna du bout du doigt. Aucune réaction. Au bout d'un long moment, une voix moqueuse s'éleva du judas au-dessus de sa tête.

— Ah ! Billtoe. Vous voulez sortir de la section des

fous ? Vous êtes sûr que vous ne vous trompez pas de direction ?

Billtoe se raidit. Il lui fallait endurer ces railleries une douzaine de fois par jour.

— Vous ne pouvez pas vous contenter d'ouvrir un verrou, Murphy ? Tournez le volant et soulevez le pêne, c'est tout ce que je vous demande.

— Je sais bien que vous ne voulez rien d'autre, Arthur. Le reste est gratuit. C'est un petit cadeau quotidien. Je suis le bon génie comique qui fait tomber sur votre tête quelques parcelles d'humour.

Deux mètres plus haut, le volant tourna et le pêne se releva. La porte de la section des fous s'ouvrit.

— Si je trouvais les mots pour dire combien je déteste ce type, marmonna Billtoe en se retournant. Shakespeare lui-même pourrait me baiser le…

Le dernier mot de la phrase fut réduit en poussière dans la gorge sèche du garde, car son prisonnier avait disparu. Conor Finn s'était volatilisé.

« Ce n'est pas mon prisonnier, songea Arthur Billtoe. C'est celui du maréchal Bonvilain. Je suis fichu. »

Tandis que Billtoe scrutait désespérément le judas au-dessus de lui, Conor était comme cloué sur place. Il avait si souvent imaginé cet instant qu'il lui paraissait maintenant irréel, comme s'il était impossible qu'il se matérialise pour de bon. Dans sa tête, il se voyait mettre en action son plan avec assurance, mais cette fois il se trouvait en personne à l'endroit prévu. À un pas et demi sur la gauche de l'abri invisible du couloir.

Puis Billtoe commença à se retourner, et Conor vit en un éclair la vie qui l'attendait peut-être. Cinquante années supplémentaires dans la nuit, sous l'eau, jusqu'au moment où sa peau aurait perdu toute couleur et ses yeux seraient semblables à ceux d'un rat vivant dans des galeries.

« Agis ! se dit-il. Ton plan est excellent. »

Il agit donc en exécutant une série de gestes soigneusement préparés. Après avoir fait un pas et demi sur sa droite, il se retourna pour présenter son dos couvert de boue à Billtoe et jeta ses menottes ouvertes dans le conduit de cheminée le plus proche. Le cliquetis détourna l'attention de Billtoe de la cachette de Conor.

– Quel crétin ! grogna-t-il. Il est monté dans les conduits.

Le garde passa en courant devant Conor blotti dans son abri, et dont la veste brunâtre se confondait avec les murs du couloir. Billtoe secoua la grille avec colère puis se pencha pour hurler dans le conduit.

– Descends de là, imbécile. Toutes ces cheminées sont bouchées. Tout ce que tu trouveras dans les conduits, ce sont les cadavres moisis d'autres cinglés de ton genre.

Personne ne répondit, mais Billtoe s'imagina avoir entendu un bruissement.

– Ah ! brailla-t-il. Ta propre maladresse te trahit. Maintenant descends, Finn, sinon je vide mon chargeur. Je n'hésiterai pas, crois-moi.

Conor s'avança comme un chat en maraude et progressa furtivement vers la porte ouverte de la section. Il ne fallait pas qu'on le voie. Ce plan ne réussirait qu'à condition que personne ne s'aperçoive de son départ. S'il était repéré, une brève poursuite serait suivie d'une longue période de récupération après la raclée administrée par les gardes. Il se faufila sous le judas, en guettant un visage. Mais il ne vit que le bout d'une botte et le bas d'un ventre rebondi.

Quand il franchit le seuil, Conor se sentit enivré de sentir la liberté si proche. Il faillit foncer vers la porte donnant sur le dehors. Il s'en fallut de peu. Cependant le moindre faux pas pouvait lui coûter la vie. C'était si horriblement tentant. Seul un battant de bois noirci le séparait du monde extérieur.

La porte s'ouvrit sur deux gardes échangeant des plaisanteries ricanantes.

« Je vais devoir les tuer, décida Conor. Ce sera facile. Il suffit d'attraper le poignard du premier et de les étriper tous les deux. Ensuite, je pourrai courir jusqu'aux ballons. »

Il fit jouer lentement ses doigts, prêt à s'élancer, mais ce ne fut pas nécessaire. Les gardes ne le virent tout simplement pas. Ils tournèrent en direction de la mine sans avoir jeté un seul regard dans sa direction.

« J'aurais pu les tuer, constata Conor. J'étais prêt à frapper. »

Même cette pensée ne put le retarder longtemps. On ne pouvait guère considérer les gardes de la Petite Saline comme des gens normaux. C'étaient des geôliers cruels, qui auraient été ravis de le précipiter du haut de la tourelle la plus élevée, droit dans la gueule des requins patrouillant dans les tuyaux de vidange.

Sentant que sa réserve de chance diminuait rapidement, Conor franchit en hâte la porte menant à l'extérieur dès que les gardes eurent disparu dans le tournant. Il se retrouva au pied d'un escalier étroit au bout duquel brillait un rectangle de ciel étoilé. Douze marches avant l'air libre.

C'était ici que son plan devenait flou. Un territoire inconnu s'étendait jusqu'aux ballons. Il avait quelques souvenirs de son arrivée à la prison, et Malarkey l'avait renseigné de son mieux sur la configuration des lieux, mais les prisonniers n'avaient pas le droit de monter cet escalier ni d'arpenter la muraille. Conor devait se fier à son intelligence et à ce qui pouvait lui rester de chance au fond du tonneau.

« Je vais certainement échouer si je reste ici », pensa-t-il en montant l'escalier quatre à quatre.

Quand il sortit dans la nuit, il fut assailli par l'air marin, dont l'odeur saline faillit le faire pleurer. Bien sûr, il y avait de l'air dans sa cellule, mais celui-ci était pur et frais, sans aucun relent d'ordure ou de sueur.

« J'avais oublié combien l'air de la mer était délicieux. Bonvilain m'en a privé si longtemps. »

Il n'était plus séparé de la surface que par deux marches. Un muret de pierre le séparait de la cour principale. Celle-ci n'était guère qu'un préau entouré de murs, nettement plus petit que dans son souvenir. Deux bouchers en tablier s'affairaient dans un coin autour de la carcasse suspendue d'un cochon. Ils découpaient des tranches graisseuses dans l'arrière-train de l'animal avant de les rincer soigneusement dans un seau d'eau. Les coudes dégoulinant de sang, ils enfonçaient les mains dans les replis de la viande. Ce spectacle fascina Conor. Il n'avait pas su lui-même combien cette vision lui avait manqué. Un travail honnête. La vie et la mort.

Une explosion retentit au-dessus de leurs têtes et des étincelles multicolores jaillirent du ciel. Conor se baissa en hâte, puis comprit qu'il était lui-même l'auteur de cette explosion. On était en train de mettre le feu aux ballons du couronnement.

« Trop tôt. C'est trop tôt. Il ne fait pas encore complètement nuit. »

Un des bouchers poussa un juron dans sa surprise, puis se reprit et tourna la chose en plaisanterie.

— Heureusement que ce cochon est mort. Le choc l'aurait tué.

Son compagnon, un homme plus petit, retira le mouchoir couvrant son nez.

— Moi, je m'en fiche, Tom. Je monte sur la muraille. Le directeur dira ce qu'il voudra.

Le dénommé Tom détacha son propre mouchoir.

— Tu n'as pas tort, tu sais. Cette petite est aussi notre reine. Le directeur peut bien dîner avec une heure de retard. Ce n'est pas comme s'il n'avait pas assez de provision de graisse pour survivre.

Les bouchers rirent de concert et suspendirent leurs tabliers à un poteau de clôture.

Un second ballon explosa, en libérant un essaim dansant d'étincelles dorées.

— On dirait que les tireurs d'élite des îles Salines méritent leur paie, cette nuit. Allez, remue-toi.

Abandonnant leur tâche, les deux bouchers gravirent à vive allure les marches raides menant aux remparts crénelés. La cour resta déserte, en dehors du prisonnier caché dans l'escalier de pierre. Un troisième ballon explosa. L'ombre de la muraille se détacha avec une netteté brutale et la nuit s'illumina comme sous l'éclair de magnésium d'un photographe.

« Ça en fait trois de moins, songea Conor. Déjà trois. C'est trop tôt. »

Il émergea péniblement dans la cour en improvisant un plan au fur et à mesure. Des mois de préparation étaient réduits à néant sous ses yeux. L'horaire était essentiel, or il n'était pas respecté. Conor longea les murs en jetant des regards furtifs aux remparts. Il y avait quelques soldats mais la plupart devaient être à l'autre bout, en train d'admirer le spectacle. Du reste, le côté abrité de la muraille paraissait encore plus sombre sous le flamboiement du feu d'artifice. Toute personne regardant exploser une fusée perdait sa vision nocturne pour quelques instants.

« Ça ne va pas, se dit Conor en saisissant un tablier de boucher pendu à un poteau. Je suis censé avoir au moins une heure pour découvrir comment les ballons sont attachés. Billtoe s'imagine que je me suis enfui dans une cheminée, de sorte que personne n'ira me chercher à l'extérieur. Je ne devrais pas être pressé comme ça. »

Cependant il était bel et bien pressé, et il était inutile de perdre son temps à se révolter contre ce fait. Chaque instant gaspillé pouvait voir une nouvelle balle à la nitroglycérine s'élancer vers sa cible.

Conor trouva un mouchoir ensanglanté dans la poche du tablier, et il l'attacha sur son nez. Il prit encore le temps de plonger ses mains et ses avant-bras dans les entrailles du cochon, en les maculant abondamment de sang. À présent, il était boucher jusqu'au bout des doigts.

Comme les deux bouchers avaient emprunté l'escalier le plus proche, Conor l'ignora et se dirigea hardiment vers la muraille ouest. Il marchait lentement, en imitant la démarche bancale du dénommé Tom.

Il n'eut pas à donner d'explication. Personne ne vit rien, ou personne ne comprit rien.

Il y avait une porte en bois à la base de l'escalier, mais elle était fermée avec un simple loquet, qui était là pour l'empêcher de battre plus que par souci de sécurité. Conor franchit la barrière et monta les marches en faisant crisser sous ses bottes le sable et le sel.

Un garde était posté au sommet de l'escalier. Ses talons apparaissaient comme des demi-lunes sur la dernière marche. Il se balançait doucement au rythme de la fanfare jouant sur la Grande Saline. Conor fut contraint de le déranger et se faufila devant lui en marmonnant une excuse.

– Seigneur, tu dégoulines de sang, Tom ! s'exclama le garde. Il est question d'un couronnement, pas d'une bataille. Tâche d'éviter de puer comme ça en présence du directeur. Il a l'estomac délicat, même si on ne s'en douterait pas en voyant l'ampleur du personnage.

Conor réussit à rire de façon assez convaincante, puis continua son chemin au milieu de la foule de gardes et de domestiques amassés sur les remparts. Il y avait aussi plusieurs femmes, qui avaient revêtu leurs plus beaux atours pour le couronnement. Leurs corsages extravagants et leurs manches gigot devaient être à la dernière mode, supposa Conor.

« Trop de monde. Le directeur donne une vraie fête. Les meilleures places disponibles dans l'archipel ! Je n'avais pas prévu ça. La muraille aurait dû rester vide pour des raisons de sécurité. Je l'avais pourtant bien dit à Billtoe. »

Le chemin de ronde de la Petite Saline faisait trois mètres de large. S'il était bordé du côté de l'océan par un muret jusqu'à hauteur de poitrine, aucun parapet n'était prévu du côté de la cour principale. On avait tendu une corde entre des poteaux afin d'empêcher les ivrognes de la bonne société de faire une chute mortelle. Conor reconnut plusieurs gardes en train de servir des boissons, déguisés en prisonniers aux blouses de serge bleue immaculées. Manifestement, le directeur espérait discréditer les rumeurs courant sur le traitement peu chrétien réservé aux détenus. Il voulait montrer qu'ils étaient si bien traités, au contraire, qu'on pouvait même les charger de distribuer du champagne et des assiettes de hors-d'œuvre. On avait installé dans le moindre recoin des braseros en terre, où l'on cuisait des brochettes de crevettes et de homards à l'intention des invités. Un prisonnier évadé n'avait aucun endroit pour se blottir et reprendre son souffle.

Conor essuya sur son visage la fine pellicule d'embruns salés. La brume marine. Elle aussi, il l'avait oubliée. Comment un insulaire pouvait-il oublier la brume ? Cette fois encore, Bonvilain était responsable. Ça vaudrait bien quelques diamants, si jamais Conor avait une chance de tous les diables et parvenait à s'échapper de cette île maudite.

L'explosion d'un nouveau ballon fut suivie par le tournoiement d'une douzaine de volutes formées d'étincelles rouge et or. Les couleurs des îles Salines. Un divertissement de premier choix pour la foule des spectateurs. Les étincelles retombèrent en illuminant la mer et certaines brillèrent jusqu'à ce qu'une vague se refermât sur elles, comme la main d'un enfant attrapant une étoile.

Quelques-unes eurent l'audace d'atterrir sur la muraille, non sans roussir de coûteuses robes de soie. Une vraie tragédie.

« Je le lui avais dit, pensa Conor assez content de ces événements. Cet endroit n'est pas sûr. »

Une panique bien élevée gagna l'assistance. Coupes de champagne et plateaux de fruits de mer basculèrent dans l'océan tandis que des spectateurs fortunés se ruaient dans les différents escaliers, afin d'éviter d'être incendiés par des fusées de feu d'artifice volant à basse altitude.

« Nous voici en plein chaos. Tant mieux. »

Conor s'avança à contre-courant en direction du ballon le plus proche, en tendant le bras vers la grosse corde qui l'attachait à un anneau de cuivre sur le rempart. De l'autre côté du bras de mer, la Grande Saline apparaissait comme une débauche de lumières et de musique. Des airs de fanfare retentissaient et leurs échos arrivaient par vagues sur le rivage d'en face. Torches et lanternes étaient si nombreuses que l'île semblait en feu.

Conor effleura des doigts la corde, et la sentit se relâcher aussitôt tandis que le ballon éclatait.

Il poussa un juron et accéléra le pas. Plus que six ballons. Il traversa la foule en jouant des coudes, sans se soucier des regards indignés. Si quelques-uns de ces messieurs désiraient le provoquer en duel pour sa brutalité, il leur donnerait satisfaction plus tard.

Des cris de protestation accompagnaient sa progression. Ce n'était guère discret, mais il n'y pouvait rien.

Il s'agissait d'une course : Conor contre les tireurs d'élite des îles Salines. Il ne pouvait qu'espérer que son propre père n'avait pas un fusil en main, car Declan Broekhart manquait rarement sa cible.

Lorsque le ballon suivant explosa, la détonation parut ébranler l'île entière.

« Il devait être trop chargé, celui-là. »

Il y avait maintenant quatre ballons dans le ciel, et un cinquième attaché sur le quai sous une bâche. La cible mouvante. Les ballons envolés brillaient comme les lunes d'une lointaine planète. Ils dansaient dans le vent, rendant la tâche difficile aux tireurs.

Pas assez difficile, toutefois. Deux d'entre eux éclatèrent presque simultanément. Conor entendit un tonnerre d'applaudissements sur la Grande Saline. C'était vraiment un triomphe.

Il prit une décision. Il n'avait pas le temps de ralentir le vol des ballons déjà lâchés. Restait celui attaché à terre. Sa dernière chance, en cette nuit où tous ses plans allaient à vau-l'eau.

Comme la voie était libre, désormais, il se mit à courir. Son tablier de boucher battait contre ses jambes et l'odeur de sang de cochon piquait son nez. Un garde lui bloquait le passage. L'homme était simplement en faction et n'entendait nullement l'arrêter. Conor songea à le précipiter du haut du rempart puis changea d'idée au dernier moment et préféra le jeter contre le mur. Un bon mal de tête valait toujours mieux qu'un crâne fracassé.

La muraille était à peu près déserte. Les membres de la haute société peuvent faire preuve d'une vélocité remarquable quand leurs beaux vêtements sont menacés. Conor n'était plus séparé du dernier ballon que par une corde tendue en guise de barrière et par un garde occupé à tirer sur sa pipe.

« Une pipe allumée près d'un ballon à hydrogène ! »

– Holà ! cria Conor. Vous, là-bas ! Garde !

Le garde se leva et roula des yeux qu'embuait une hébétude naturelle.

– Oui, monsieur. Que puis-je… Mais qui êtes-vous ?

Conor sauta par-dessus la corde sans ralentir son pas. Ses bottes martelaient les pavés inégaux tandis qu'il se précipitait vers le garde. Le mur du quai s'avançait sur une centaine de mètres dans le canal Saint-Georges, en faisant office de brise-lames et de station de séma-phore.

— Vous êtes en train de fumer ! hurla Conor d'une voix autoritaire. Et ce ballon est rempli d'hydrogène !

Le garde pâlit puis poussa un cri lorsqu'un nouveau ballon éclata en un feu d'artifice multicolore. La corde s'affaissa lentement vers la terre, comme un serpent décapité.

— Je… je ne savais pas… balbutia-t-il en jetant sa pipe au loin comme si elle allait le mordre. Je n'aurais jamais cru…

Conor le gifla si violemment que son casque tomba.

— Idiot ! Bouffon ! Je sens d'ici l'odeur d'une fuite. Et à cause de vous, il y a des étincelles sur le sol.

Le garde bégaya de plus belle mais ne fit pas remarquer que l'hydrogène était un gaz inodore.

— Je dois… je dois… filer, déclara-t-il en jetant son fusil par terre.

La baïonnette racla les pavés, ce qui provoqua encore des étincelles.

— Crétin ! s'exclama Conor.

— Je n'avais même pas besoin de cette baïonnette ! gémit le garde. C'est juste pour la cérémonie !

— Il faut que nous lâchions ce ballon, décréta Conor.

— Faites-le vous-même. Je dirai que vous méritez une médaille.

Sur ces mots, le garde s'élança et fila jusqu'au moment où il rencontra sur son chemin un groupe de riches badauds dans le donjon en contrebas. Tous s'effondrèrent aussitôt comme des quilles.

Conor se retrouva seul un instant avec le ballon, mais des gardes plus astucieux montaient déjà les marches en se demandant peut-être pourquoi un boucher distribuait ainsi des ordres. N'ayant pas de temps à perdre avec des nœuds, Conor ôta précipitamment la baïonnette du fusil. Il retira la bâche graisseuse et découvrit le ballon enveloppé dans un filet de pêche et attaché à plusieurs casiers à homards.

Tenant le ballon de sa main gauche, il coupa les cordes en veillant à ne pas percer l'enveloppe fragile.

— Tom! cria une voix dans son dos. À quoi jouez-vous, Tom? Ce ballon est censé être le clou du spectacle.

— Il est troué! hurla Conor. Et une étincelle a allumé l'amorce, je l'entends grésiller. Écartez-vous!

En gardes prudents et moins bien payés que le moindre colporteur des rues, ils reculèrent. Au bout d'un moment, cependant, ils constatèrent que rien ne se passait en dehors des efforts du boucher pour trancher les cordes.

— Dites donc, Tom! L'amorce est censée brûler en deux secondes. À l'heure qu'il est, vous devriez être une bouillie sanglante dégoulinant sur le mur.

— Seigneur! hurla Conor par-dessus son épaule pour essayer de répandre la panique. Que Dieu nous protège!

Pike se trouvait parmi les gardes. Il ne savait que trop que Billtoe le rendrait responsable de ce qui était arrivé au ballon. Il écarta donc les autres et monta en haut des marches.

— Arrêtez ce que vous faites, boucher ! cria-t-il d'une voix tremblant de peur et de courage forcé. Si vous n'y mettez pas un terme, je vais répandre vos tripes sur le pavé !

Il espérait qu'une expression aussi complexe que « mettre un terme » lui conférerait plus d'autorité qu'il n'en possédait en réalité.

Le dernier brin de la dernière corde céda et le ballon fit une embardée vers le ciel, en manquant démettre le bras gauche de Conor. Si celui-ci ne s'était pas entortillé jusqu'au coude dans le filet, il aurait lâché prise.

— Au secours ! hurla-t-il, conscient qu'ils ne pourraient jamais le rejoindre à temps. Sauvez-moi, je vous en supplie !

Pike songea à tirer sur le ballon pour le faire descendre, mais il y renonça pour deux raisons. Si la balle déclenchait le feu d'artifice, il risquait de se tuer lui-même ainsi que les quelques hôtes royaux de rang inférieur qui avaient été assez audacieux pour s'approcher afin de mieux jouir du spectacle. Sauter en l'air n'était pas une mort très agréable. Et même s'il survivait au feu d'artifice, Billtoe se servirait de la tête de Pike pour cirer ses bottes.

Mieux valait tirer et manquer la cible. Pike épaula son fusil et visa au hasard.

— Je vous avais prévenu, boucher ! glapit-il en appuyant sur la détente.

Malheureusement, Pike était un tireur exécrable.

Alors qu'il voulait rater Conor, il arracha le talon de sa botte.

— Imbécile! cria Conor avant que le vent d'est ne soufflât une rafale qui l'emporta au loin avec le ballon.

Les gardes le regardèrent s'éloigner, bouche bée. Ils voyaient bien ce qui s'était passé, mais le comment et le pourquoi de la chose leur échappaient. Cet homme avait-il volé ce ballon? Ou était-ce le ballon qui l'avait enlevé?

Pike fut frappé par l'étrange beauté de la scène.

— Regardez-moi ça, soupira-t-il. On dirait la fée qui a attrapé la lune.

Puis il se souvint de Billtoe et s'écria :

— Quel idiot, ce boucher!

GRANDE SALINE

Les Salinois étaient sincèrement heureux. Maintenant que la fille du bon roi Nick était montée sur le trône, les choses pouvaient redevenir comme dans le passé. La reine Isabella allait remettre les pendules à l'heure. C'était une bonne fille, pleine de gentillesse – ne l'avait-elle pas prouvé cent fois? Elle avait fait livrer des provisions aux pauvres irlandais. Elle avait envoyé les maçons du palais réparer les maisons du village. Cette enfant se rappelait le nom de tous les gens qu'elle rencontrait, et il lui arrivait souvent de se rendre à l'hôpital afin de souhaiter la bienvenue aux bébés naissant sur l'île.

Évidemment, Isabella avait décliné après l'assassinat

de son père. La mort de Conor Broekhart avait mis le comble à son chagrin. Non seulement elle n'avait plus de père, mais elle n'avait aucune épaule sur laquelle pleurer. À présent, toutefois, son deuil était terminé. Et le capitaine Declan Broekhart était à son côté, fier comme un coq, sous les yeux de tous les habitants de l'île.

C'était un jour de liesse, il n'y avait pas à en douter. Le seul à faire grise mine était ce vieux bouc de Bonvilain, mais il n'avait pas souri en public depuis le jour où le chancelier Bismarck avait trébuché en gravissant les marches de l'église, lors d'une visite officielle vers la fin des années 1870.

Isabella était reine, désormais, et le capitaine Broekhart était redevenu lui-même. Il n'y aurait bientôt plus d'impôts, plus d'innocents condamnés à la Petite Saline pour des crimes imaginaires. On ne verrait plus des mercenaires débarquer sur le port avec leurs sacs bourrés d'armes et leurs sourires cruels.

La cérémonie du couronnement s'était déroulée sans accroc. Quelques amours-propres aristocratiques avaient été froissés par l'insistance d'Isabella pour qu'on modifie l'ordonnance du dîner afin de faire place aux Broekhart, mais la jeune souveraine avait tenu bon. Catherine et Declan avaient été assis à sa gauche toute la journée, tandis que la reine Victoria se tenait à sa droite. Le maréchal Bonvilain avait été contraint de reculer de deux places à la table principale, ce qui ne l'enchantait guère. Non qu'il se souciât de son siège, mais Catherine Broekhart n'avait cessé de chuchoter à l'oreille d'Isabella depuis le début des festivités, et il n'avait jamais aimé cette femme. Son intérêt pour la politique finirait par lui jouer un tour.

Bonvilain bouda pendant tout le repas. Il se plaignit que le vin était tiède et la soupe trop salée. Quant à la carapace du homard, il déclara qu'elle était beaucoup trop friable.

Même Sultan Arif, un mercenaire turc qui était au service du maréchal depuis quinze ans et qu'il avait élevé au grade de capitaine, haussa les sourcils en entendant cette dernière récrimination.

— Un templier qui s'inquiète de l'état de son homard ? s'exclama-t-il. Vous êtes resté trop longtemps à la Cour, maréchal.

Bonvilain reprit son calme. Sultan était presque un ami pour lui, même s'il l'aurait fait exécuter sans remords en cas de nécessité. Le Turc était le seul homme du royaume assez courageux pour lui parler franchement.

— Ce n'est pas qu'une question de homard, répliqua-t-il en indiquant de la tête Declan Broekhart.

— Ah, oui ! Le chien de compagnie se souvient qu'il est en fait un gardien.

— Exactement, dit Bonvilain ravi par l'image de Sultan.

Le mercenaire jeta sur son assiette un os de poulet dépouillé de toute chair.

— En Turquie, quand un chien de garde se retourne contre son maître, nous nous contentons de lui ouvrir le ventre.

Cette idée fit sourire Bonvilain.

– Vous avez l'art de me remonter, capitaine. Mais le chien en question est très populaire, de même que sa maîtresse. Il faut traiter ce problème avec précaution.

Sultan hocha la tête.

– Vous ne devriez pourtant pas exclure ma solution.

Bonvilain se leva car on portait un toast à la nouvelle souveraine.

– Non, murmura-t-il à Sultan Arif. Je n'exclus jamais d'ouvrir un ventre.

Le Turc sourit, mais son regard était froid. Il se promettait tous les trois mois de quitter ce fou et de retourner à Ushak. En fait, Bonvilain n'avait presque plus rien d'humain : il était le diable incarné. Et tôt ou tard, le diable détruisait tout ce qui était à sa portée. Telle était sa nature.

Après le dîner du couronnement, les festivités commencèrent. En réalité, pour les trois mille insulaires et plus de six mille visiteurs, elles battaient leur plein depuis l'instant où le nonce du pape avait posé la couronne ornée d'hermine sur la tête d'Isabella.

Il y avait une forte présence militaire dans les rues. En dessous du grade de lieutenant, aucun homme n'avait obtenu de permission pour profiter de la fête. En fait, Bonvilain avait emprunté au général anglais Eustace Fitzmorris une compagnie basée à Dublin. Ce privilège lui avait coûté une somme coquette. Cent trente soldats supplémentaires avaient ainsi reçu l'ordre de ne tolérer aucun écart de langage ou ivresse publique, et de surveiller tout spécialement les Français au comportement suspect.

Il régnait une atmosphère de carnaval lorsque les reines Isabella et Victoria montèrent sur l'estrade installée devant le palais de Fort-Promontoire. Les habitants se rassemblèrent sur la place du Promontoire et écoutèrent avec enthousiasme la nouvelle souveraine prononcer la première allocution de son règne.

Bonvilain ne manqua pas de remarquer qu'elle ne cessait de serrer la main de Catherine Broekhart pour se donner du courage.

Se penchant vers lui, Sultan commenta :

– Un discours magnifique. J'ai particulièrement apprécié les passages sur la « réforme des impôts » et « l'amnistie politique ».

Bonvilain garda le silence. Il commençait à se demander s'il n'avait pas commis une erreur en laissant vivre Isabella. Il l'avait crue aisée à manipuler, et jusqu'à présent ç'avait été le cas. De plus, il avait besoin d'un héritier indiscutable sur le trône. Il serait très gênant de voir débarquer à Port-Saline une douzaine d'aventuriers nantis d'un arbre généalogique appuyant leurs prétentions et d'un programme personnel pour la mine de diamants. La Grande-Bretagne et bien sûr la France seraient ravies de voir les îles Salines plongées dans une crise politique. Ce pourrait être le prétexte qu'elles attendaient pour intervenir et soutenir un nouveau régime. Ces îles étaient le royaume de Bonvilain, mais il avait besoin d'un prête-nom pour conserver le pouvoir.

Non, décida le maréchal Bonvilain. Il fallait qu'Isabella reste en vie, au moins jusqu'au jour où elle aurait un héritier pour lui succéder. À ce moment-là, il y aurait un malheureux accident. À bord du yacht royal, peut-être.

Sultan reprit la parole.

— Mais vous souriez ! Et en public, qui plus est.

— Je pensais à des choses agréables, répliqua Bonvilain en faisant un signe de main joyeux à Declan Broekhart par-dessus les têtes des invités.

Declan Broekhart était sur le point de se divertir. Toutefois, chaque fois qu'un sourire s'esquissait sur ses lèvres, il s'accompagnait d'un pincement de remords à l'idée de son fils défunt.

« Que faisais-tu dans ce palais, Conor ? Comment ai-je pu te confier à cet homme ? »

Il était encore difficile d'admettre qu'ils aient pu tous être trompés si aisément par Victor Vigny. Catherine avait refusé de croire que le Français était un espion doublé d'un assassin, jusqu'au moment où l'on découvrit en fouillant ses appartements une malle remplie d'armes et de poisons, des plans détaillés des fortifications des îles Salines et une lettre dont l'auteur anonyme menaçait de tuer la famille de Vigny si ce dernier n'obéissait pas à ses ordres.

Catherine vit les yeux de son mari s'assombrir et comprit que ses souvenirs l'éloignaient d'elle.

— N'est-ce pas fabuleux, Declan ? lança-t-elle en lui caressant la main. Isabella est reine. C'est un grand jour pour les îles.

— Hmmm ! répliqua Declan. Mais quelle honte, ces soldats anglais. Une vraie bande de brigands. Je ne serais pas étonné que Fitzmorris ait vidé ses prisons. Regarde-moi ces lascars mal rasés, avachis, bons à rien.

— Tes tireurs d'élite ont fière allure.

— Oui, c'est vrai, dit Declan avec un orgueil involontaire.

Une douzaine de ses hommes se tenaient sur la Muraille des îles Salines, de l'autre côté de la place, au même niveau que le sommet de l'estrade. Ils étaient brossés, astiqués et élégants dans leur tenue de cérémonie, dont les épaulettes dorées scintillaient à la lumière des lampes. On aurait dit des soldats de plomb, tous identiques, s'ils n'avaient arboré chacun une arme différente. La plupart étaient des Sharps, mais il y avait aussi deux Remington, un Enfield et plusieurs fusils modifiés par leurs propriétaires. Les tireurs d'élite n'avaient pas leurs pareils dans l'archipel, et une coutume immémoriale de l'armée autorisait ces soldats émérites à choisir eux-mêmes leurs armes.

Un serviteur d'Isabella apporta un billet à Declan. Il le lut en hâte puis poussa un soupir de soulagement en voyant qu'il n'y avait rien de grave.

— La reine Victoria est fatiguée, expliqua-t-il à son épouse. Mais elle souhaiterait voir les ballons avant de se retirer sur le yacht royal.

Catherine sourit.

— Tout le monde a envie de voir ces ballons, Declan. Un feu d'artifice volant, quelle idée ingénieuse. Vous tirerez avec des balles à la nitroglycérine, j'imagine.

— Tu as raison, comme toujours, dit Declan.

« Conor aurait adoré ça, pensa-t-il. C'est exactement le genre d'idée insensée qu'il aurait pu lui-même suggérer. »

— Il est un peu tôt pour que l'effet soit totalement réussi. Il ne fait pas encore nuit.

— Rejoins vite tes hommes, mon cher mari, déclara Catherine en lui pinçant l'épaule. En un jour pareil, il ne faut pas décevoir les reines.

— Ni les épouses, répliqua Declan en lui adressant un de ses rares sourires.

Il traversa sans peine la place, où même les pires ivrognes et les gros bras les plus fanfarons s'écartaient promptement sur son passage. Mieux valait ne pas prendre à la légère un officier de la Muraille portant sur l'épaule l'insigne des tireurs d'élite. Surtout quand il s'agissait de Declan Broekhart, qui ne tenait plus guère à la vie depuis qu'un rebelle avait tué son fils.

Ses hommes l'attendaient sur la Muraille. Leurs visages ruisselaient de sueur au-dessus de leurs cols durs et sous leurs casques.

— Ça va être à nous, les gars, dit Declan en cherchant au fond de lui la source de camaraderie qui jaillissait autrefois spontanément. Une pinte de Guinness pour chaque homme qui atteint sa cible.

Il observa de l'autre côté du bras de mer les ballons lumineux tirant sur leurs attaches, à près de deux kilomètres dans la semi-obscurité.

— Disons deux pintes de Guinness.

– Voilà qui est parler, grommela un lieutenant aussi maigre que courageux, natif de Kilmore, dont le père avait servi sur la Muraille avant lui.

Le capitaine Broekhart poussa un grognement.

– À vous de jouer, Bates.

Celui-ci appuya sur le rempart une carabine Winchester modifiée et ajusta sa mire.

– C'est vous qui avez bricolé le canon ? demanda Declan.

– Oui, mon capitaine, répondit le tireur d'élite. J'ai fait forer le canon exprès et j'ai ajouté huit centimètres de longueur. Ça permet de prolonger la trajectoire de la balle d'une bonne centaine de mètres.

Declan était impressionné.

– Très astucieux, lieutenant. Où avez-vous déniché cette idée ?

– Chez vous, mon capitaine, dit Bates avant d'appuyer sur la détente.

C'était un vrai tir à distance. Ils eurent même le temps d'entendre le coup de feu avant que la balle atteigne sa cible. Le globe lumineux explosa dans une débauche d'étincelles multicolores.

– Deux pintes pour moi ! s'exclama Bates avec un large sourire.

Declan poussa un gémissement plaintif.

– Je serai ruiné avant la fin de la nuit.

Il se retourna pour faire un signe de main à Catherine. Elle s'était levée pour applaudir, comme tous les occupants de l'estrade, y compris la reine Victoria, pourtant connue pour son sérieux imperturbable.

Quant à Isabella, qui n'avait pas encore pris le pli du décorum royal, elle criait de joie.

Declan s'adressa de nouveau à ses hommes.

— On dirait que vous allez être les héros de cette nuit, les enfants. Allez, qui sera le prochain à me délester d'une bière ?

Une douzaine de fusils furent armés sur-le-champ.

Conor s'éleva si vite qu'il eut l'impression de tomber. Aucun de ses calculs n'aurait pu le préparer à ce vol chaotique. Il avait envisagé une montée rapide mais calme et régulière, qui lui donnerait le temps de rassembler ses idées et d'observer son environnement. Bref, il s'était attendu à rester maître de la situation.

La réalité ressemblait plutôt à un cauchemar éveillé. Conor avait perdu le contrôle de tous les termes de cette équation. Le vent soufflant sur son visage brûlait ses yeux et s'engouffrait dans ses oreilles, si bien qu'il était à moitié sourd et aveugle. Son bras était tendu jusqu'à la limite de ses forces et une violente rafale finit par démettre son épaule. Cette souffrance infligée négligemment par la nature irradia dans sa poitrine comme un coup de marteau chauffé à blanc.

« J'ai échoué. Il n'est pas possible que je m'en sorte vivant. Le mieux serait que je perde conscience et me réveille au paradis. »

Ce genre de pensées fatalistes ne lui ressemblait pas, mais les circonstances étaient exceptionnelles.

Il crut que son bras allait être arraché pour de bon, mais cela n'arriva pas et ses sens aiguisés finirent par percer le brouillard de douleur et de chaos qui l'enveloppait.

Le ballon prenait de la hauteur, mais sa vitesse avait décru et les courants atmosphériques étaient plus calmes à cette altitude. Conor savait qu'il devait profiter de cette accalmie pour faire autant d'observations que possible.

« Altitude ? Peut-être cinq cents mètres. Je suis en train de dériver vers la Grande Saline. »

Les îles étincelaient à ses pieds comme des diamants dans la mer menaçante. Des centaines de lampes dansaient sur les ponts des bateaux en visite ayant jeté l'ancre au large de Port-Saline. Au-dessous et au-dessus de lui, la lumière des étoiles.

Il fallait maintenant qu'il se sépare du ballon. Il était moins haut qu'il ne l'aurait souhaité, mais le vent l'entraînait vers le large plus vite qu'il ne l'avait escompté. Et avec son épaule blessée, Conor aurait du mal à se maintenir longtemps à la surface.

Il était vital pour lui de dégager son bras du filet, mais il découvrit qu'un geste aussi simple que de réunir deux mains était impossible dans cette situation. Du fait de la douleur, de ses sens désorientés et du vent coupant, bouger normalement était un défi pour un homme au sommet de sa forme physique, pour ne rien dire d'un prisonnier blessé et épuisé.

Il était incapable de maîtriser ses articulations ou ses doigts, et avait l'impression que la douleur venait de son cœur. Ayant laissé tomber la baïonnette, il était contraint de tirer sur le filet en tâtonnant. C'était impossible. Son bras était plus coincé qu'une dinde dans une glacière. Conor Finn était en partance pour l'océan. Son seul espoir était que le ballon soit mal fait et que ses coutures craquent rapidement.

En dessous de lui, l'avant-dernier ballon explosa en illuminant un instant le ciel obscur de rouge et d'or avant que les ténèbres ne reconquièrent la nuit.

« Parfait, pensa Conor avec un sourire hébété. Ça a marché à la perfection. Un feu d'artifice de premier ordre. Chaque fusée brille un bon moment. Quel dommage que je ne sois pas suspendu sous ce ballon au lieu d'être en panne dans le ciel nocturne. »

Son plan initial prévoyait qu'il serait suspendu loin en dessous d'un des ballons à l'instant où les tireurs d'élite feraient feu sur lui. Après que le ballon l'aurait délivré de la prison en le soulevant en l'air, une balle le ramènerait sur la terre.

Il se demanda s'il était le premier homme à contempler d'en haut un feu d'artifice. C'était peu probable. Il s'était certainement trouvé un aéronaute intrépide pour envoyer dans le ciel un ballon attaché à une ancre.

Une pensée s'imposa soudain à Conor.

« Je suis en train de voler comme personne avant moi. Sans nacelle, sans lest. Rien qu'un homme et son ballon. »

D'une manière ou d'une autre, cette pensée lui apporta un peu de réconfort malgré sa situation tragique. Il était seul dans le ciel, l'unique être humain à respirer cet air raréfié. Un espace d'un noir bleuté

302

s'étendait à l'infini autour de lui. Pas de murs. Pas de porte de prison.

« Où va-t-on me retrouver ? Au pays de Galles ? En France ? Ou en Irlande, si le vent change de direction ? Qu'est-ce qu'on comprendra à l'appareil attaché à ma poitrine ? Que deviendront mes innovations ? »

Il éprouvait aussi un certain sentiment de triomphe.

« Je vous ai vaincu, Bonvilain. Vous ne pourrez plus m'utiliser ni me torturer à votre gré. Je suis libre. »

Des regrets l'habitaient aussi.

« Ma mère. Mon père. Jamais nous n'aurons l'occasion de nous expliquer. »

Mais même dans ce danger mortel, Conor gardait une amertume en lui.

« Comment as-tu pu croire Bonvilain, père ? Pourquoi ne m'as-tu pas sauvé ? »

Les ballons du couronnement étaient un succès retentissant. Chaque explosion réussie était saluée par un tonnerre d'applaudissements. Les tireurs d'élite donnaient une démonstration spectaculaire de leur adresse. Seul Keevers manqua sa cible, et encore, uniquement parce que la balle à la nitroglycérine éclata dans le canon de son arme, qui se tordit comme la paille d'un buveur.

Declan devait reconnaître que ces artificiers étaient vraiment des as. Chaque ballon explosait avec plus de force que le précédent, selon une progression savante. Le dernier avait ébranlé la Muraille elle-même. Si la reine Isabella ne faisait pas attention, elle pourrait perdre sa couronne.

Catherine était très belle ce soir, à côté de sa souveraine sur l'estrade. Elle était belle tous les soirs, mais cela faisait un moment qu'il ne le remarquait plus. Depuis deux ans, en fait.

« Conor voudrait que sa mère soit heureuse. Et peut-être aussi son père. »

— Excusez-moi, mon capitaine.

C'était Bates. Il devait attendre sa bière.

— Un instant, Bates. Je fais une petite pause, le temps de penser un peu à ma femme. Vous feriez bien d'en faire autant, au lieu de harceler votre supérieur pour une bière.

— Non, mon capitaine, il ne s'agit pas de la Guinness, même si je ne l'oublie pas.

— Que se passe-t-il donc ? demanda Declan en s'efforçant de garder sa bonne humeur.

— La cible mouvante. Le clou du spectacle, mon capitaine. Ils l'ont lâchée trop tôt. En tout cas, ce n'est pas ma faute. Personne ne pourra atteindre cette cible. Elle doit bien être à deux kilomètres de distance et le vent l'entraîne vers le large.

Declan regarda Catherine à l'autre bout de la place. Elle était rayonnante, et il savait pourquoi. Peut-être allait-elle retrouver son mari, enfin. Elle avait besoin d'un signe.

Il tendit la main à Bates.

— Donnez-moi votre arme, lieutenant.

Dès qu'il posa les doigts sur la crosse, Declan sut qu'il allait réussir ce tir. C'était le destin. Cette nuit était à lui.

– Elle est chargée ?

– Oui, mon capitaine. La balle est en place. Attention au recul, ça secoue pas mal. J'espère que votre épaule ne s'est pas ramollie. À force d'être capitaine, je veux dire.

Declan poussa un grognement. Bates avait la langue bien pendue, ça ne faisait aucun doute. Une autre nuit, le jeune lieutenant serait déjà parti nettoyer les latrines.

– La cible ?

– Une grosse boule lumineuse dans le ciel, mon capitaine.

– Votre instinct de survie devrait vous dire de vous méfier, Bates.

Bates toussa.

– Oui, mon capitaine. Je veux dire, cible à onze heures tapantes.

Declan ajusta le ballon dans la mire. Ce n'était plus guère qu'une petite tache. Une lune pâle dans un océan d'étoiles.

« Bon Dieu ! pensa-t-il. J'espère que ce fusil tire bien. »

Cependant il connaissait Bates, et il savait que l'Irlandais visait encore mieux qu'il ne parlait, ce qui n'était pas peu dire.

Declan leva légèrement le canon, qui s'abaisserait au moment du tir, et le déplaça sur la gauche pour compenser le vent de travers. L'art du tireur s'apprenait jusqu'à un certain point, mais ensuite tout devenait affaire de talent naturel.

« Des ballons et des fusils, songea Declan. Comme à Paris le jour de ta naissance, Conor. Mais cette fois-là, tu étais redescendu avec le ballon. »

Il sentit ses yeux s'embuer et les plissa énergiquement. L'heure n'était pas aux larmes.

« Conor, mon fils, ta mère et ton frère ont besoin de moi maintenant, mais je ne t'oublierai jamais, pas plus que ce que tu as fait pour les îles Salines. Baisse les yeux vers moi et considère ceci comme un signe. »

Declan retint son souffle puis effleura la détente, en s'appuyant sur son pied droit pour amortir le recul. La balle à la nitroglycérine jaillit du canon tendu et vola vers sa cible.

« C'est pour toi, Conor », se dit Declan.

Et le dernier ballon du couronnement explosa en une gerbe si éclatante qu'on devait pouvoir la voir du paradis.

Derrière le capitaine, l'île tout entière hurla son enthousiasme À l'exception de Bonvilain, lequel semblait perdu dans ses pensées, ce qui ne promettait jamais rien de bon pour l'objet desdites pensées.

Declan lança la carabine à Bates.

— Vous avez là une arme magnifique, lieutenant. Presque aussi dangereuse que votre langue.

Même Bates était impressionné par ce tir impossible.

— Oui, mon capitaine. Merci, mon capitaine. C'était vraiment un tir historique. Où en sommes-nous pour les bières, maintenant ?

Mais Declan ne l'écoutait pas. Il regardait de l'autre côté de la place, au-dessus des têtes de la foule délirante. Catherine croisa son regard malgré la distance. Ses mains couvraient son nez et sa bouche, de sorte qu'il n'apercevait de son beau visage que ses yeux noirs. À la lueur orangée des globes électriques, Declan vit que son épouse pleurait.

Elle avait retrouvé son mari.

Le ballon éclata et les flammes déclenchèrent le feu d'artifice sans laisser la moindre chance à l'amorce. La détonation perfora l'un des tympans de Conor et une pluie d'étincelles criblèrent sa peau comme un million de piqûres d'abeilles. Il était enveloppé dans un voile de feu qui attaquait ses vêtements et brûlait les poils de ses jambes et de ses bras, en roussissant sa barbe jusqu'au menton. Si graves que fussent ces dégâts, Conor s'était attendu à bien pire.

Puis la gravité intervint pour l'attirer de nouveau vers la terre avec des fils invisibles. Il se mit à descendre, trop abasourdi pour crier. Ça n'avait rien à voir avec son plan. Il était supposé avoir vingt mètres de corde entre lui et le ballon. Une combinaison périlleuse, mais certainement plus sûre que de chevaucher le ballon lui-même.

Il fallait qu'il fasse quelque chose. Son plan prévoyait certainement une étape suivante.

« Bien sûr ! L'engin ! »

Conor baissa péniblement sa main indemne en luttant contre le courant d'air. Il écarta les restes à moitié calcinés de sa veste.

« Mon Dieu ! Il y a des étincelles sur le parachute ! »

Car l'engin était bien entendu un parachute. Cela faisait près d'un siècle que des aéronautes sautaient du haut de ballons, avec un succès variable. En Amérique, faire sauter des animaux du haut d'aérostats était devenu une mode après la guerre de Sécession. Mais ces sauts avaient toujours été un divertissement donné dans des conditions météorologiques optimales. Rarement la nuit, à une altitude presque toujours supérieure à mille cinq cents mètres, et en tout cas jamais avec un parachute en flammes.

Conor trouva le cordon faisant office de commande et tira dessus. Il avait été contraint d'emballer soigneusement son parachute dans un sac de farine puis de l'attacher à sa poitrine. Il ne pouvait que prier pour que les fils ne s'emmêlent pas, sans quoi l'appareil ne s'ouvrirait jamais. Du reste, à cette altitude peu élevée, il était très possible que le parachute n'ait même pas le temps de se déployer et serve simplement à Conor de linceul dans son tombeau liquide.

La commande était cousue au sommet d'un parachute miniature, évoquant ceux qu'utilisaient Victor et Conor pour faire voler des mannequins en bois du haut des tourelles du palais. En théorie, la résistance à l'ouverture de ce premier parachute devait suffire à provoquer l'éclosion du second, qui était d'une taille normale. C'était l'une des nombreuses idées que Conor avait griffonnées dans la boue recouvrant le fond de sa cellule. À l'époque, il avait espéré ne pas avoir à tester toutes ses inventions dans des conditions aussi extrêmes.

Bien que Conor ne pût le voir, son petit parachute fonctionna à la perfection et sortit de sa poche comme un bébé kangourou. Il trembla un instant dans le vent puis se déploya en prenant le vent. Sa chute fut aussitôt ralentie, contrairement à celle de Conor, d'où une tension qui fit sortir le grand parachute dans l'air nocturne. La soie bruissa devant le visage de Conor et le vent s'engouffra dans ses plis.

« Faites que les fils ne s'emmêlent pas et que le tissu ne se déchire pas. Je vous en prie, mon Dieu. »

Sa prière fut entendue et la soie blanche du parachute se déploya sans accroc, en faisant autant de bruit qu'un coup de canon. La décélération fut si brutale que les courroies du harnais s'enfoncèrent dans le dos de Conor, où elles laissèrent une marque brûlante en forme de X qu'il devait conserver jusqu'à la fin de ses jours.

La raison avait à peu près abandonné Conor, à ce stade, et il se demanda pourquoi la lune semblait le suivre. En plus, elle paraissait en feu. Des étincelles orangées dévoraient des pans entiers de l'astre, si bien que Conor voyait les étoiles à travers les trous.

« Non, pas la lune ! C'est mon parachute ! »

Conor se revit soudain dans sa cellule, en train de préparer son plan en envisageant tous les problèmes possibles.

« Si des étincelles en provenance du ballon enflamment la soie du parachute, la situation sera plus que critique car cela signifiera qu'on aura tiré sur le ballon bien que je l'aie détaché de la muraille. Dans ce cas, je ne pourrai qu'espérer que ma vitesse ait suffisamment décru pour me permettre de survivre à un atterrissage en plein océan. »

La descente de Conor était maintenant suffisamment régulière pour qu'il puisse distinguer la mer du ciel. À ses pieds, les îles se rapprochaient rapidement. Il aperçut le palais d'Isabella et bien sûr la Muraille de la Grande Saline, avec ses rangées de lampes électriques que le *New York Times* avait qualifiées de « première merveille du monde industriel ».

« Si j'avais un gouvernail, songea Conor, je pourrais me guider d'après les lumières. »

Les bateaux tournoyaient sous ses yeux en un tourbillon éblouissant. La plus grande de ces embarcations remplit bientôt son champ de vision et il comprit qu'il allait atterrir dessus. Impossible de l'éviter. Le navire émergeait des profondeurs obscures comme l'une des méduses bioélectriques de Darwin.

Plutôt que de la tristesse, Conor éprouvait la déception d'un scientifique dont l'expérience a échoué.

« Trois mètres de plus à gauche, et j'aurais survécu, pensa-t-il. La science est vraiment l'esclave de la nature. »

Toutefois le hasard avait encore une carte saugrenue à jouer en cette nuit d'exploits improbables. Une seconde après que son parachute fut réduit entièrement en cendres, Conor s'écrasa sur le yacht royal *Victoria & Albert II* à plus de soixante kilomètres à l'heure. Il heurta de plein fouet le troisième canot de sauvetage de tribord, en faisant dans la bâche goudronnée bleue une déchirure qui passa inaperçue pendant deux jours. Sous la bâche se trouvait une couche de gilets de sauvetage en liège, provisoirement entreposés à cet endroit en attendant qu'on ait fixé des crochets pour les suspendre.

Deux jours plus tôt, les gilets réquisitionnés depuis peu n'auraient pas été à bord. Trois jours plus tard, ils auraient été répartis dans le yacht.

Malgré son parachute et la bâche, la masse et la vitesse de Conor l'entraînèrent à travers le liège jusqu'au fond du canot. Son épaule démise heurta les planches, où il rebondit une fois avant de s'immobiliser.

« Les fonds de cale doivent être impeccables, songeat-il vaguement. Ça sent uniquement le bois et la peinture. »

Puis : « Je crois vraiment que le choc a remis d'aplomb mon épaule. Quelle est la probabilité d'un tel événement ? Presque nulle. »

Telle fut son ultime pensée avant que l'oubli ne s'empare de lui. Conor Broekhart ne remua plus de toute la nuit. Ses rêves furent animés, mais en deux couleurs exclusivement : rouge et or.

Troisième partie

L'homme volant

Chapitre 12

Ange ou démon

PETITE SALINE, 1894

La nuit où Arthur Billtoe rencontra le diable, il s'adonnait à l'un de ses passe-temps favoris. Le garde se prélassait dans un coin confortable près des falaises, du côté de l'île faisant face au large. Il avait une demi-douzaine d'endroits de ce genre disséminés dans l'île, des refuges où il pouvait reposer sa tête quand la vie de la prison avait raison de ses nerfs.

Tirer au flanc n'était pas évident dans une île entourée d'une muraille et dominée par un fort à son extrémité sud-ouest, sans compter la douzaine de tours de guet jalonnant la muraille elle-même.

«Quelle idiotie, l'éclairage électrique, pensait souvent Billtoe. Comment piquer un somme dans ces conditions?»

Ce refuge douillet était son préféré. Il s'agissait d'une petite tranchée-abri proche des carrés de salsa, à quinze pas de la base du rempart. Le sol était constitué par une bâche antique jetée par les marins du ferry, et le toit

315

consistait en une des vieilles portes de l'époque d'Hector le Globe-Trotter, arborant encore son chambranle et ses gonds. L'ensemble était à peu près invisible de l'extérieur, grâce à la masse de boue, d'herbe et de broussailles recouvrant la porte.

Billtoe se sentait envahi de fierté chaque fois qu'il se glissait furtivement dans l'ombre fétide et accueillante. Aucun de ses autres asiles n'égalait celui-là. Il y faisait sec par tous les temps. De plus, Billtoe pouvait ouvrir le judas pour s'en servir comme cheminée, ce qui lui évitait de révéler ses mégots aux sentinelles.

« J'en fume encore une, se dit-il. Une dernière et je me remets au travail. »

Arthur Billtoe passait de plus en plus de temps dans ses cachettes, depuis la disparition de Conor Finn six mois auparavant. Il n'avait aucune tendresse particulière pour le petit soldat, mais il craignait que le maréchal Bonvilain n'ait eu des projets pour ce jeune homme — des projets où sa mort n'était pas prévue.

La nuit où Finn s'était volatilisé, Billtoe était resté des heures à s'époumoner dans le conduit de cheminée. Voyant que cela ne donnait rien, il avait fait venir un petit cockney de quatorze ans qui avait été condamné à une douzaine d'années de prison pour avoir volé des aristos. Il lui promit une remise de plusieurs années s'il grimpait dans les conduits. Au bout d'une demi-journée, le gamin était revenu bredouille et Billtoe l'avait renvoyé en exploration sous la menace de son fusil. Au bout de quarante-huit heures supplémentaires dans le labyrinthe, le malheureux revint avec des genoux en sang et aucune nouvelle du disparu. Conor Finn n'était pas là-haut. D'une façon ou d'une autre, Billtoe avait été dupé.

Il commença alors à s'interroger sur ce boucher qui s'était emmêlé dans un des ballons du couronnement.

« Et si c'était Finn ? Le petit soldat aurait-il trouvé le moyen de quitter la terre ? »

Billtoe ne pouvait en avoir la certitude, ce qui le démangeait comme si un insecte s'était faufilé sous sa chemise. Peut-être Finn gisait-il desséché dans la cheminée, peut-être reposait-il dans le canal Saint-Georges après avoir bu une bonne tasse d'eau salée. De toute façon, un mort est toujours un mort. Mais l'histoire ne s'arrêterait pas là. Tôt ou tard, Bonvilain viendrait chercher son prisonnier spécial et sa fureur s'abattrait sur la tête d'Arthur Billtoe.

« À moins que… »

À moins que le maréchal ne soit trompé par son stratagème. Lorsque Finn avait disparu, Billtoe avait envisagé de lever le camp et d'attraper un vapeur en partance pour New York. Un de ses pères présumés devait vivre là-bas, s'il était encore de ce monde. Et même s'il était mort, il avait peut-être laissé un héritage. Malgré tout, il s'agissait toujours de manger des merles faute de grives. Il n'avait pas assez d'argent pour traverser l'Atlantique. Même en économisant un an, il n'y arriverait pas. Il était frustrant de posséder une fortune en diamants volés sans pouvoir la convertir en monnaie sonnante et trébuchante.

Du reste, sa situation sur l'île était idyllique pour

l'instant. Il était le favori de Bonvilain, depuis le succès remporté par ses ballons du couronnement. Sa promotion ne saurait tarder. À ce moment, Arthur Billtoe serait peut-être en mesure de faire sortir clandestinement de l'île quelques-uns de ses diamants, de quoi s'embarquer en première classe pour New York.

En attendant, il devrait prier qu'un dieu, quel qu'il soit, fasse en sorte que le maréchal Bonvilain ne regarde pas de trop près l'adolescent barbu qu'il avait jeté dans la cellule de Conor Finn. Le garçon avait à peu près le même âge, la même stature, le même teint que son prédécesseur. Après plusieurs raclées, il avait comme lui l'œil hagard et l'air sournois. On pouvait le prendre pour lui, si l'on n'était pas trop attentif. Billtoe espérait que Conor Finn n'était qu'un otage et non une source d'informations, car dans ce dernier cas le maréchal aurait beau chercher, il ne trouverait rien dans la cellule du prisonnier.

Le garde eut soudain une idée.

« Je pourrais couper la langue du sosie. Je raconterais que ça s'est passé lors d'une bagarre avec Malarkey. Le maréchal ne pourra pas m'en rendre responsable, puisque c'est lui qui m'a ordonné de faire rosser le garçon par Malarkey. »

Aux yeux de Billtoe, cette idée était géniale, bien meilleure que les carrés de salsa ou les ballons du couronnement. Pour ne rien dire des revolvers à douze coups, qui s'étaient révélés un véritable attrape-nigaud. Un ami de Billtoe, armurier à Kilmore, avait failli perdre un doigt en essayant d'en fabriquer un.

« Je vais couper la langue de ce garçon dès que je serai rentré », se dit le garde en tapotant sa botte pour s'assurer que son bon couteau était bien là, niché contre son tibia.

Enchanté par cette perspective, Billtoe souffla une dernière volute de fumée dans le judas, puis écrasa sa cigarette sur une coquille de palourde qu'il gardait à cette fin dans sa cachette. Il entrouvrit la porte du bout du pied afin de faire sortir les derniers vestiges de fumée ou d'odeur de mégot, puis se mit péniblement debout dans l'obscurité comme un cadavre se levant de sa tombe.

« Non seulement trancher cette langue sera utile pour mon plan, mais ça me mettra de bonne humeur. »

Billtoe avait coutume de raser la muraille jusqu'à un escalier, après quoi il grimpait vivement les marches comme s'il allait prendre l'air. Personne ne s'aviserait de l'ennuyer, surtout après le couronnement. Arthur Billtoe était un gros bonnet, à présent.

« C'est Mr Billtoe pour vous, Pike », comme il aimait le répéter depuis quelque temps.

La nuit était couverte et on ne voyait presque aucune étoile à travers les nuages. Les créneaux de la muraille baignaient dans un halo orangé dû à l'éclairage électrique. Billtoe se guidait d'après cette lueur constituant un repère bien visible. À l'abri de l'obscurité, il fila sur l'herbe moelleuse recouvrant la roche. Il allait un peu trop vite, à vrai dire, car sa botte glissa sur une plaque de mousse et il tomba sur le dos. Il se mit à haleter, comme un tapis dont la poussière s'échappe lorsqu'on le bat.

Billtoe resta ainsi allongé, à essayer de reprendre son souffle. Soudain, les nuages s'écartèrent et révélèrent la lune resplendissant comme une pièce d'argent. Quand le garde eut repris haleine, il esquissa un sourire jauni par le tabac, car après tant d'années voilà qu'il distinguait ce visage dans la lune dont tout le monde parlait. Ce devait être grâce à l'angle où il se trouvait, car auparavant il n'avait aperçu que des taches indistinctes.

« Je vois ce visage pour la première fois. Et je vais couper la langue d'un prisonnier. Quel jour faste ! »

Puis, à travers la brèche ouverte dans les nuages, une silhouette apparut. Un homme avec des ailes. Qui volait.

Ce genre d'événement était si étrange, si impossible, que Billtoe ne fut même pas surpris sur l'instant.

« Un homme avec des ailes d'oiseau. Un ange vêtu de noir. »

L'ange vira brusquement à tribord afin de ne pas dépasser l'île, puis il descendit en vrille jusqu'au moment où Billtoe put entendre aussi bien que voir l'appareil. Il craquait et s'agitait furieusement, et la créature d'apparence humaine luttait avec lui comme si elle avait été enlevée par un aigle géant.

« Je sais de quoi il retourne », se dit le garde.

Arthur Billtoe avait lu deux livres dans sa vie. *Les Meurtres les plus atroces de Londres*, de Sy Cocillée, qu'il avait trouvé très instructif, et *Le Noble Indien*, du capitaine George Toolee, où il avait espéré trouver des histoires de colons scalpés et massacrés mais qui était en fait une étude approfondie de la culture des indigènes américains. Billtoe avait failli jeter le volume au feu, mais comme il avait dépensé quelques shillings pour l'acquérir il persévéra. Dans un chapitre, l'auteur décrivait une tente appelée « cabane à sueur », où les Indiens se mettaient à l'aise et fumaient jusqu'à ce que leur esprit-guide leur apparaisse.

« Ma cachette est comme une cabane à sueur. Maintenant mon esprit-guide m'est apparu, et c'est un homme-oiseau qui pousse des jurons. »

L'engin ailé s'approcha du sol à vive allure. Ses ailes claquaient dans le vent. La créature angélique semblait devoir se fracasser contre les rochers, comme un moineau heurtant une vitre – ce que Billtoe trouvait toujours amusant –, mais au dernier moment elle se redressa et se mit à planer pour atterrir en douceur.

Son allure était telle qu'elle dut faire une douzaine de pas en courant avant de parvenir à s'arrêter.

Billtoe leva les yeux, fasciné par cette apparition surnaturelle dont la tête le surplombait, nimbée par la clarté de la lune. Elle était assez proche pour que le garde puisse lui donner un coup de couteau – mais à quoi bon ? Il était impossible de tuer une telle créature.

Celle-ci était vêtue de noir depuis le sommet de sa casquette de cuir jusqu'au bout de ses bottes de cheval montant à hauteur des genoux. Son visage était dissimulé par d'épaisses lunettes protectrices et une écharpe recouvrant sa bouche. L'écharpe gênait sa respiration, et sa poitrine se soulevait avec effort.

Quelque chose brillait sur la poitrine de l'ange. Une

sorte d'insigne. Deux ailes d'or surgissant d'un A majuscule. A comme Ange, peut-être ?

Arthur Billtoe désirait de toutes ses forces rester immobile et silencieux. Il lui semblait être redevenu un petit garçon de sept ans dans une ruelle de Dublin, caché dans un tonneau d'eau tandis qu'un copain ivre mort le pourchassait pour six pence qu'il avait en poche. Il ne donnait pas plus cher de sa vie aujourd'hui qu'en ce jour lointain. Cette créature pouvait le tuer d'un seul regard. Il aurait voulu se glisser dans l'herbe comme sous un drap et dormir, jusqu'au départ de cet homme-oiseau terrifiant.

« Ce n'est pas le moment de geindre », se dit-il.

Pousser des gémissements à l'instant du danger avait toujours été l'une de ses faiblesses, ce qui lui avait valu plus d'un mauvais coup dans le passé.

« Contiens-toi, Arthur, mon garçon. Mords tes bottes mais tais-toi. »

Il y serait peut-être parvenu si la créature n'avait sorti un sabre du fourreau fixé à sa ceinture et commencé à le plonger dans le sol comme pour blesser le sein de la terre. Chaque coup de sabre la rapprochait de l'endroit où le garde gisait, tremblant.

La peur finit par avoir raison de lui.

« Je mourrai si je ne parle pas. Mon pauvre cœur va éclater. »

– Qui êtes-vous ? souffla-t-il en se mettant debout tant il était bouleversé. Qu'est-ce que vous voulez à Arthur Billtoe ?

La créature fit un bond en arrière puis s'immobilisa.

Son regard de verre jeta des éclairs orangés à la lueur des lampes, puis il s'assombrit en s'abaissant sur le garde.

— Billtoe! gronda-t-elle. Arthur Billtoe!

Si Billtoe l'avait pu, il aurait changé de nom sur-le-champ, tant la voix de l'ange vibrait de haine. Ces types ailés devaient avoir un caractère vindicatif.

Tandis que Billtoe se faisait cette réflexion, l'homme volant se précipita en avant. Ses ailes se redressèrent sous l'effet de ce mouvement soudain et soulevèrent dans l'air l'inconnu vêtu de noir. Il retomba sur le sol comme un monstre rugissant, à un pas de Billtoe, et profita de cette proximité pour serrer le cou du garde entre des doigts d'acier.

— Billtoe, répéta-t-il en appuyant la lame de son sabre sur la peau pâle du cou.

— Ê... êtes-vous un ange ou un démon, monsieur? balbutia Billtoe. Il faut que je sache. Voulez-vous m'emmener au ciel ou dans l'abîme?

Le regard de verre le scruta un long instant. Billtoe sentit la lame glisser sur sa pomme d'Adam, brûlant d'envie de s'enfoncer dans la chair. Puis le sabre suspendit son mouvement mortel et la créature parla.

— Je puis être aussi bien ange que démon, *monsieur**, lança-t-elle. Mais pour vous, je serai toujours un démon.

— Vous allez me tuer? demanda Billtoe en criant presque.

— Pas maintenant, *monsieur**. Mais comme vous êtes terriblement bruyant...

Le démon brandit son arme et abattit le pommeau

sur le front de Billtoe. Le garde s'effondra comme une marionnette dont on a lâché les fils.

Bien qu'il ne fût pas complètement inconscient, Billtoe jugea préférable de se réfugier dans les ténèbres plutôt que d'encourir la colère de l'homme volant en ouvrant les yeux. Il ferma donc consciencieusement les paupières et s'endormit.

Quand Arthur Billtoe se réveilla, le jour se levait. Sa tête lui faisait mal de tous côtés. Au-dessus de lui, il aperçut Poole, le garde chargé de promener le chien du directeur, qui encourageait le petit terrier à considérer la botte de Billtoe comme un lieu d'aisances.

– Fiche-moi le camp! rugit Billtoe en donnant un coup de pied au chien.

Il se souvint soudain du Français, lequel était peut-être encore dans le secteur.

Il roula hors de la mare boueuse où il était resté couché et se démena à quatre pattes, incapable de se redresser davantage tant son crâne était douloureux.

– Le démon, dit-il d'une voix haletante. Ce Français aux ailes rougeoyantes. Il volait dans la nuit comme un engoulevent. Vous l'avez vu?

Devant cet accès de démence, Poole fit comme s'il n'entendait pas. Il toussa violemment pour couvrir les paroles de Billtoe, puis réprimanda le terrier.

– C'est mal, très mal, sir Percival, d'arroser comme ça Mr Billtoe. Surtout qu'il sortait d'un rêve, dont les détails ne m'intéressent pas. Je te donnerais un coup de pied, Percy, si tu n'étais pas si mignon.

Il prit le chien dans ses bras et transmit le message dont il avait été chargé.

— Le directeur vous cherche, déclara-t-il sans parvenir à regarder Billtoe en face. Il dit qu'il en a plus qu'assez de vous et de vos cachettes. Si vous ne bouchez pas vous-même vos trous, il vous y enterrera vivant. Ce sont ses propres mots. Je les ai appris par cœur.

Billtoe avait toujours les yeux écarquillés et regardait nerveusement à la ronde parmi les rochers. Un filet de bave perlait à ses lèvres.

— Il m'a trouvé ! Il m'a trouvé ! J'étais dans le tonneau avec les six pence, et il m'a trouvé.

Poole préféra ne pas comprendre. C'était plus facile.

— Oui, monsieur. Le directeur trouve tout le monde. Il doit avoir des yeux dans le dos.

Poole hasarda une boutade en s'éloignant vivement derrière sir Percival en direction du logis des gardes.

— À moins qu'il n'ait une paire d'ailes et ne survole l'île la nuit en nous surveillant d'en haut ?

Billtoe s'assit sur un rocher, tâta la bosse ornant son front et éclata en sanglots.

LE CIEL

Conor Finn volait, mais ce n'était pas la douce sensation qu'il avait escomptée. Le planeur était un fauve qu'il ne pouvait vaincre qu'au prix d'une lutte constante tandis que tous deux prenaient leur essor dans les airs. À vrai dire, en fait d'essor, Conor avait plutôt l'impression d'être ballotté par les éléments. Les ailes craquaient et s'agitaient violemment, en menaçant de casser leurs nervures à chaque bourrasque. Le harnais pénétrait dans la chair de Conor et gênait sa respiration. Une simple collision avec un oiseau de mer le ferait retourner sur la terre en chute libre. Et pourtant, il n'aurait manqué cette expérience pour rien au monde.

« Je suis la lune, pensa-t-il. Je suis les étoiles. »

Puis :

« Attention ! Une mouette ! »

Le planeur résistait aussi bien qu'il avait pu l'espérer, même s'il aurait juré que la troisième nervure à tribord était en train de se briser. Il la retirerait de sa gaine plus tard pour la remplacer par une nouvelle tige. La barre de direction, une de ses innovations, fonctionnait à la perfection. Elle lui permettait de déplacer son poids et d'exercer un certain contrôle sur sa trajectoire. Ce contrôle n'était que très relatif, néanmoins, et le moindre courant atmosphérique pouvait l'annuler en se jouant.

Le ciel nocturne était chargé de nuages, où se reflétaient les lumières des bourgades voisines de Wexford et de Kilmore. De temps à autre, Conor s'engouffrait dans une brèche au milieu des nuages et la pleine lune l'illuminait de ses rayons argentés. Conor espérait que vue de la terre sa silhouette ressemblerait à celle d'un gros oiseau, cependant il était heureux d'avoir choisi du tissu noir pour les ailes. Elles étaient teintes en noir, et non peintes, car la peinture aurait été trop lourde.

En l'observant de près à la lumière du jour, qui-

326

conque aurait constaté que ce planeur n'était guère qu'un cerf-volant bien conçu. Deux ailes ovales incurvées, d'une longueur de deux mètres cinquante, étaient reliées par un espace central circulaire où le pilote se trouvait suspendu dans son harnais de cuir. Un gouvernail à queue courte et aux attaches transversales était muni d'une barre qu'on pouvait actionner avec les pieds. Une gouverne trapézoïdale était fixée directement à l'entretoise principale de l'aile. En théorie, si l'on réussissait à repérer des courants ascendants, on pouvait voler indéfiniment, suspendu à un planeur de ce genre. Bien entendu, il s'agissait là d'une hypothèse très optimiste, qui ne tenait pas compte de l'usure des matériaux, des erreurs de la science et du simple fait qu'un courant ascendant n'était guère moins difficile à dénicher qu'une licorne.

Conor lui-même avait revêtu une tenue d'aéronaute particulièrement résistante : casquette en cuir s'attachant sous le menton, lunettes protectrices et bottes serrées. Son uniforme était une copie convaincante de celui des aéronautes de l'armée française, mais il était entièrement noir, y compris le passepoil du pantalon, et ne comprenait aucun insigne en dehors d'un mystérieux A entouré d'ailes, qui pouvait être l'initiale d'*Aéronautique* *.

« Si jamais je m'écrase sur les îles Salines, se dit Conor, tout le monde me prendra pour un aviateur français désireux de ne pas être identifié. Un espion volant, en somme. Il y aurait de quoi alimenter la méfiance de Bonvilain envers l'armée française. »

C'était une faible consolation, mais entretenir l'inquiétude dans le cœur de Bonvilain valait mieux que de mourir en ne laissant qu'un cadavre.

La chance n'avait cessé de lui sourire cette nuit. Le lancement s'était déroulé sans accroc. Le ventilateur à vapeur avait fait sortir de leurs rainures quelques planches du tunnel, mais c'était un dommage aisément réparable et la déperdition d'énergie avait été minime. Son dispositif de fixation avait fonctionné cent fois suspendu à une poutre de la tour, mais cette fois il était mis à l'épreuve à l'air libre. Conor avait réussi à se pencher en avant dans le harnais et à glisser ses pieds dans les étriers. C'était là une de ses principales innovations, à côté d'innombrables détails moins visibles, depuis le façonnement à la vapeur des nervures jusqu'au gouvernail à queue.

Il vit se rapprocher la côte, la mer obscure où les îles Salines scintillaient comme deux nids de lucioles. Alors qu'il venait de franchir le pont de saint Patrick, une étendue allongée de galets s'incurvant depuis l'Irlande pour se pointer vers la Petite Saline comme un doigt arthritique, le courant ascendant qui l'avait porté disparut et son planeur ralentit en commençant à piquer du nez.

Conor s'était préparé à cette éventualité, mais il n'était pas prêt. S'il continuait à perdre de la vitesse, il allait plonger vers la terre à la rencontre d'une mort certaine.

«En cas de perte de vitesse, maintenir le nez baissé et lâcher les élastiques.»

Trois cordes fixées à la barre du gouvernail étaient attachées au poignet de Conor. Il libéra la barre en tirant énergiquement vers le bas de façon à défaire les nœuds des trois cordes.

La corde centrale était reliée à un panneau avant à charnière – le bec –, grâce auquel le nez se rabattit. Les deux autres cordes se détachèrent des pales de deux hélices en bois, qui se mirent immédiatement à vrombir sous l'effet de l'énergie libérée par deux solides élastiques.

Ces hélices à élastique ne pouvaient fonctionner qu'une seule fois lors d'un vol, et la poussée qu'elles occasionnaient était très faible. Toutefois cela pouvait suffire pour sortir l'appareil d'une zone sans courant ascendant.

C'est ce qui arriva. Le planeur fit un bond en avant de un mètre à peine, mais il se redressa et fut pris dans le vent marin. Conor sentit l'air se précipiter le long de son corps. À chaque rafale, il respirait l'odeur du sel.

Devant lui, les lumières de la muraille de la Petite Saline désignaient sa cible dans les ténèbres.

« Elle est en forme de cœur, se dit-il. Vue d'en haut, l'île ressemble à un cœur. »

Puis une autre pensée s'imposa à lui.

« Voilà que je reviens à la Petite Saline. Que Dieu m'assiste, je suis de retour. »

Et il ne put retenir un frisson qui devait plus à la peur qu'au froid.

Lors de son évasion audacieuse, Conor Finn était descendu en flammes du haut du ciel nocturne, tel le légendaire Icare, avant de s'écraser dans un canot de sauvetage du yacht royal de Victoria, tout bruissant de l'agitation des préparatifs pour le départ.

Pendant toute la nuit de la traversée, il resta étendu sous une douzaine de gilets de sauvetage en liège éparpillés au fond du canot. Il aurait été incapable de bouger, même si une main rude l'avait secoué, mais personne ne le découvrit. Il lui fut donc permis de dormir jusqu'au moment où la sirène du yacht retentit pour avertir une yole de s'écarter de son chemin.

À son arrivée à Londres, la fortune avait souri une fois de plus à Conor. Il avait pu sauter par-dessus bord à quelques encablures du port et nager jusqu'à une cale de construction sur la Tamise.

Après avoir volé une veste, dont la poche contenait par chance un peu de pain et de fromage, Conor avait passé le reste de la journée à arpenter les docks à l'affût d'un accent irlandais. Au crépuscule, il avait repéré un groupe d'Irlandais de Londres qui avaient trop de tatouages et pas assez de dents pour être des espions des douanes.

« Si jamais tu parviens à t'échapper de cet enfer, lui avait souvent dit Malarkey, va trouver mon frère Zeb sur les docks de Londres. Montre-lui ton tatouage et il veillera sur toi. »

Conor retroussa sa manche pour révéler aux dockers l'emblème des Béliers, et il prononça le mot magique : « Malarkey ». Une heure plus tard, il était immergé jusqu'au cou dans une eau savonneuse, avec une tasse de café dans une main et un cigare de premier choix dans l'autre. Zeb Malarkey était un homme riche, principalement grâce aux fruits de sa taxe personnelle sur les importations.

Au bout de deux heures, Zeb en personne arriva dans l'auberge. Sans même saluer Conor, il examina son tatouage et la marque au fer rouge de la Petite Saline.

– Comment va Otto? voulut-il savoir. Et ses cheveux?

Conor donna au chef de bande autant d'informations qu'il le put. Les cheveux d'Otto étaient soyeux, sa santé excellente. Les trafics en cours marchaient bien.

Zeb avait déjà entendu parler de Conor par un garde de la prison de la Petite Saline, qui acceptait des pots-de-vin en échange d'informations.

– Conor Finn? Le petit soldat! Otto parle de vous avec éloge. Il dit que vous avez mis de l'ordre chez les Béliers prisonniers. Ça vous dirait d'en faire autant ici?

L'idée était tentante. Se dépouiller complètement de son ancienne vie, comme un serpent abandonnant une peau usée. Mais Conor connaissait assez son propre cœur pour savoir que faire la loi sur les docks n'était pas sa vocation. Même s'il n'était plus Conor Broekhart, il ne s'était pas totalement affranchi des valeurs morales de sa mère. Il pouvait molester autrui pour survivre, mais pas pour de l'argent.

Il était un homme volant. Telle était sa destinée. Il devait s'en tenir à son plan. Aller en Irlande, construire un engin lui permettant de récupérer ses diamants, puis partir pour l'Amérique, en emportant les fonds nécessaires pour équiper son propre laboratoire.

Il déclina donc poliment la proposition de Zeb Malarkey, en déclarant qu'il avait une affaire à régler sur la Petite Saline. Une affaire qui pouvait rapporter gros aux Béliers. Peut-être Zeb disposait-il de quelques hommes en Irlande, ou même dans les îles Salines, qui pourraient aider Conor ?

– Les Béliers ont partout des hommes. Quelle sorte d'affaire ? Une vengeance ?

Pas précisément. Il y a dans la prison certaines marchandises qui appartiennent à votre frère et à moi. J'ai donné ma parole à Otto que je le ferais libérer. Pour le remercier de l'amitié qu'il m'a témoignée ces dernières années.

Zeb Malarkey lui lança une bourse remplie de guinées.

– N'attendez pas. Allez donc semer le chaos dans vos îles.

Ce fut exactement ce qui arriva.

La Petite Saline fut soudain sous lui. En moins de trois minutes, il avait traversé les quatre kilomètres d'océan séparant l'Irlande et l'île-prison. S'il avait eu une armée avec lui, les soldats de la forteresse auraient été vaincus avant même d'avoir pu sonner l'alerte.

Le corps de Conor était endolori par la tension constante exercée sur ses articulations. Il fut soulagé de pouvoir tirer sur le gouvernail afin de faire descendre son planeur. Lors des vols d'essai, il avait réussi à atterrir dans les limites d'un champ nettement plus petit que cette île. Cependant ce champ avait des haies et non des remparts. Et ces haies étaient peuplées de blaireaux et d'écureuils, qui étaient moins susceptibles que des gardes de tirer sur des créatures volantes.

Même la nuit, une vue à vol d'oiseau était très révélatrice. Il y avait trois gardes sur la muraille, tous groupés au nord à l'abri d'une tour. Conor apercevait les fourneaux rougeoyants de leurs pipes s'agiter tout près les uns des autres. Ils auraient dû se répartir sur le rempart et faire des rondes, mais des siècles de tranquillité les avaient rendus indolents.

La Petite Saline possédait en fait deux murailles. Outre la muraille principale, un rempart intérieur entourait le bâtiment de la prison. Entre les deux murs s'étendait le coin de travail où les détenus prenaient de l'exercice et s'occupaient des carrés de salsa. C'était là que Conor voulait atterrir. À l'endroit où les diamants étaient enterrés.

Un courant ascendant souleva soudain le planeur et l'emporta à cent mètres du secteur où Conor aurait préféré atterrir. Conor poussa la barre de direction à bâbord toute et abaissa le nez, ce qui eut pour effet de le faire descendre en tournoyant à une allure vertigineuse. C'était ça ou atterrir en pleine mer. Il aurait été dommage de se noyer cette nuit, après avoir volé plus loin dans un planeur qu'aucun homme avant lui.

« Victor serait fier de moi. »

Cette pensée le perturba. En prison, il s'était efforcé de ne pas penser à sa famille ni aux amis de son ancienne vie, mais depuis son évasion il était obsédé par leur souvenir.

« Je pourrais revenir, tout simplement. Expliquer. Père pourrait défier Bonvilain. »

Oui. Et être assassiné pour sa peine. Avec la mère de Conor. Mieux valait faire une croix sur le passé et commencer sa nouvelle existence.

Il perdait rapidement de l'altitude. Tertres et rochers surgissaient de ce qui n'avait été qu'une étendue noire et lisse. Pendant toute la descente, le planeur lutta avec lui et il riposta en injuriant cet engin infernal et en refusant de lui lâcher la bride.

Dès qu'ils furent à l'intérieur de la muraille, les turbulences cessèrent et le planeur se montra plein de douceur et de docilité, en relevant son col aussi gracieusement qu'un cygne. Les bottes de Conor s'enfoncèrent dans la terre et la labourèrent sur trois mètres avant qu'il ne parvînt à replier les ailes dans son dos en tournant une manivelle fixée à sa ceinture.

Il n'avait pas le temps de se réjouir de son atterrissage, ni de se féliciter de l'efficacité de ses ailes repliables – encore qu'en fait elles ne fussent pour l'instant que relevées. Pour qu'elles se replient vraiment, il fallait retirer deux étais.

« Au travail ! Au travail ! »

Les diamants étaient enterrés trente centimètres au nord de chaque carré de salsa. Sept carrés, sept sacs de diamants. La zone cultivée la plus proche était pratiquement à ses pieds. S'il travaillait vite et n'était pas découvert, il lui serait possible de récupérer trois sacs cette nuit.

Sortant un sabre de sa ceinture, il s'en servit pour creuser le gazon à la recherche de diamants, mais il fut distrait de son labeur par la vue d'une silhouette noire se levant avec affolement.

« Un piège. Je suis pris. »

La réalité était bien différente. La silhouette tremblante se mit à parler.

– Qui êtes-vous ? Qu'est-ce que vous voulez à Arthur Billtoe ?

Conor fut envahi d'une colère si intense qu'il l'éprouva dans sa chair même. Il sentit son front le brûler, le pommeau de cuir du sabre craqua dans son poing.

– Billtoe ! gronda-t-il en bondissant en avant. Arthur Billtoe !

L'air s'engouffra dans ses ailes, tant son mouvement était rapide, et il s'éleva brièvement. Cependant si Billtoe espérait s'échapper, il se trompait. Conor atterrit à moins de un mètre du garde terrifié et serra des doigts d'acier autour de son gosier.

« Les rôles ont bien changé ! pensa-t-il. Qui est le maître, maintenant ? Et nous ne sommes qu'à vingt mètres de l'endroit où vous m'avez brutalisé et humilié si longtemps. »

– Billtoe ! répéta-t-il en appuyant la lame de son sabre sur le cou pâle du garde.

– Ê... êtes-vous un ange ou un démon, monsieur ? balbutia Billtoe. Il faut que je sache. Voulez-vous m'emmener au ciel ou dans l'abîme ?

Conor songea à le tuer. La tentation était grande.

Selon toute probabilité, cette canaille avait assassiné Linus Hyver. Emporté par son envie, il entailla légèrement le cou de Billtoe, mais il ne put aller au bout de son geste.

« Vous n'êtes toujours pas un tueur », aurait pu dire Linus.

Il devait s'en tenir à son plan. Il était un espion français.

— Je puis être aussi bien ange que démon, *monsieur* *, lança-t-il. Mais pour vous, je serai toujours un démon.

— Vous allez me tuer ? s'écria Billtoe.

— Pas maintenant, *monsieur* *, répondit Conor non sans regret. Mais comme vous êtes terriblement bruyant...

Il frappa violemment le garde à la tempe avec la poignée de son sabre, ce qui lui procura un certain plaisir. Bizarrement, Billtoe ne paraissait plus si menaçant, étendu sur l'herbe. Privé de son fusil ou de l'autorité dont il était investi, ce n'était qu'un lâche.

« Trouve les diamants. Au moins un sac. »

Son projet de déterrer trois sacs était à l'eau. Billtoe pouvait se réveiller à tout instant. Il était hors de question de passer la nuit à taper sur le crâne du garde, même si ce n'était pas une perspective désagréable. Conor ne pouvait pas non plus le ligoter ni le bâillonner, car il n'avait pas la moindre corde ni le moindre morceau de tissu. Il faudrait qu'il s'en souvienne lors de sa prochaine visite, si du moins il survivait à cette excursion.

Conor se remit à creuser, en arrachant des mottes de terre avec son sabre. Il lui vint à l'idée que Malarkey avait pu lui mentir et cacher leur butin à un autre endroit, mais cela lui paraissait peu probable. Même s'ils s'étaient rencontrés dans des circonstances malheureuses, Otto Malarkey était devenu un ami et les Béliers avaient un grand sens de la loyauté. Ils préféraient monter sur l'échafaud plutôt que de trahir un homme portant leur signe distinctif.

La confiance de Conor était justifiée. La lame du sabre tinta bientôt contre un sac de diamants. Il déposa l'arme et se mit à gratter la boue avec ses doigts gantés, afin d'arracher son trésor de la terre.

« Un sac de trouvé. Il en reste six. »

Conor était tenté d'essayer d'en dénicher un autre. Avec un second sac à sa ceinture, son avenir serait assuré et il pourrait cingler vers l'Amérique dès demain.

« Pars maintenant. Sois prudent. Billtoe peut se réveiller à tout instant. »

Encore un sac. Rien qu'un.

Il courut au deuxième carré de salsa, bien qu'il eût sans cesse l'impression que le garde revenait à lui.

« Aurais-je dû le tuer ? »

Non. Un garde mort éveillerait les soupçons. Il y aurait une enquête. En revanche, les entretiens de Billtoe avec un Français volant passeraient pour une divagation d'ivrogne, à moins que Bonvilain n'ait vent de cette histoire.

« C'est trop tard, à présent. Va chercher le second sac. »

Le carré de salsa se trouvait plus loin au nord de la courbe du rempart. Conor courut le long de la plate-bande, en évitant le vent tourbillonnant sur les tertres de l'île et aussi les embruns salés qui alourdiraient ses ailes.

« Il faudrait que le planeur se replie davantage, songea-t-il. La moindre rafale s'engouffre dans les ailes. »

Le second sac fut aussi facile à trouver que le premier. Otto Malarkey avait suivi ses instructions à la lettre. Le sac sortit de la terre en entraînant des mottes et des cailloux. Il avait la taille et le poids d'un petit lapin.

« Il pèse joliment lourd. Et de deux. »

Cette fois, il était vraiment temps de s'envoler. Continuer les recherches risquait de tourner au désastre. Conor s'imagina en train de passer le reste de la nuit dans son ancienne cellule. Il frissonna. Il fallait qu'il décampe.

Les gardes étaient sans doute blottis dans la tour nord, occupés à bourrer leurs pipes. Conor s'échapperait donc du côté sud. Retournant à la base du rempart, il se fia à son nez pour découvrir des cabinets creusés dans la muraille et munis d'une rigole d'écoulement se jetant dans l'océan. Habituellement, les lieux d'aisances étaient installés près de l'escalier, afin que le garde s'éloigne de son poste le moins longtemps possible.

Comme il l'avait espéré, l'escalier n'était qu'à trois pas des cabinets. Il se dressait comme un bastion dont les marches menaient à la muraille principale. Conor les monta en crabe, en maintenant ses ailes dans son dos. Si elles ne pouvaient se casser, elles étaient livrées aux rafales de vent. Plus d'une fois, il dut s'arc-bouter sur ses jambes afin de résister à leurs efforts pour l'arracher des marches.

« Pas encore. Plus haut. »

Il n'y avait pas trace d'un garde sur le chemin de ronde. Quant à lui, il ne serait que trop visible dès qu'il émergerait de l'escalier. Tout se déroulait exactement comme prévu, si l'on exceptait la présence de Billtoe. Que diable pouvait fabriquer cet homme à cet endroit ? Une sieste en plein air ?

Conor s'étendit au sommet des marches et scruta la courbe de la muraille de chaque côté. Usés par des siècles de patrouilles, les pavés luisaient d'un éclat orangé dans la lumière électrique. Le parapet était percé de créneaux permettant de tirer sur l'ennemi. Le vent s'engouffrait dans ces ouvertures en poussant des plaintes étrangement lugubres.

« Une brise de terre. Encore forte. »

Un heureux hasard aurait pu changer ce vent en une brise marine, qui aurait soufflé en direction de l'Irlande. Toutefois on ne pouvait y compter à coup sûr. Il fallait profiter des faveurs de la chance, mais sans les inclure dans ses plans. Conor se prépara donc à se diriger non pas vers Kilmore mais vers la Grande Saline, puisque le vent en avait décidé ainsi.

Il serra les jambes, abaissa son harnais. Il empoigna d'une main le levier des ailes, et de l'autre la barre du gouvernail.

« Le ciel m'attend ! »

Il se leva et courut sur le chemin de ronde. Ses bottes claquant sur les pavés lui parurent faire un bruit

339

énorme. Les gardes de la tour allaient sûrement l'entendre.

« Concentre-toi sur tes gestes. La moindre erreur pourrait te coûter la vie. »

C'était étrange, mais parfois la voix intérieure de Conor ressemblait à celle de Victor Vigny.

« J'ai un ange gardien, et il est français. »

Cette idée le fit sourire, si bien qu'en dépit du danger de mort, ce fut un Conor Finn allègre qui se hissa sur le parapet de la Petite Saline et s'élança dans le ciel nocturne.

« Je retourne chez moi en volant. »

PONT-SEBBER, GRANDE SALINE

Pike travaillait généralement pendant les premières heures du jour sur la Petite Saline. Après quoi il passait des moments ensoleillés et des journées de loisir sur la grande île, à soigner sa mère infirme – elle n'avait qu'une jambe – et à réparer le mur de son cottage, auquel il se consacrait depuis quinze ans. Quand il ne gâchait pas du mortier pour le mur, Pike amassait un joli magot en vendant des informations aux Béliers.

Même s'il ne pouvait s'intégrer vraiment dans la bande, Pike était un homme utile en toute circonstance car son apparente carence en matière grise ne l'empêchait pas d'avoir un don troublant pour accumuler des informations. Le directeur, qui était un fin politique, appréciait ce talent au point d'accorder à Pike des congés spéciaux pour qu'il lui rapporte le plus possible de commérages de la cour. De leur côté, les Béliers le payaient généreusement pour les renseignements sur les douanes qu'il pouvait soutirer à ses copains du port. Il se faisait ainsi un double revenu chaque semaine, à l'insu de ses deux clients.

Outre ses informations, Pike rendait de menus services aux Béliers. Pas de violences qui auraient pu lui coûter la tête, d'autant qu'il était d'une incurable lâcheté. Sa dernière mission était toute simple, quoiqu'un peu déconcertante. Jusqu'à nouvel avis, chaque fois qu'un vent vif soufflait la nuit depuis l'Irlande, il devait remorquer une yole jusqu'à Pont-Sebber et la laisser là. Rien de plus. Il n'avait qu'à échouer l'embarcation sur cet affleurement argileux au sud de Fort-Promontoire puis rentrer au port en remontant de nouveau la côte à la rame. Pas de lumière, pas de sifflements ni de chansons de marins, sans quoi les tireurs d'élite des îles Salines lui tireraient une balle dans le postérieur. Il devait se contenter d'échouer la yole et de repartir. Le bateau rentrerait à Port-Saline dès le lendemain par ses propres moyens.

Malgré leur simplicité, ces instructions n'étaient pas du goût de Pike. Grâce à son double salaire, il avait conscience de la valeur d'un bon renseignement. Il était certain que des gens donneraient cher pour savoir quelle sorte d'individu prenait un bateau à Pont-Sebber au petit matin. C'était sûrement quelqu'un de louche. Les honnêtes citoyens passaient par le port sans avoir à recourir à ce genre de manigances.

Le problème était d'arriver à vendre cette information

sans se mettre à dos les Béliers. Cependant il pourrait y réfléchir une fois qu'il aurait effectivement quelque chose à vendre.

Pike décida donc de remettre son départ jusqu'au moment où le marin mystérieux aurait embarqué. Il saurait alors en quoi consistait son information et combien elle valait.

Après avoir caché sa propre barque sous un amas de mauvaises herbes, il grimpa en haut des rochers et commença son guet.

Au bout de deux heures, il regretta de ne pas avoir emporté plus de tabac. Il songeait à bourrer sa pipe avec des algues quand il entendit un bruissement au-dessus de sa tête. Du coup, il laissa tomber sa pipe.

« Si c'était une chauve-souris, elle devait être énorme. Il doit plutôt s'agir d'une mouette qui volait bas, ou d'une crécerelle venue d'Irlande. »

Il avait la vague impression que cette créature était d'une taille imposante.

« Il doit y avoir à manger, sur un oiseau pareil. Dommage que je n'aie pas mon lance-pierre. Même une mouette n'est pas mauvaise quand on la prépare correctement. »

Il sortit en se tortillant de sa crevasse, juste à temps pour voir un homme ailé descendre en piqué pour se poser sur Pont-Sebber, en traînant sous ses talons un sillage de galets.

« Un homme volant, se dit Pike avec ahurissement. Un homme qui peut voler. »

Il comprit aussitôt qu'il ne reverrait jamais rien d'une

342

telle valeur. Sortant un calepin de sa poche, il lécha le bout du crayon attaché par une ficelle à la reliure.

« Un bon informateur sait ce qu'il vaut la peine de se rappeler. En ayant toujours un crayon à portée de la main, on est sûr de ne jamais rater une occasion. »

C'est ainsi que Pike, le cœur battant et les doigts tremblants, se mit à dessiner l'aviateur ailé s'accrochant au plat-bord de la yole, de peur que le vent ne l'emporte jusqu'à la lune.

Il ajouta des flèches pointées sur les ailes, au-dessus desquelles il inscrivit : « ailes », comme si écrire le mot rendait plus réel ce qu'il avait sous les yeux. Il le nota à l'instant où l'aviateur tira un levier, ce qui eut pour effet de faire remonter les ailes dans son dos. Il fit un schéma du harnais où le cavalier céleste était engoncé de l'épaule au genou. Puis il vit l'homme s'extraire de ce harnais comme une femme ôtant son corset, avant de compresser tout son engin en enlevant quelques supports jusqu'à ce que les ailes soient pliées plus impeccablement que la nappe d'un pique-nique.

« Peut-être devrais-je me contenter de prendre ces ailes, pensa Pike. Cet homme volant n'a pas l'air si imposant. Je pourrais le découper en côtelettes avec mon couteau et offrir ces ailes au directeur. Ce serait peut-être la meilleure solution. »

Il remarqua alors que l'homme avait un sabre fixé à sa ceinture, ainsi qu'un revolver. Il était également possible que ce genre d'homme volant fût doué d'étranges pouvoirs mystiques, tel que le mauvais œil ou le meurtre par envoûtement.

«Mieux vaut se contenter de dessins aujourd'hui, décida-t-il. La prochaine fois, je serai prêt et il ne se méfiera pas. Une bonne petite hache à manche court devrait faire l'affaire.»

L'homme volant rangea soigneusement son équipement sous le siège arrière, puis il s'arc-bouta sur le sol argileux pour pousser le bateau. La yole glissa doucement dans l'eau noire sans faire plus de bruit que les vagues déferlant sur la côte nord.

«Il est parti, se dit Pike. Je suis en sécurité.»

Cependant il l'avait peut-être pensé trop fort, car l'aviateur se figea et tourna vers les rochers son regard masqué par des lunettes protectrices. En inclinant la tête comme un chevreuil aux abois, il scruta les hauteurs avec ses deux cercles de verre rougeoyants.

«Il a les yeux en feu, s'affola Pike. Il peut voir dans l'obscurité.»

L'étrange homme volant finit pourtant par se retourner. Il monta d'un bond dans l'embarcation, qui se mit à tanguer sous son poids tandis que la proue heurtait violemment les vagues. En quelques secondes, la voile noire se déploya, la yole vira sur tribord et s'éloigna de l'île.

Pike poussa un soupir de soulagement.

«Peut-être qu'une petite hache ne suffira pas, réfléchit-il. Il me faudrait un outil avec un manche long.»

Chapitre 13

Le retour du soldat

KILMORE

Conor louvoya en profitant aussi longtemps que possible du vent de terre, avant de baisser la voile et de ramer en direction du port de Kilmore. Les nuages s'étaient épaissis et des gouttes de pluie crépitaient sur les planches. La marée était en train de monter, de sorte qu'il mit pas mal de temps à arriver en dépit du vent dans son dos.

Conor s'était attendu à être transporté de joie, en cet instant auquel il avait aspiré si longtemps. Des diamants étaient accrochés à sa ceinture et un avenir de liberté s'ouvrait devant lui. Zeb Malarkey lui avait envoyé de nouveaux papiers d'identité. Il pouvait prendre un billet pour New York dès demain s'il le désirait.

« C'est assez pour commencer une vie nouvelle. »

Il éprouvait une certaine satisfaction, mais elle était morose, sans enthousiasme. Les souvenirs de son ancienne vie semblaient revendiquer la première place dans son esprit, maintenant qu'il était sorti de prison.

Conor se demandait s'il pourrait jamais se sentir de nouveau vraiment heureux, sans ses bien-aimés pour partager avec lui ses succès. Il s'accorda un bref instant de rêverie. Il s'imagina en train de faire atterrir son planeur non pas sur la Petite Saline mais sur la longue plage irlandaise de Curracloe, qui était parfaitement droite et plate sur plusieurs kilomètres. Victor en parlait toujours comme de l'endroit idéal pour essayer leurs aéroplanes.

Il y aurait foule, bien sûr. Des journalistes seraient accourus du monde entier, de même que des troupeaux de savants sceptiques. Cependant Conor se ficherait des uns comme des autres. Il guetterait l'apparition de ses parents, et de Victor. Tous s'étreindraient, pleins d'excitation et de fierté. Son père serait le premier à le rejoindre tandis qu'il descendrait en piqué pour atterrir. Peut-être Isabella serait-elle là.

Le cœur de Conor se serra. Isabella.

« Elle croit que je suis complice du meurtre de son père. Comment a-t-elle pu croire une chose pareille ? »

Au lieu de planer vers le sable doré de Curracloe, il était seul dans un bateau, sans personne avec qui se vanter de ses exploits et célébrer l'événement. Voler n'était plus pour lui une fin en soi, mais un moyen de l'aider dans ses brigandages.

« J'ai volé plus loin que n'importe quel autre homme. J'ai plané la nuit au-dessus des flots. Avec les étoiles pour seules confidentes. L'unique personne qui soit au courant est un gardien de prison cruel, un crétin qui croit que je suis le diable. Je suis le premier bandit volant de l'histoire du monde. »

Conor secoua la tête pour chasser cette rêverie dérangeante et se recula pour ramer. Il maniait les avirons avec habileté, comme le lui avait enseigné son père. Se pencher en avant, enfoncer les pales dans l'eau mais pas trop. Tirer avec le dos puis les bras. Créer un rythme et laisser ce rythme vous apaiser. Un homme peut être vraiment en paix sur l'eau dans un petit bateau, même si seule une planche de bois le sépare de l'océan froid et impitoyable.

« Un voleur peut-il être en paix ? Pour un moment, peut-être. »

Conor amarra la yole au quai, fourra son casque et ses lunettes dans une poche de sa veste puis enveloppa le planeur dans son manteau. Après avoir hissé sur son dos ce paquet discret, il grimpa l'échelle menant à la jetée. À chaque pas qu'il faisait le long du mur du quai, les diamants cliquetaient comme des sacs de billes. Il héla deux garçons occupés à raccommoder un filet sur la cale et leur donna deux shillings.

– Un pour ramener le bateau et l'autre pour vous, leur dit-il.

Il était courant sur les îles Salines de voir des visiteurs boire une chope de trop et manquer le dernier ferry. Assez courant pour n'éveiller aucun soupçon. On trouvait toujours sur les docks quelques gamins prêts à rapporter un bateau emprunté – contre une récompense, évidemment.

« Peut-être aurai-je besoin de ces garçons pour encore quelques nuits, pensa Conor. Ensuite, je quitterai cet endroit à jamais. »

Toutefois cette pensée n'avait rien de réjouissant. À mesure qu'il songeait davantage à sa famille, son rêve américain avait pâli. Il persévérerait néanmoins dans son projet, car il ne pourrait supporter de rester ici, assez près de chez lui pour voir briller la lumière de la cuisine.

« Je suis Conor Finn, à présent. Je n'ai pas de famille. »

Le village de Kilmore était assez calme, en cette heure tardive. On entendait pourtant encore des discussions animées en provenance de la Cabane de bois, le pub local construit presque entièrement avec les planches du rouf d'un navire grec naufragé.

Conor fut tenté d'entrer et de s'attabler devant un bol de ragoût, mais la marchandise qu'il portait sur son dos et à sa ceinture était trop précieuse pour la glisser sous une table de taverne. Il continua donc de gravir péniblement la colline, en laissant le village derrière lui.

Son nouveau foyer se trouvait à trois kilomètres de Kilmore, près de la vieille route côtière. Après avoir grimpé un échalier, Conor suivit un chemin défoncé longeant le bord de la falaise jusqu'à un portail médiéval nanti de piliers moussus sur lesquels étaient perchés deux aigles.

« Des aigles, se dit Conor. La petite plaisanterie de Victor. »

La grille de fer forgé était imposante et aurait pu décourager les voleurs, si les murs des deux côtés n'avaient été pillés au cours des années par les habitants de la région afin de bâtir leurs demeures. La pierre taillée coûtait trop cher pour qu'on la laisse empilée dans une propriété à l'abandon. Il n'en restait plus que des débris éparpillés sur l'herbe.

Conor escalada le mur en ruine et remonta une avenue qui serpentait au milieu d'un taillis de saules. Derrière l'écran des feuillages se dressait une tour Martello, un cylindre de pierre à la silhouette trapue et aux murs d'une épaisseur prodigieuse, que l'armée britannique avait construit pour surveiller les îles Salines. L'unique porte se trouvait à trois mètres au-dessus du sol et on ne pouvait y accéder que par une échelle. Les fenêtres étaient des meurtrières pas plus grandes que des boîtes aux lettres, qui permettaient aux soldats de la garnison installée à l'intérieur d'abattre n'importe quel malheureux assaillant.

Conor prit une échelle cachée dans les broussailles à la base de la tour et l'appuya contre le mur. En veillant à maintenir en équilibre le planeur replié sur son épaule, il se mit à gravir lentement les échelons.

« Après avoir survécu à des vols nocturnes au-dessus du canal Saint-Georges, il serait dommage de me fracasser le crâne en tombant d'une échelle. »

La porte de bois effrité, maintenue par des rivets et des plaques d'acier, paraissait fragile. Mais l'aspect de cette tour était souvent trompeur. Conor avait passé des heures à modifier sa structure, en travaillant presque uniquement à l'intérieur. Inutile de faire de la réclame pour cette remise à neuf. Une porte d'acier au chambranle blindé se trouvait derrière celle en bois. Conor tourna une clé dans la serrure et entra.

En reverrouillant la porte derrière lui, il poussa un soupir de soulagement presque inconscient.

« Me voici chez moi. Vivant. »

L'intérieur de la tour était beaucoup plus salubre que l'extérieur ne le laissait supposer. Au premier étage, un laboratoire abritait un équipement complet pour l'étude de l'aéronautique, avec des machines plus sophistiquées que celles de bien des universités royales. Des graphiques étaient cloués aux murs. Les théories et les schémas de Léonard de Vinci, de Cayley, du marquis de Bacqueville. Des maquettes de planeurs de toutes tailles étaient suspendues aux poutres du plafond. Pneus, chambres à air, ailes, moteurs, barils de pétrole, planches de bois, châssis et rouleaux de tissu étaient soigneusement empilés le long des murs. Il y avait aussi des paniers d'osier. Roulements à billes, aimants, rivets et écrous étaient rangés dans des bols de bois sur l'établi. Une plate-forme sous le toit, accessible grâce à un treuil à vapeur, abritait des fusils, des revolvers, des sabres, deux canons de petit calibre et une pyramide de boulets de canon.

« Victor se préparait à une vraie bataille. Il savait que Bonvilain voulait sa mort. »

Une tour située sur la pointe Mortella, en Corse, avait résisté pendant presque deux jours au pilonnage de deux navires de guerre britanniques, en ne perdant que trois hommes. Les Anglais avaient copié le bâtiment mais s'étaient trompés sur le nom, qu'ils avaient changé de Mortella en Martello. Si Bonvilain voulait réussir à pénétrer dans le laboratoire de Victor, il devrait payer cher ce privilège.

Conor n'avait guère eu de peine à localiser la tour dont Victor lui avait parlé le dernier jour de sa vie. Il n'y avait que deux tours Martello dans les environs de Kilmore, et l'une était occupée depuis un demi-siècle. Restait celle répondant au nom sinistre de la Pointe du Désespoir. À l'origine, elle s'appelait simplement le Guet des îles Salines, mais les hommes de la garnison avaient bientôt pris l'habitude de lui donner le nom du promontoire sur lequel elle se dressait. Ce nom était en accord avec les vents incessants et le temps gris caractérisant la région, alors que le Guet des îles Salines avait presque quelque chose de joyeux. Le bâtiment devint donc la Pointe du Désespoir, qui devait une certaine célébrité au chanteur populaire Tam Riordan. Sa *Complainte de la Pointe du Désespoir* commençait ainsi : « Pour mes péchés je me rends à la Pointe du Désespoir. » La suite n'était pas plus gaie : « Et si la marée monte, je me jetterai dans la mer... »

On racontait que la tour était hantée par les fantômes de trente-sept hommes qui avaient été brûlés vifs à l'intérieur lors de l'incendie du dépôt d'armes. Il n'était pas étonnant qu'elle fût à l'abandon.

Jusqu'au jour où Victor Vigny décida qu'elle ferait un atelier idéal. Il avait persuadé le roi Nicholas de financer le projet. Afin que la participation du souverain reste secrète, le Français avait acheté la tour en son propre nom. Ensuite diverses cargaisons étaient arrivées de Londres, de New York et même de Chine.

Le matériel avait été hissé par un treuil jusqu'au toit, puis transporté à l'étage inférieur où se trouvait le laboratoire. Il était resté là pendant deux ans, sans être dérangé par l'ivrognesse du village qui faisait office de gardienne. Puis Conor arriva et trouva une clé l'attendant dans les serres d'un des aigles du portail.

Les fantômes n'inquiétaient pas Conor. En fait, il se réjouissait de cette légende car elle tenait à distance les habitants superstitieux de la région. De temps en temps, un garçon amenait sa petite amie jusqu'au mur de la tour, histoire de toucher les pierres visqueuses et de détaler en hurlant. En dehors de ces intrusions sans importance, rien ne troublait sa tranquillité.

Dans le village, il se montrait courtois mais peu liant. Il achetait ses provisions, payait rubis sur l'ongle et s'en allait. Les villageois ne savaient que penser du jeune homme pâle et blond vivant à la Pointe du Désespoir.

— Il marche comme quelqu'un qui sait se battre, disaient certains. Toujours prêt à tirer son sabre.

— Il est beau mais féroce, concluaient les femmes.

Une jeune fille n'était pas d'accord.

— Pas féroce, dit-elle. Il a l'air hanté par quelque chose.

L'aubergiste avait ri.

— Eh bien, si Mr Beau-Mais-Féroce a envie d'être hanté, il a trouvé la demeure qu'il lui fallait.

L'appartement de Conor se trouvait sous le laboratoire, au rez-de-chaussée. Toutefois il n'y passait pas beaucoup de temps, car l'atmosphère sombre et confinée lui rappelait sa cellule sur la Petite Saline. Victor l'avait meublé luxueusement avec un lit à baldaquin, un bureau et une méridienne. Il y avait même des toilettes reliées à l'océan. Mais quand les lumières s'éteignaient et que les murs vibraient à chaque vague s'écrasant sur le rivage, Conor se croyait revenu à la Petite Saline. Chaque matin, il était réveillé par le coup de canon tiré dans la prison. Une nuit, il se surprit à graver presque inconsciemment des calculs dans le mur avec une pierre aiguisée. Il décida qu'il était déjà assez pénible de vivre si près de son foyer natal pour ne pas recréer de surcroît sa cellule de prisonnier en Irlande.

Il se mit donc à dormir sur le toit, ou plutôt dans ce qui avait été le toit mais était maintenant un étage supplémentaire – *la pièce de résistance* * de Victor. Les tours Martello avaient des toits absolument plats, capables de supporter le poids de deux canons et de leurs servants. Victor avait profité de cet espace plat et solide pour constituer un puissant tunnel aérodynamique, actionné par quatre ventilateurs à vapeur. Pendant des années, ils avaient été contraints d'étudier les effets du vent sur les ailes en se servant d'un appareil à bras tournoyant, mais à présent il était possible à Conor de mesurer avec précision la portance, la résistance et la vitesse relative de l'air à l'aide du tunnel aérodynamique le plus puissant du monde. L'engin était simple mais efficace. Long de six mètres, avec une amplitude de huit mètres, il fonctionnait grâce à un système à injection de vapeur pouvant produire un courant d'une vitesse de trente-deux kilomètres à l'heure.

Avec ce tunnel, Conor avait appris que nombre de ses projets esquissés en prison étaient défectueux, mais que d'autres plus nombreux encore se révélaient prometteurs. Quatre de ses planeurs réussirent à dépasser le stade de la maquette, et il était convaincu que son aéroplane à moteur volerait lui aussi une fois assemblé.

Le tunnel aérodynamique avait un autre usage. Conor s'en servait pour accroître son élan du haut du toit de la tour. Il se harnachait, déployait ses ailes puis se penchait de biais dans le courant d'air, afin d'être projeté dans le ciel comme un boulet de canon.

« Vous prenez des risques, lui aurait dit Victor sans aucun doute. Vous brûlez plusieurs étapes du processus scientifique. Et vos notes sont vagues et souvent codées. Quelle sorte de savant êtes-vous ? »

« Je ne suis pas un savant, aurait répliqué Conor. Je suis un bandit circulant dans les airs. »

Ce matin-là, il était assis sur le toit, adossé aux planches du tunnel aérodynamique et emmitouflé dans une couverture de laine. Il mangeait une conserve de bœuf. Le soleil levant baignait d'une lumière dorée dans le lointain les îles Salines, comme si elles étaient un lieu enchanté. Des îles magiques.

Il pensa à ses parents et à Isabella, puis lança avec irritation sa fourchette à l'autre bout du toit de pierre et descendit d'un pas lourd au rez-de-chaussée.

« Je vais dormir en bas et me rappeler ma cellule. J'ai besoin d'une résolution inébranlable. »

Deux jours plus tard, Conor avait fini de réparer les planches du tunnel aérodynamique et s'était rendu à Kilmore. Il avait envie de faire un vrai repas et aussi d'entendre des voix humaines, même si elles ne s'adressaient pas à lui. Il avait eu un choc en constatant que sa solitude s'était approfondie depuis son évasion de la prison. Il fallait qu'il recherche la compagnie de ses semblables, pour le bien de son propre équilibre mental.

C'était jour de marché à Kilmore, de sorte que les quais étaient bordés d'éventaires. Il devait y avoir une douzaine de mendiants pour chaque éventaire. Une grande excitation régnait autour d'une monstrueuse machine à vapeur qui roulait sur des roues métalliques le long du front de mer, en vomissant d'énormes bouffées d'une fumée âcre. Un penny le tour.

Conor examina la machine mais comprit vite qu'elle ne pouvait rien lui apprendre. C'était une vieille routière des champs de foire, où elle s'échinait depuis vingt ans. Rien à voir avec la merveille scientifique qu'annonçait son propriétaire.

Conor entra dans la Cabane de bois, se trouva une table dans un coin et commanda un bol de ragoût.

La vie se déployait sous ses yeux. Il pouvait la voir, l'entendre, la humer. Les grattements des coudes sur les tables, les heurts des chaises bancales. Le soleil brillant à travers la fumée des pipes. Cependant il y avait une distance entre lui et le monde. Il ne ressentait qu'une immense irritation envers les gens en général. Tout l'agaçait : les bruits de mastication, les déglutitions des

355

buvers de bière, les halètements d'un ivrogne. Rien ne semblait mériter son indulgence.

« J'ai oublié ce qui fait l'humanité. Je suis un monstre. »

Puis il sentit son humeur s'éclaircir en entendant une musique entrant dans la taverne par la fenêtre. Un violon déroulait doucement sa mélodie comme un tapis merveilleux, jouait au-dessus des têtes, planait sur l'air fétide et la fumée des pipes. Il semblait percer le brouillard où le cœur de Conor était noyé et le réchauffer de ses accents harmonieux.

« Je connais cette musique, se dit Conor. Je l'ai déjà entendue quelque part. Mais où ? »

L'aubergiste arriva avec son ragoût, une soupe copieuse au bœuf et au cochon, à la surface de laquelle flottaient de gros morceaux de légumes.

— Habituellement, jeune homme, je chasse les mendiants, déclara-t-il. Mais la façon dont cet aveugle joue, ça me rappelle mon enfance dans les écuries. C'étaient des années magnifiques.

Il essuya une larme avec un doigt tatoué.

— Il y a des oignons dans le ragoût, gémit-il avant de s'éloigner.

Conor s'attaqua au plat en savourant son goût et sa texture, à quoi s'ajoutait le plaisir de cette musique étrangement familière.

« Je donnerai un shilling au musicien en m'en allant, décida-t-il. Quel est donc cet air ? »

Plus Conor écoutait, plus cette énigme l'irritait. Puis tout s'éclaira d'un coup.

« J'ai non seulement entendu mais lu cette musique. L'aubergiste a parlé d'un aveugle… »

Il laissa tomber sa cuiller pleine à ras bord, se leva de sa chaise d'un air hébété et se fraya un chemin dans la foule de ce jour de foire. Au sortir de l'obscurité enfumée de la taverne, le soleil soudain l'éblouit.

« Suis la musique. »

Il courut comme un rat ensorcelé par le joueur de flûte de Hamelin. Un petit attroupement s'était formé à côté de la Cabane de bois. Les badauds se balançaient à l'unisson au rythme d'un doux adagio. Au centre de l'attroupement, une haute silhouette vêtue de noir menait la danse avec l'archet de son violon et berçait l'auditoire.

Conor s'arrêta net, sidéré. Il ne savait s'il devait rire ou pleurer, et finit par faire les deux à la fois.

Le musicien était Linus Hyver.

– Billtoe n'avait donc pas menti. On vous a vraiment relâché ?

Assis à la table de Conor dans la taverne, ils savouraient un verre de bière brune après leur ragoût. Le corps dégingandé de Linus Hyver était trop long pour le mobilier et il était obligé de redresser ses jambes pour qu'elles tiennent sous la table. Ses pieds croisés dépassaient à l'autre bout.

– J'ai bel et bien été relâché, déclara-t-il en maniant sa pipe et sa blague à tabac. Même si je m'attendais plutôt à être relâché, si vous voyez ce que je veux dire. Nicholas avait signé l'ordre avant sa mort et il est arrivé sur l'île quelques jours plus tard. Comme le maréchal Bonvilain ne s'y était pas expressément opposé, j'ai pu m'esquiver. Libre comme l'air.

Il gratta une allumette sur la table et fit danser la flamme au-dessus de la pipe.

– J'imagine que vous ne vous êtes pas échappé aussi facilement.

– Effectivement, confirma Conor.

Hyver sourit et de la fumée s'éleva entre ses dents.

– Je jouais du violon à Dublin, dans une jolie taverne. Puis j'ai commencé à entendre des rumeurs à propos d'un boulanger qui avait volé jusqu'à la lune en chevauchant un ballon.

– C'était un boucher et il n'a jamais approché de la lune, croyez-moi.

– J'ai songé que Victor ne cessait de parler de ballons, et que le jeune Conor était son élève. Une coïncidence ? Cela me paraissait peu probable. Je me suis donc mis à prendre le train reliant Westland Row à Wexford à peu près une fois par semaine, dans l'espoir que vous vous montreriez. Je commençais à croire que vous n'aviez pas survécu.

– Il s'en est fallu de peu. C'est un miracle si je suis assis ici aujourd'hui.

Linus tapota son violon.

– Vous vous souvenez du *Retour du soldat* ?

– Comment pourrais-je l'oublier ? J'en ai appris par cœur des passages entiers.

– Ah ! vous avez trouvé mes notes.

– J'ai utilisé le mur pour mes propres schémas. Saviez-vous que le corail était phosphorescent ?

Linus se tapa la tempe.

— Non. Je suis aveugle, vous savez. C'est un sacré inconvénient quand il est question de corail phosphorescent ou de trucs du même genre. Tracer les notes avec mes doigts était un réconfort pour moi, cela m'aidait à me souvenir. Il y avait aussi le risque que je meure dans cet endroit et que ma musique soit perdue à jamais.

— Eh bien, vos notes brillaient, Linus. Le spectacle en valait la peine.

— Mes notes brillent toujours, mon garçon. Dommage que le reste du monde ne s'en aperçoive pas.

Hyver tira énergiquement sur sa pipe.

— Parlons affaires, maintenant. Avez-vous un plan ? Ou aimeriez-vous entendre le mien ?

— Un plan pour quoi ?

Les rides se creusant entre les yeux dévastés de Linus exprimèrent un étonnement sans bornes.

— Pour mener Bonvilain à sa perte, évidemment. Il nous a tout pris, et il continue de détruire des vies. Nous avons une responsabilité.

— J'ai une responsabilité envers moi-même, répliqua Conor d'un ton dur. Mon plan consiste à récupérer tous les diamants enterrés sur la Petite Saline afin de commencer ensuite une vie nouvelle en Amérique.

Hyver se redressa.

— Bon sang, mon garçon ! Bonvilain a tué votre roi. Il a tué notre ami, l'incomparable Victor Vigny. Il a mis en pièces votre famille, éloigné de vous votre bien-aimée. Et tout ce que vous comptez faire, c'est fuir ?

Le visage de Conor était figé.

— Je sais ce qui est arrivé, Mr Hyver. Et maintenant je sais aussi un peu comment fonctionne le monde réel. Tout ce que je peux espérer, c'est quitter ce continent en vie. Et même ça n'est pas évident. Quant à attaquer tout seul un royaume, ce serait de la folie.

— Mais vous n'êtes pas seul.

— Pour sûr ! Le jeune homme et l'aveugle vont s'attaquer à eux deux à Bonvilain ! Il ne s'agit pas d'une opérette, Linus. Des gens très bien se font tirer dessus et meurent. Je l'ai vu de mes propres yeux.

Conor parlait d'une voix forte, qui éveillait l'attention. Même ici, il valait mieux ne pas prononcer le nom de Bonvilain à la légère. On prétendait que le maréchal avait des espions dans tous les pays, de l'Irlande à la Chine.

— Moi aussi, j'ai assisté à ce genre de scènes, répliqua Hyver à voix basse. Mais pas récemment. Il a fallu que je me contente de l'imaginer, ce qui est mille fois pire.

Conor avait envisagé la mort bien des fois, en prison, et pas seulement la sienne. Il s'était représenté ce que Bonvilain ferait à ses parents si ceux-ci découvraient la vérité sur le meurtre de Nicholas.

— Si je me bats, il tuera mes parents. Il le fera en un clin d'œil, et cela ne l'empêchera pas un instant de dormir.

— Croyez-vous que votre père vous remercierait de faire de lui le pantin du maréchal ?

— Mon père pense que j'ai participé à l'assassinat du roi. Il m'a dénoncé.

— Raison de plus pour lui apprendre la vérité.

— Non. Je n'en peux plus. J'aime mon père mais je le déteste aussi. Partir est la seule solution pour moi.

— Et votre mère ? s'entêta Linus Hyver. Et la reine ?

Conor sentit la mélancolie l'envahir de nouveau.

— Je vous en prie, Linus. Ne gâchons pas nos retrouvailles. Je sais que nous n'avons partagé notre cellule que quelques jours, mais je vous considère comme le seul ami que j'aie au monde. Il est doux d'avoir un ami. Évitons donc ce sujet pour l'instant.

— Vous n'avez pas envie de laver votre nom de cette infamie, Conor ? insista Linus. Comment pouvez-vous laisser votre père vivre avec l'idée que vous avez assassiné son roi ?

Conor savait que cette idée rongerait Declan Broekhart de l'intérieur, mais il ne voyait aucune issue.

— Bien sûr que je désire prouver mon innocence. Bien sûr que je désire démasquer Bonvilain. Mais comment puis-je y parvenir sans mettre en danger ma famille ?

— Nous pouvons trouver un moyen. En unissant nos intelligences.

— Je vais y réfléchir. Pour l'instant, c'est assez sur ce sujet.

Linus leva les mains pour montrer qu'il se rendait.

— D'accord, c'est assez.

Puis il se tourna vers la fenêtre, sentit le soleil sur son visage.

— Voyez-vous une horloge quelque part, Conor ? De ma place, je n'arrive pas à dire l'heure d'après le soleil. Il faut que je prenne le train pour Wexford.

— Oubliez ce train, Linus. Vous rentrez avec moi.

Hyver se leva et son chapeau effleura le plafond.

— J'espérais tellement que vous prononceriez ces mots. Les lits sont confortables, au moins ? J'ai séjourné une fois au Savoy, vous savez. Je ne vous l'ai jamais raconté ?

Conor le prit par le coude pour le guider vers la porte.

— Si, vous me l'avez raconté. Rêvez-vous encore aux toilettes ?

— Et comment, soupira Linus. Serons-nous tranquilles, dans cette maison ? Nous aurons besoin d'isolement, pour que je puisse ourdir mes machinations.

— Nous aurons une paix royale. Il y aura juste vous, moi et une petite garnison de soldats.

— Des soldats ?

— Enfin, leurs fantômes.

Linus pinça les cordes de son violon en imitant un orchestre de music-hall annonçant un moment particulièrement palpitant.

— Des fantômes, vraiment ! déclama-t-il. Il semble, Mr Finn, que nous soyons destinés une nouvelle fois à partager un logis sortant de l'ordinaire.

Chapitre 14

Deux cerveaux
en commun

Linus eut vite fait de s'acclimater dans son nouveau gîte, et Conor était heureux de sa présence. Il avait coutume de garder ses pensées pour lui, de sorte que pouvoir les exprimer était un soulagement. Ils étaient assis ensemble sur le toit. Pendant que Conor bricolait l'ossature de sa dernière machine volante, Linus travaillait à ses œuvres.

— Je pense qu'un luth ferait bien ici, disait-il. Trouvez-vous que ce serait trop bucolique ? Trop vulgaire ?

— J'ai deux problèmes essentiels, répliquait Conor. Le poids du moteur et l'efficacité de l'hélice. Tout le reste fonctionne, j'en ai fait la démonstration. Oui, je crois vraiment que ce nouveau moteur à essence que j'ai construit fera l'affaire.

Linus hochait alors la tête et déclarait :

— Vous avez raison. Ce serait vulgaire. Je pencherais pour un piccolo, mon garçon.

— Il faut que mon moteur me fournisse au moins dix chevaux-vapeur, continuait Conor. Et cela sans mettre l'appareil en pièces. Je devrai bâtir un boîtier capable d'amortir les vibrations. Peut-être une corbeille en osier.

— Vous êtes donc plutôt pour le luth ? Effectivement, le piccolo n'éveille certes pas le même respect.

— Vous voyez, disait Conor en ciselant sa dernière hélice. Nous pouvons résoudre n'importe quel problème, à condition de mettre nos cerveaux en commun. Comme disait Victor, nous avons besoin de nous cogner le crâne.

Ce furent des jours raisonnablement heureux. Le spectre du maréchal Bonvilain les surveillait du fond des îles, mais les deux hommes, le jeune et le moins jeune, avaient une impression de camaraderie comme ils n'en avaient pas connu depuis des années.

Il leur arriva de se disputer, bien sûr. Surtout lorsque Conor mit en marche les ventilateurs à vapeur en vue de son deuxième vol. Linus Hyver sortit de sa chambre et grimpa l'échelle en hurlant pour couvrir le bruit du moteur.

— Bon sang, mon garçon ! À quoi diable peuvent vous servir des moteurs à cette heure de la nuit ?

Quand Conor lui expliqua la situation, le musicien faillit s'évanouir.

— Vous allez vous lancer dans un ouragan artificiel pour pouvoir retourner dans une prison en volant ? Écrivez donc cette phrase noir sur blanc et lisez-la. Ça vous fera peut-être prendre conscience de votre propre démence.

Conor chaussa ses lunettes de protection.

– Je dois le faire, Linus. Cette île a une dette envers moi. Encore cinq sacs et je pars – nous partons – pour l'Amérique.

– C'est donc par cupidité que vous devez vous élancer dans l'espace ? Pour la science, je pourrais comprendre à la rigueur. Nick et Victor lui avaient dédié leur vie.

– Il ne s'agit pas seulement de cupidité, mais de justice.

Linus ricana avec amertume.

– Vous parlez de justice ? Ce qui serait juste, ce serait que vous arrachiez vos parents et votre reine aux griffes du fou qui les a trompés.

Cet argument fit hésiter Conor. Linus avait raison. Ses bien-aimés étaient en danger et il ne savait comment les secourir sans faire leur malheur. Et puis, s'il était honnête avec lui-même, il devait s'avouer qu'il redoutait de revoir le regard brillant de haine de son père.

– Je ne peux rien faire, dit-il enfin. En dehors de récupérer mes diamants.

Linus leva son bras comme un prédicateur.

– Tous ces préparatifs. Tout ça pour des diamants. Je vous croyais au-dessus de ça.

Conor releva ses ailes et se pencha dans le courant d'air.

– Je suis au-dessus de tout, dit-il.

Mais ses mots furent emportés comme lui dans le ciel nocturne.

Installés dans la Taverne de la baie du Pétrel, Billtoe et Pike passaient la soirée à vider un godet de lavasse à moitié prix, comme ils en avaient l'habitude.

Pike fit suivre une longue gorgée d'un rot qui secoua son tabouret.

— Cette lavasse est excellente, déclara-t-il en se léchant les lèvres. Dans la mienne, il y a du vin, de la bière, du cognac et un soupçon de savon au crésol, si je ne me trompe.

Pike se trompait rarement quand il s'agissait de lavasse, car il ne buvait rien d'autre, même si l'argent qu'il empochait grâce aux Béliers lui aurait permis de se payer de la vraie bière au lieu des fonds de tasse qui constituaient ladite lavasse.

— Qu'en dites-vous, Mr Billtoe ? Vous sentez le savon ? Ça descend vite mais ça ne tient pas longtemps au ventre, pas vrai ?

Billtoe n'était pas d'humeur à échanger des plaisanteries de taverne. Il désirait par-dessus tout boire pour oublier mais il redoutait, une fois qu'il aurait atteint l'oubli, d'y retrouver le démon français en train de l'attendre. Depuis cette nuit sur la Petite Saline, une semaine plus tôt, Arthur Billtoe avait perdu sa cruauté et sa gaieté coutumières. Il sentait planer au-dessus de lui la présence menaçante du diable volant, prêt à abattre son sabre. Sans compter la petite affaire de la mort du prisonnier du maréchal Bonvilain. Dès qu'il était éveillé, Billtoe luttait à chaque instant contre sa panique. Sa tension était telle qu'il s'était mis à trembler continuellement.

– Je voulais vous demander, Mr Billtoe, reprit Pike. Est-ce que vous avez un problème ? Vous ne prenez pas autant de soin que d'habitude de vos belles chemises à jabot auxquelles vous tenez comme à la prunelle de vos yeux. Vous tremblez beaucoup et vous marmonnez tout seul. Attention à la peste, ou à la fièvre jaune, encore que je n'en aie jamais entendu parler aussi au nord.

Billtoe sentit son humeur s'assombrir encore en prenant conscience que Pike, ce crétin sans poils, était son seul ami. Jusqu'à présent, l'amitié ne lui avait jamais manqué. Quand on avait autant de secrets ténébreux à cacher qu'Arthur Billtoe, on n'avait surtout pas besoin de confidents capables de vous les soutirer. Mais ce soir-là, il était au bord du désespoir. Il voulait entendre des paroles réconfortantes sortant d'une bouche bien réelle, et non se contenter de la voix imaginaire de sa pantoufle favorite, à laquelle il lui arrivait de parler.

– Je peux vous demander quelque chose, Pike ?

– Bien sûr, Mr Billtoe. Je préférerais juste qu'il ne soit pas question de chiffres ou de directions, parce que ça me fiche la migraine.

Billtoe frissonna et respira profondément.

– Croyez-vous au diable ?

– Le diable, c'est le directeur, si vous voulez mon avis. Pourquoi ne peut-il donc pas laisser les prisonniers se dévorer entre eux ? On ferait d'une pierre deux coups. Les prisonniers seraient nourris, et nous n'aurions pas à enterrer les morts.

– Non ! glapit Billtoe. Pas le directeur, le diable en personne. Avec ses bonnes vieilles cornes.

Il se retourna sur son tabouret pour faire face à Pike. Son visage était tiré, ses yeux rougis et écarquillés. Le jabot de sa chemise de pirate paraissait flétri.

– Je l'ai vu, Pike. De mes propres yeux. Avec ses ailes et ses yeux flamboyants. Il a atterri sur l'île la semaine dernière. Il me cherchait, pour sûr. Il m'a parlé en français. Le diable m'a appelé par mon nom, Pike. Il m'a appelé !

Billtoe enfouit son visage dans ses bras et bientôt son dos fut secoué de sanglots.

Pike lécha sa paume puis plaqua en arrière la mèche qui constituait toute sa chevelure. Lui aussi, il avait vu le diable. Sauf que ce n'était pas le vrai mais un homme avec des ailes attachées dans son dos. Pike l'avait vu retirer ces ailes et les replier. Il était affligeant de voir Arthur perdre la tête avec ses histoires de démon, mais une information de ce genre valait une fortune, que Pike lui-même pourrait empocher dès que les Béliers lui enverraient leur émissaire pour discuter.

« Cela dit, songea Pike, si quelqu'un sait tirer le maximum d'argent de n'importe quelle situation, c'est bien Arthur Billtoe. Et il va m'adorer, si je le délivre de son diable. »

Pike sortit son calepin de la poche où il était plié, l'ouvrit à la page des croquis qu'il avait griffonnés à Pont-Sebber et le fit glisser sur le comptoir vers son compagnon.

– Je l'ai vu aussi, votre diable, Mr Billtoe.

Billtoe jeta un coup d'œil larmoyant par-dessus ses manches. L'espace d'un instant, il ne comprit pas ce qu'il voyait, puis il reconnut la silhouette dessinée par Pike. Et si Pike aussi avait vu le diable, cela signifiait qu'Arthur Billtoe n'était pas devenu fou. Ses yeux porcins reprirent aussitôt leur expression rusée et une de ses mains s'avança précipitamment, comme un crabe, pour attraper le calepin.

– C'est bien lui, non, Mr Billtoe ? demanda Pike. Sauf que ce n'est pas un démon. C'est un homme comme vous et moi. Plus grand et plus robuste, c'est tout. Faut dire que vous êtes courtaud, et moi… bon, je suis moi. Mais je parie que c'est lui, pas vrai, Mr Billtoe ?

Son compagnon se redressa. Il s'était débarrassé de sa morosité comme un chien mouillé se sèche en s'ébrouant.

– Appelez-moi Arthur, mon vieux Pike, dit-il.

Pike esquissa un sourire édenté. Il connaissait cette lueur dans les petits yeux de Billtoe. C'était le même regard que lorsqu'il s'apprêtait à fouiller un prisonnier. Arthur Billtoe avait flairé un magot.

Un vent de terre soufflait avec constance et la lune brillait comme une pièce d'argent derrière un voile de nuages. La soirée était idéale pour un vol clandestin. Conor Finn se sentit presque satisfait quand il abaissa le nez du planeur et descendit en piqué pour atterrir à Pont-Sebber. Il maîtrisait beaucoup mieux son appareil, maintenant, et ses talons ne souffrirent pas plus que s'il avait sauté d'un muret. Les élastiques des hélices étaient toujours enroulés, car la chance lui avait évité les zones sans courants atmosphériques. Il était également réconforté d'avoir pu récupérer trois sacs de diamants dans les carrés de salsa sans apercevoir le moindre garde. Il s'était inquiété à l'idée que Billtoe pourrait avoir réchauffé un peu son courage et s'être mis en quête de son démon avec quelques copains, mais il n'en avait pas été question un seul instant.

« J'ai terrifié cette ordure pour le moment. Mais il n'aura pas peur longtemps. »

« Encore un voyage, et j'aurai les sept sacs. »

Pourquoi vous les faut-il tous les sept ? aurait pu lui demander Linus Hyver. Conor se posa la même question.

« J'ai besoin d'un dédommagement pour mes années de prison. C'est une question d'honneur. »

C'était là l'argument qui l'avait soutenu en prison. Il accomplirait ce qui était impossible à Billtoe : il ferait sortir les diamants de l'île. À présent, cependant, ce plan ne paraissait pas sans faiblesses. Pourquoi s'exposer ainsi au danger encore et encore, alors qu'il devrait déjà se trouver à bord du vapeur en partance pour New York ? Certes, il avait promis à Otto la moitié des diamants. Mais même après avoir donné leur part aux Malarkey, sa fortune serait toujours plus que suffisante pour lui payer un billet pour l'Amérique et une nouvelle vie là-bas.

« Je n'ai pas envie de partir, réalisa-t-il soudain. Mais je le dois. »

Rester ne serait profitable ni à lui ni à sa famille.

« Sept sacs. Puis l'Amérique. »

La yole était échouée sur l'affleurement argileux, où se dessinaient les traces d'un homme seul repartant vers la baie du Pétrel. Zeb Malarkey honorait sa part du contrat. Il est vrai qu'il avait déjà la moitié des diamants dans ses coffres, et d'autres encore qui l'attendaient.

Assis sur le plat-bord du bateau, Conor détacha le harnais du planeur. Le vol de cette nuit s'était déroulé sans grand dommage, mais il vérifierait demain chaque nervure et chaque panneau pour s'en assurer. Le moindre accroc dans le tissu pouvait effilocher un panneau entier et précipiter Conor du haut du ciel comme un pigeon qui a du plomb dans l'aile.

Un sac de diamants s'échappa du harnais et tomba en cliquetant sur l'argile. Conor eut l'impression qu'il avait fait plus de bruit qu'un coup de canon. Il s'accroupit dans l'ombre de la yole puis attira le sac vers sa poitrine comme un bébé, en scrutant la muraille pour voir si quelque chose bougeait. Mais elle était vide, en dehors du chatoiement limpide des lampes.

« Attention, homme volant. À la moindre erreur, tu pourrais te retrouver sur le ferry te ramenant à la Petite Saline. »

Après avoir caché les sacs sous la banquette arrière, il étendit doucement sur le pont son planeur replié. À cet instant, il se produisit un événement qui le fit sourire.

Se redressant, il leva la main pour prendre le vent.

« Il a changé de direction. Je peux cingler directement vers Kilmore. »

Il fit glisser le bateau sur l'argile jusqu'à l'eau clapotante.

« Une mer calme et une brise favorable. Ça s'annonce bien. »

Conor sentit l'eau soulever la yole et sauta à bord, en faisant trembler le pont sous son poids. D'une main, il détacha la voile et la déploya devant le mât, de l'autre il saisit la barre. Le bateau s'éloigna pour contourner la côte ouest de la Petite Saline.

« Je serai rentré dans une heure, pensa Conor. Linus me jouera peut-être quelque chose. La musique est un fortifiant pour l'esprit. »

La voile se gonfla et la yole s'élança sur les vagues.

« Un bon bateau. Il file. »

Tandis qu'il naviguait vers son nouveau foyer, il se força à ne pas regarder en arrière. Il ne laissait derrière lui que du chagrin.

Du haut des rochers, Arthur Billtoe regardait s'en aller l'étrange homme volant. Airman, comme il l'avait baptisé avec Pike. Une pierre pointue s'enfonçait dans son ventre, mais il resta parfaitement immobile jusqu'au moment où l'homme qu'il avait pris pour un démon eut disparu derrière le coude dessiné par la côte de la Petite Saline.

La capacité de concentration de Pike ne lui permettait pas une telle prudence. Il était allé se soulager puis s'était mis à faire des ricochets dans les vagues. Billtoe le rejoignit près du sillon tracé dans l'argile par la quille de la yole.

— Je ne sais pas pourquoi on appelle cet endroit Pont-Sebber, marmonna Pike. Ça n'a rien d'un pont, pas vrai ? Ce n'est qu'une pointe rocheuse qui s'avance dans l'eau.

— C'était un pont, il y a des milliers d'années, déclara Billtoe d'une voix nerveuse. Avant que la mer l'ait emporté. Il allait d'ici à la Petite Saline, et continuait de là jusqu'au pont de saint Patrick, en Irlande.

— Cet Airman vous fiche la pétoche, pas vrai, Arthur ? dit Pike en changeant de sujet.

— Il a appuyé la lame de son sabre sur mon cou. Un sabre énorme, pas une de tes épées de pacotille. Ce truc pourrait trancher la cime d'un chêne.

— Mais ce n'est qu'un homme, Arthur. Vous l'avez constaté vous-même. Ses ailes sont une sorte de cerf-volant, rien de plus.

— Rien de plus ! s'exclama Billtoe avec incrédulité. Espèce d'idiot ! Vous ne vous rendez pas compte de ce que vous venez de voir ?

— Espèce d'idiot ? Comment ça, Arthur ? répliqua Pike d'un ton blessé. Je vous ai délivré de votre diable, pas vrai ? C'est grâce à moi que vous pouvez de nouveau dormir. Je vous trouve un peu sévère de me traiter d'idiot.

— Je pourrais être plus sévère, glapit Billtoe qui oubliait rapidement sa peur. Cet homme possède un engin volant. Vous imaginez ce que les Béliers seraient prêts à payer pour l'avoir ? Ils pourraient se rendre à leur guise dans n'importe quel port en se fichant de la douane. Un appareil de ce genre changerait la vie des contrebandiers.

Pike s'éclaircit la gorge.

– Il se trouve que je connais des types qui pourraient bien avoir des liens avec les Béliers. Peut-être.

Billtoe plaqua une main sur la bouche de Pike, comme si les types en question pouvaient les entendre.

– Non, non ! Ne mêlons pas les Béliers à cette affaire avant d'avoir nous-mêmes ces ailes sous clé quelque part. Autrement ces faux jetons les confisqueraient à leur profit et nous donneraient à manger aux requins. Nous avons besoin d'être en position de force pour négocier.

Pike se dégagea de la main de Billtoe, qui sentait la sueur et bien pis encore. Il lui paraissait clair que c'en était fini de leur amitié. Pour Arthur Billtoe, on était revenu à la normale, ce qui signifiait que Pike était de nouveau un larbin doublé d'un souffre-douleur.

– Comme vous voulez, Arthur.

– C'est…

– Je sais. C'est Mr Billtoe pour moi.

Se tournant vers la mer, il fit ricocher un des cailloux qu'il avait dans la main.

« C'est du Arthur Billtoe tout craché. Je l'ai délivré de son diable, et il l'oublie dès qu'il flaire une bonne affaire. Je croyais que Pike et Billtoe iraient désormais main dans la main. Quelle erreur ! »

Jeter des cailloux le calmait. Chaque ricochet réussi lui rappelait son enfance. Alors qu'il prenait son élan pour un lancer énergique, Billtoe l'attrapa par le bras puis lui extirpa le caillou des doigts.

– Où avez-vous trouvé ça ? demanda-t-il, les joues rougies par l'excitation.

Pike se demanda s'il s'agissait d'une de ces questions qui n'en étaient pas vraiment, de sorte que s'il répondait il aurait l'air stupide.

– C'est un caillou, Arthur… Mr Billtoe. Je l'ai ramassé par terre.

Billtoe tomba à genoux et gratta l'argile jusqu'à ce qu'il ait trouvé une douzaine d'autres cailloux à son goût. Il les tenait dans ses mains ouvertes, comme un vagabond veillant sur l'œuf constituant son petit déjeuner.

– Vous vous sentez mal, Arthur ? Voulez-vous que je ramasse encore quelques pierres pour vous ? J'ai vu aussi un joli morceau de bois un peu plus loin.

Billtoe était trop heureux pour être agacé.

– Ce ne sont pas de vulgaires cailloux, Pike. Ce sont des diamants bruts. C'est pour ça que notre homme volant faisait une escale sur la Petite Saline. Il se livre à la contrebande de diamants.

Il frotta ses mains en faisant cliqueter les diamants comme des osselets vaudou.

– Vous essayez de prédire l'avenir avec ces trucs ? plaisanta Pike que les yeux luisants d'avidité de Billtoe mettaient mal à l'aise.

– Je connais l'avenir, rétorqua Billtoe. Nous allons réunir quelques gars, tendre une embuscade à Airman, vendre ses ailes et nous emparer de ses diamants.

– Et lui ? Nous le laisserons repartir libre, j'imagine.

Billtoe lui donna un coup de coude plein d'entrain.

– Elle est bien bonne, Pike ! Le laisser repartir libre ! Non, nous le tuerons et nous le découperons en petits morceaux que nous brûlerons soigneusement. Aux yeux du monde, cet homme volant n'aura jamais existé.

Pike déglutit. Ces histoires sanguinaires le rendaient nerveux. Il résolut séance tenante de ne jamais rien inventer d'utile, de peur que Billtoe n'orchestre une fin épouvantable également à son intention.

Chapitre 15
Le retour au pays natal

Un calme presque parfait régnait tandis que Conor dirigeait la yole vers le détroit des Salines, au nord-nord-ouest, en passant entre les récifs de Jackeen et Murrock. Ces récifs étaient submergés la plupart du temps, mais il arrivait que l'eau baissât assez pour révéler leurs sommets aplatis. La première fois que le petit Conor de cinq ans avait vu leurs longues silhouettes noueuses, un soir qu'il accompagnait son père dans une patrouille en bateau, il crut qu'il s'agissait de crocodiles. Pour le calmer, Declan dut consentir à un tir de sommation. Le coup de feu fit certainement son effet, car les deux crocodiles disparurent sous les flots.

Cette petite histoire entra dans le répertoire des veillées familiales. On la ressortait chaque fois qu'un ami passait prendre un cognac ou une citronnade. Elle avait toujours agacé Conor, mais il faillit pleurer en s'en souvenant maintenant.

« C'est insupportable. Ils sont trop près. »

Il croyait voir le visage de sa mère, entendre sa voix l'appeler, et il ne pouvait l'ignorer plus longtemps.

Sans doute souffrait-elle autant que lui, peut-être même davantage. Il fallait qu'il sache.

« Si je pouvais juste les apercevoir. Les regarder une dernière fois avant mon départ, afin d'être certain qu'ils supportent le chagrin. »

Conor donna un coup de genou à la barre et serra la voile pour louvoyer vers le sud-ouest. Il rentrait au pays.

De loin, Port-Saline ressemblait tout à fait au souvenir de Conor. Un somptueux diadème dont les pointes brillaient d'un éclat doré et argenté. Une fois entré dans la tenaille des digues, il constata que le joyau avait perdu une partie de son lustre au cours des dernières années. La mer avait ourlé de vase la paroi de granit et le quai était encombré de bateaux amarrés au petit bonheur et emmêlant leurs cordages en un fouillis inextricable. Le projet d'une nouvelle muraille extérieure avait été abandonné, et le bâtiment à moitié achevé se perdait dans la mer tel un château de sable rongé par les éléments. Le phare était resté à l'état d'ébauche et se dressait tout de guingois, comme le souvenir en ruine d'une ère révolue, alors qu'il devait être l'orgueilleux symbole d'une époque nouvelle. Même ici, sur le front de mer, on ressentait avec acuité la perte du roi Nicholas.

Conor attacha la poupe de la yole à un bateau de ramasseurs de moules et jeta l'ancre dans l'eau où la marée était à mi-hauteur. L'ancre s'enfonça rapidement, dans un bouillonnement de bulles, en emportant avec elle trois sacs de diamants soigneusement attachés. Conor bondit à travers les proues d'une demi-douzaine d'embarcations dansant sur les flots, avant de se hisser sur les pavés du quai en s'accrochant à un anneau de cuivre.

Il s'avança nonchalamment sur le quai en jetant des coups d'œil furtifs aux gardes de la Muraille. Tout le reste pouvait aller à vau-l'eau, mais Declan Broekhart ne tolérerait aucun compromis chez ses tireurs d'élite. Quatre gardes étaient postés au sommet du rempart, enveloppés dans des pèlerines battant au vent. Conor vit luire le canon d'une arme. Il savait qu'au premier geste hostile, un tir de sommation ferait voler des étincelles à ses pieds. S'il esquissait un second geste, il serait mort avant que son cadavre ne touche l'eau. Il adopta une démarche lente et décontractée, en mettant ses mains bien en évidence.

La promenade du quai longeait la Muraille extérieure jusqu'à une place pavée où se tenait dans la journée un marché animé. Commerçants, aubergistes et ménagères y affluaient chaque matin pour remplir leurs paniers de maquereaux, morues, lieus jaunes, moules, homards, crabes, langoustes et saumons. Des bateaux arrivaient vides de Kilmore et repartaient pleins, ou vice versa, suivant que tel ou tel équipage avait bénéficié de la marée ce jour-là.

Lorsque le soir tombait, l'air était saturé d'une odeur de poisson et de sel pourrissant. Des nettoyeurs pompaient de l'eau du port et lavaient le quai en rejetant sang et boyaux à la mer. La plupart des jeunes Salinois avaient été nettoyeurs un jour ou l'autre, armés de brosses solides et de l'énergie de la jeunesse. Ils débarrassaient les pavés de leurs saletés, pour les revoir le lendemain de nouveau couverts de taches écarlates.

Conor franchit l'arche de la Muraille, en passant devant une guérite de la douane.

— Rien à déclarer ? demanda le garde.

Conor lui montra ses mains vides.

— Rien qu'une soif dévorante, monsieur. Et un rendez-vous avec ma petite amie.

Le garde sourit.

— Ah ! la bière et les jolies filles. Deux bonnes raisons pour visiter les îles Salines. Ce n'est pas la première fois que vous franchissez la Muraille, alors ?

Devant eux, sur la colline, les tourelles du palais surgissant dans la nuit cachaient des étoiles.

— Non, monsieur. Je suis déjà venu ici.

Dans son enfance, Conor n'avait pas été trop absorbé par ses études. Il avait eu son compte d'heures passées dans la boue et les algues, où il s'enfonçait jusqu'aux aisselles. Il avait escaladé des falaises, construit des barrages et volé à l'occasion des œufs aux macareux qui se dandinaient comme des jouets mécaniques le long des rochers plats.

Ces nombreux efforts lui faisaient parfois manquer l'heure du couvre-feu. Dans ce cas, le petit Conor épiait les fenêtres de l'appartement des Broekhart pour voir si son père était à la maison ou même pour vérifier quelle était l'humeur de ses parents.

Il se trouvait maintenant au même endroit, à califourchon sur un tuyau d'écoulement surmonté d'une gargouille, à trois mètres au-dessus du sol, en face de la demeure des Broekhart de l'autre côté de la place. L'eau salée des embruns dégoulinait de la bouche de la gargouille, en badigeonnant de traînées blanches ses lèvres de pierre distordues. Même escalader le mur avait rempli Conor de nostalgie pour son foyer natal.

« Mes pieds retrouvent les points d'appui dans la pierre. J'escalade ce mur comme si je l'avais fait hier. »

L'appartement des Broekhart était silencieux et plongé dans l'obscurité, en dehors d'une unique bougie brillant à la fenêtre de la cuisine. Ses parents étaient invisibles.

« Il est tard, évidemment. »

Conor était à la fois déçu et soulagé. Il se sentait plus tendu que pendant son évasion en ballon. Il savait que s'il avait vu ses parents accablés de douleur, il lui aurait été presque impossible de ne pas s'aventurer à l'intérieur pour leur révéler la vérité.

« Père et mère me haïssent, désormais, mais c'est une fausse haine. Forgée de toutes pièces. Sous la surface, l'amour sera toujours là. »

Dans la demeure des Broekhart, une ombre se dirigea vers la cuisine. Conor sentit son cœur s'affoler.

« Peut-être ma mère n'arrive-t-elle pas à dormir. Elle est en proie à des cauchemars, comme moi. »

C'était bien sa mère. Catherine Broekhart passa devant la fenêtre, les cheveux dépeignés par le sommeil. Les yeux mi-clos, elle avança à tâtons jusqu'au moment où sa vue s'habitua à la lumière soudaine.

« Mère. Oh, mère ! »

La voir suffit à abattre d'un coup les barrières que Conor avait élevées autour de son cœur. Il était temps de mettre fin à la comédie cruelle de Bonvilain. C'était au maréchal d'en supporter les conséquences, non à Conor.

Il s'apprêtait à descendre de la gargouille, mais il se figea. Son père était entré dans la cuisine et il n'était pas seul. Il avait un enfant dans ses bras, un bébé ébouriffé, la lèvre inférieure gonflée en une moue boudeuse.

« Un enfant. Mon frère. »

Son père n'était pas l'homme brisé qu'il avait imaginé. Declan Broekhart arborait un sourire familier tandis qu'il câlinait le petit garçon en l'enveloppant dans la manche de son peignoir. Il parla, et Conor reconnut sa voix à travers la fenêtre ouverte, même s'il ne distinguait pas les mots.

« Mon père est heureux. »

Catherine versa de l'eau dans une tasse pour le bébé et ils s'empressèrent ensemble autour de lui, assis près de la cheminée pendant qu'il buvait. L'humeur de l'enfant s'adoucit peu à peu, à mesure que le souvenir de son cauchemar était remplacé par la vision de ses parents débordant d'amour.

Dehors, sur sa gargouille, Conor se sentait déchiré. On venait de trancher net ce qui restait encore de Conor Broekhart.

Un enfant. Son frère…

La situation n'était pas ce qu'il avait imaginé. Apparemment, il était le seul à souffrir. Ses parents avaient redécouvert le bonheur avec leur nouveau fils.

Le froid de la gargouille de pierre se communiquait à ses cuisses, gagnait sa poitrine. Les paquets d'embruns salés se jetant sur la Muraille trempaient sa veste, et ses épaules étaient glacées.

« Ils ont une belle vie, pensa Conor. Ils sont de nouveau heureux. »

Il comprit qu'il ne pourrait pas se montrer ni leur révéler la vérité.

« Bonvilain n'hésiterait pas un instant à les tuer. Ce serait ma faute. »

Se détournant de la fenêtre, il descendit de son perchoir.

« Je suis Conor Finn », se dit-il en se dirigeant d'un pas rapide et décidé vers le port.

« L'homme volant va faire une dernière expédition. Encore deux sacs de diamants, puis en route pour l'Amérique. »

LA POINTE DU DÉSESPOIR

Quand Conor arriva dans la tour, il trouva Linus Hyver en plein travail. Il avait complètement réaménagé sa chambre afin qu'elle soit à son goût. Un chocolat chaud attendait sur le fourneau, à côté d'une marmite de bacon et de pommes de terre. L'Américain était en train de faire un point à la manche de son smoking.

— Nous sommes au milieu de la nuit, déclara Conor en franchissant la porte surélevée.

Linus tapota sa tempe.

– Il fait toujours nuit pour moi, mon garçon. Je dors quand je suis fatigué.

Conor examina le sous-sol.

– Pourquoi vous donnez-vous la peine de déplacer les meubles ? Nous partons dans quelques jours, je vous l'ai dit.

– Dans quelques jours ? Votre précieuse machine volante n'est pas encore terminée.

Quand Conor ne s'occupait pas de raccommoder les ailes de son planeur, il consacrait tout son temps à construire l'aéroplane qu'il avait imaginé en prison, avec son moteur à essence et son train d'atterrissage escamotable.

– Il est presque fini. D'ailleurs, je peux le faire transporter par bateau en Amérique si nécessaire.

– Nous ne sommes pas enchaînés l'un à l'autre, dit Linus en plaquant l'aiguille contre son doigt pour trouver la couture déchirée. Peut-être vais-je rester ici afin de sauver moi-même votre famille.

– Ma famille n'a aucun besoin d'être sauvée. Mes parents vivent dans un palais avec leur nouveau fils.

Cette information fit hésiter Linus. Il écouta la respiration de Conor puis se dirigea vers lui avec circonspection, en cherchant ses épaules à tâtons.

– Vous êtes si grand, s'étonna-t-il. Victor l'avait prédit. Notre *Frenchy* disait toujours que vous aviez des os allongés. Alors vous avez un petit frère. Quelle merveilleuse nouvelle ! Vous n'aimeriez pas le rencontrer avant votre départ ?

Conor sentit ses yeux se remplir de larmes.

– Je… moi… Bien sûr, c'est ce que moi je voudrais, mais qu'est-ce que ça signifierait pour l'enfant… Mon…

– Vous pouvez le dire, déclara Linus. C'est votre frère.

– Qu'est-ce que ça signifierait pour mon frère ? lança Conor. Bonvilain le tuerait. Si mon père défie le maréchal, il les tuera tous.

Linus parut lui jeter un regard furieux, comme s'il pouvait voir à travers l'écharpe de soie couvrant ses yeux.

– Et Isabella ? À ce que j'ai entendu dire dans le village, elle a déjà supprimé des impôts et aboli les droits de douane. Elle est en passe de devenir une véritable reine. Comment croyez-vous que Bonvilain va réagir ?

Conor s'essuya les yeux.

– Elle est la reine. Elle a des gens pour la protéger. Même si elle prétendait m'aimer, elle a cru que j'étais complice du meurtre de son père.

– Les bruits que j'ai entendus sont différents. On parle aussi de Conor Broekhart, dans le village. On raconte que c'était un héros. Qu'il est mort en essayant de protéger le roi.

– Il s'agit de la version officielle, rétorqua Conor. Bonvilain a assuré qu'on passerait sous silence ma participation au meurtre, afin d'épargner ma famille. C'était son cadeau aux Broekhart.

– Et êtes-vous certain qu'Isabella était au courant de cette tromperie ?

Cette idée était troublante. Et si Isabella n'avait rien

su ? Peut-être avait-elle cru que son jeune soupirant avait péri cette nuit-là.

« N'y pense pas. C'est trop douloureux, et ça ne fait pas l'ombre d'une différence. »

Assis à son établi, Conor serra ses deux poings devant son visage.

— Je vous en prie, Linus, arrêtez. Envisager toutes les hypothèses est au-dessus de mes forces. J'ai coupé les ponts avec les Broekhart. Il m'est impossible d'endosser des responsabilités. Bonvilain est trop puissant. Je suis Conor Finn !

— Ce nom, Finn. C'est le cadeau que Bonvilain vous a fait.

Conor eut l'impression que sa tête allait exploser.

« L'amour, la famille, le bonheur. Ce sont des luxes. La vie est l'essentiel. Fais en sorte que ta famille et toi-même restiez en vie. »

— Je suis vivant. Je vais continuer de vivre.

Linus émit un bref ricanement.

— Continuer de vivre ? Ce qui explique que vous vous jetiez chaque jour du haut d'une tour.

— J'ai fait une promesse à Otto Malarkey.

— Vous êtes donc prêt à vous tuer pour des diamants, mais pas pour votre famille ou votre honneur. Je crois que Victor serait très déçu par son élève.

Conor se leva d'un bond.

— Ne me faites pas la leçon, mon vieux. Vous n'êtes pas mon père.

— C'est exact, mon garçon, dit Linus d'un ton radouci.

La colère s'effaça de son visage
– Je ne suis pas votre père.

Conor se détourna sans ajouter un mot, prit le planeur replié sous son bras et grimpa l'échelle menant au toit.

Chapitre 16

Des serpents dans l'herbe

Conor et Linus ouvrirent à peine la bouche, le lendemain, en dehors de quelques grognements en guise de saluts. L'Américain se cogna à dessein plusieurs fois dans des meubles, en espérant éveiller un peu de sollicitude chez Conor, mais sans résultat. Soit Conor n'entendait pas ses gémissements, soit il les ignorait.

« Son cœur a sans doute été endurci par son séjour sur la Petite Saline, songea Hyver, mais la vue de son petit frère l'a transformé en pierre. »

La nuit arriva sans changer beaucoup leur humeur. Toutefois, quand Conor mit en marche le moteur actionnant le tunnel aérodynamique, Linus sentit qu'il devait parler.

— Vous ne pouvez pas voler cette nuit, Conor. Le vent est mauvais.

Conor ne se retourna pas.

— Vous n'êtes pas mon père, n'oubliez pas. Et le vent n'est pas mauvais, il est un peu plus orienté au sud que je ne le voudrais mais je peux m'en tirer avec quelques manœuvres.

– Et la lune ? Ce devrait être une nuit de pleine lune.

Conor boutonna sa veste noire en observant le panorama se déployant devant lui. Le ciel était presque sans nuages. Une lune rougeoyante se reflétait en mille fragments dansant à la surface de l'océan. Il n'avait jamais vu de nuit plus claire.

– Le temps est couvert, lança-t-il d'un ton brusque en se plaçant sous le planeur suspendu à un portique roulant. Abaissez le planeur, voulez-vous ?

La disposition du toit était maintenant familière à Linus, qui compta ses pas jusqu'à un treuil fixé au mur.

– Prêt ?

Conor leva les bras, prêt à s'introduire dans le harnais.

– Abaissez-le. Cinq tours de manivelle.

– Je sais. Comme hier. Dois-je me préoccuper du dîner ?

– Oui. Je suis désolé pour hier. Je n'étais pas d'humeur à manger.

– D'accord, mais ce ne sera rien de nouveau. Je vais réchauffer le repas de la nuit dernière.

– Le chocolat chaud aussi ? J'ai regretté de l'avoir laissé passer. Le toit est glacé.

Linus sourit.

– Il arrive qu'une colère coûte cher.

Une fois le planeur installé sur son dos, Conor boucla le harnais sur sa poitrine et tira les courroies entre ses jambes. Il se baissa pour serrer dans ses doigts la manivelle de son harnais, comme un tireur vérifiant la crosse de son fusil.

— J'ai enroulé les élastiques des hélices.

Conor en pinça un.

— Il est tendu à fond. Beau travail.

— Pour ce qui est de la tension, je m'y connais, déclara l'Américain en bloquant le treuil. Ne pouvez-vous pas attendre, Conor ? Le vent souffle dans la mauvaise direction. Je sens une odeur de sel.

Conor boutonna sa veste de vol jusqu'au cou puis chaussa ses lunettes de protection. Une fois déguisé, tout son comportement changeait. Il paraissait plus grand et se sentait davantage capable de violence, comme si son jeune âge était oublié.

— Il m'est impossible d'attendre, Linus. Pas une nuit de plus. J'aurai mes diamants et c'en sera fini de cette existence. L'Amérique est notre avenir. Nous pourrons fonder une entreprise ensemble. Je ferai voler mes planeurs et vous serez notre expert en tension.

Le sourire de Linus était teinté de tristesse.

— Je ne suis pas encore prêt à rentrer dans ma patrie, mon garçon. Nicholas m'a fait venir ici pour accomplir une tâche et j'entends la mener à bien. Au risque de paraître mélodramatique, je n'aurai pas de repos tant que Bonvilain prospérera. Il m'a privé des hommes les meilleurs que j'aie connus. Et je crains que cette nuit un autre ne disparaisse par sa faute.

Conor tira son sabre et le tint en équilibre avec un poignet pour contrôler son poids.

— Ne craignez rien pour moi, Linus. Craignez plutôt pour tous ceux qui s'aviseraient de se mettre sur mon chemin cette nuit.

Il glissa le sabre dans son fourreau puis vérifia que les deux revolvers étaient chargés.

– À propos, seriez-vous assez aimable pour arrêter la soufflerie du tunnel avant d'aller vous coucher ?

Conor se baissa dans le tunnel aérodynamique et fut précipité dans la nuit. Linus entendit son départ accompagné de force sifflements d'air et craquements de bois, et aussi d'un long cri de triomphe.

« Revenez vivant, mon garçon, pensa l'Américain. Vous êtes leur seul espoir. »

« Peut-être vais-je préparer un nouveau dîner, songeat-il ensuite. Mon célèbre gruau de maïs serait une solution. Un homme volant mérite de bien manger. Et aussi un chocolat chaud tout neuf. »

Conor retint sa respiration tandis que la soufflerie gonflait ses ailes et le propulsait vers les étoiles. Ce premier instant de tumulte et de violence était toujours aussi déroutant. Il ne pouvait distinguer la mer du ciel, ni les étoiles de leurs reflets. L'air martela sa poitrine de coups de poing fantomatiques jusqu'au moment où le planeur s'aligna sur la direction du vent.

Ce fut alors l'instant de vol pur. Le vent le souleva, son planeur le soulagea de son effort et l'emporta en craquant toujours plus loin de la terre.

« Un instant de bonheur. Rien d'autre à faire que d'être en paix. »

Conor appréciait davantage ce bref intermède chaque fois qu'il volait. C'était le calme avant la tempête, il en

391

avait conscience, mais quand il s'élançait ainsi dans les airs, poussé par un vent favorable, il pouvait oublier ses ennuis. Ils restaient sur terre, comme la plupart des humains.

Des courants ascendants le soulevèrent à une altitude qu'il n'avait encore jamais atteinte. La terre se déployait sous lui comme une carte vivante. Il voyait des surfaces blanches dessiner des méandres indolents sur des kilomètres de côte, telles des courbes de niveau sur une carte. Plusieurs petits bateaux oscillaient doucement sur la mer d'un noir argenté. C'étaient des pêcheurs profitant de la marée nocturne et des eaux calmes. Il crut que des appels s'élevaient d'une de ces embarcations. L'aurait-on aperçu? Peu importait, désormais. Après cette nuit, le mystérieux homme volant ne sillonnerait plus le ciel. La prochaine fois qu'il s'envolerait, il serait un citoyen américain libre, comme le prouveraient les papiers procurés par Zeb Malarkey. Il ferait transporter sa machine volante en pièces détachées afin de la remonter au Nebraska, dans le Wyoming ou peut-être en Californie. Le plus loin possible des îles Salines.

Conor fit bouger rapidement la barre de direction et le planeur commença à décrire un arc. Il était temps qu'il se concentre sur sa tâche, sans quoi il allait dépasser la Petite Saline. Encore deux carrés de salsa, c'est-à-dire deux sacs de diamants. Après quoi Otto pourrait acheter sa liberté, et l'argent qui resterait suffirait largement pour une vie sans souci en Amérique.

Billtoe et Pike étaient allongés derrière les rochers surplombant Pont-Sebber, au milieu de plusieurs armes crasseuses posées dans l'herbe longue.

— Ce couperet est mon couteau favori, dit Pike avec tendresse. Il coupe n'importe quelle chair, qu'il s'agisse de poissons, de volailles ou d'humains. Il est même capable de fracturer un os.

Billtoe se permit d'être d'un avis différent.

— Votre couperet n'est pas commode, il faut le brandir trop haut. Pendant ce temps-là, j'aurais déjà fait une belle entaille et chatouillé un poumon avec cette merveille.

Il fit tinter avec son ongle un pic à glace allongé, d'une efficacité meurtrière.

— Je préfère Mary Ann, mon sabre bien-aimé, déclara dans leur dos une voix enrouée à l'accent irlandais.

— Taisez-vous, crétin, glapit Billtoe. Airman peut arriver d'un instant à l'autre.

— C'est vous qui parliez, répliqua l'homme d'un ton vexé.

— Je chuchotais, rectifia Billtoe.

Se tournant vers Pike, il demanda :

— Pourquoi avez-vous amené cet hurluberlu ?

— Je n'ai pu prendre que trois des gardes de la prison, expliqua Pike. Mais vous aviez dit qu'il faudrait être une demi-douzaine pour régler son compte à Airman. Alors j'ai ramassé Rosy au pub. Il n'a pas plus d'un litre de bière dans le ventre.

Billtoe n'était pas enchanté.

— Vous avez pourtant vu cet homme volant. Il mesurait au moins un mètre quatre-vingts et était armé jusqu'aux dents. Pour l'attraper, nous avons besoin de gaillards aux yeux perçants et aux mains habiles, pas d'ivrognes irlandais.

— Vous aussi, Arthur, vous êtes irlandais, grogna Rosy. Et je peux abattre n'importe quel type que vous me montrerez. Regardons les choses en face. Votre homme volant n'existe pas plus que la Dame Blanche. C'est juste une de vos apparitions, pas vrai ?

Billtoe se mordit la lèvre si violemment que les poils de son menton se mirent à trembler.

— Quelle apparition ?

— Vous savez bien. Dans votre tête. Un fantôme que vous voyez à cause de ce tonneau où vous étiez enfermé.

— Vous lui avez tout raconté, Pike, dit Billtoe d'un ton de reproche.

— C'est vous-même qui me l'avez raconté dans la taverne ! s'exclama Rosy en riant. Tous ceux qui voulaient bien vous écouter ont eu droit à l'histoire du diable et du pauvre petit Billtoe dans son tonneau. Airman n'existe pas. Si je suis ici, c'est uniquement pour gagner les cinq shillings promis. Pourquoi tous ces couteaux, d'ailleurs ? Une balle réglerait la question.

— Nous avons besoin de ces couteaux, espèce de tête de linotte imbibée de bière ! fulmina Billtoe. Parce qu'au premier coup de feu, les gardes de la Muraille nous tomberaient dessus comme des mouches sur une crotte et nous perdrions tout le butin que pourrait nous rapporter notre homme volant.

– S'il existait.

Billtoe empoigna son pic à glace.

– Eh bien, Rosy, puisque c'est comme ça, pourquoi n'expliquez-vous pas à ce type dans le ciel juste au-dessus de votre tête qu'il n'est qu'un fantôme échappé de mon cerveau ?

Rosy leva les yeux, certain de ne voir que des étoiles. Devant le spectacle qui s'offrait à lui, il chercha à tâtons dans l'herbe son sabre adoré.

– Que Dieu nous protège ! souffla-t-il en se signant avec sa main libre. Un homme ailé !

– Tu parles d'un fantôme ! ricana Billtoe.

Puis il se tut, car il avait un poignard entre les dents.

Conor avait réussi à déterrer les derniers sacs, mais ils lui avaient coûté cher. La lune argentée illuminait ses ailes comme une lanterne vénitienne.

Un garde l'avait vu glisser par-dessus la muraille extérieure de la Petite Saline. Faisant partie des rares gaillards résolus de l'île, il avait décidé de chasser ce qu'il prenait pour un albatros. Il traqua sa proie jusque dans les carrés de salsa, où il se rendit compte de son erreur et tira une balle dans l'aile du planeur, à l'instant même où l'étrange homme volant se penchait pour prendre une sorte de sac. Seul un léger tremblement nerveux de la main du garde évita à Conor de voir son cerveau exploser.

Le coup de feu fracassa une pierre aux pieds de Conor Un éclat atteignit en un éclair le verre gauche de ses lunettes protectrices.

Sa réaction fut immédiate. Il se débarrassa du planeur en tirant deux fois sur la ceinture du harnais, puis se précipita sur son assaillant, deux pistolets aux poings.

– Il faut vous rendre ou mourir, *monsieur* * ! s'écriat-il en armant les pistolets.

Le garde ne parvint pas à décider s'il voulait se rendre, mourir, ou quelque chose entre les deux. L'idée de céder l'avantage lui déplaisait, mais il n'avait pas non plus très envie de se battre à minuit avec un Français volant. Ces gens étaient déjà assez dangereux sans ailes, comme son grand-père avait pu en faire l'expérience à Waterloo.

Le temps que le garde examine la situation et songe à armer son fusil, l'homme en noir était déjà sur lui. Il avait bondi de rocher en rocher aussi vite qu'un chat, jura plus tard sa victime. Et en poussant des grondements, comme un loup affamé. Ce Français était un vrai fauve, qui faisait tournoyer ses pistolets et dont les sabres cliquetaient sur ses cuisses.

– Bonsoir, *monsieur* *, dit l'homme volant avant d'assommer le garde stupéfait.

Conor se mit à inspecter son planeur avant même que le soldat fût tombé, ou presque. La partie supérieure d'une aile avait été percée, mais aucune déchirure ne prolongeait le trou, dont les bords avaient été assez bien recollés par la chaleur de la balle. L'aile devrait tenir jusqu'à Pont-Sebber, si du moins il parvenait à s'envoler.

Après avoir introduit ses bras dans les courroies, il encastra ses épaules dans le harnais, l'attacha solidement et courut vers l'escalier le plus proche. Les extrémités des ailes grattaient le mur des deux côtés, et il se reprocha de ne pas les avoir bordées de cuir. Le vent s'engouffrant dans l'escalier secouait ses ailes et le poussait vers le bas, mais Conor résista et arriva péniblement sur la dernière marche.

Le coup de feu avait réveillé tous les gardes des environs. Ils se précipitèrent en désordre vers l'escalier, en agrippant leur fusil et leur pantalon, et en chassant les rêves embrumant leur esprit. En apercevant Conor, la moitié d'entre eux furent convaincus d'être encore endormis.

Un garde tira une fois, mais dans son affolement il visa trop haut. Les autres regardèrent la scène d'un air hébété, sans faire attention à leurs compagnons, si bien qu'ils finirent par rentrer les uns dans les autres en un désordre inextricable. Conor profita de la confusion pour monter sur le parapet et s'élancer dans les airs, en essayant de capter le moindre souffle.

« Du vent ! implora-t-il. Rien qu'une petite brise ! »

Jupiter entendit sa prière et lui fit une faveur. Un courant ascendant enfla ses ailes et entraîna Conor très haut au-dessus des gardes levant les yeux vers le ciel. Certains poussaient des cris de colère, d'autres le contemplaient en silence. Il s'en trouva deux pour épauler leurs armes, mais celui qui aurait pu atteindre la cible reçut une balle de son camarade qui avait appuyé prématurément sur la détente. En un battement d'ailes, l'homme volant avait disparu dans la nuit. Englouti par les ténèbres, comme un caillou sombrant dans la mer nocturne.

Pendant un long moment, personne sur la muraille ne pipa. Puis ils se mirent à jacasser avec acharnement. Chaque homme donnait sa version de ce qu'il avait vu. Même le blessé se joignit au concert, sans prendre garde au sang formant une flaque à ses pieds. C'était une histoire qu'ils allaient raconter souvent, et il fallait la mettre au point tout de suite. Fixer par les mots cette scène avant que la lumière du jour ne la fasse apparaître invraisemblable.

« C'était un homme volant dans les airs, décidèrent-ils. Airman. Un bruit n'a-t-il pas couru à ce sujet sur la Grande Saline ? »

« Nous avons vu Airman. Il mesurait plus de deux mètres et ses yeux arrondis lançaient des éclairs. »

L'histoire avait commencé. La rumeur se propageait.

Une rumeur n'est pas vraiment ce que désire un contrebandier doublé d'un voleur.

Le vent favorable porta Conor jusqu'à la Grande Saline. Son cœur battait la chamade. Il était furieux, et il savait que c'était là un état dangereux.

« Un homme prend des risques quand il est dominé par la fureur, lui avait dit un jour Victor. J'ai vu trop d'hommes intelligents mourir bêtement. »

« Sois calme. Calme. »

Il n'eut pas le temps de se calmer. L'atmosphère devint soudain agitée et Conor dut batailler avec son appareil rien que pour rester dans les airs. La Grande Saline surgit à ses pieds, comme si la terre avait tourné afin de venir à sa rencontre. Il pointa le nez vers le bas et maintint cette direction malgré la violence des courants contraires. Le vent tirait sur ses lunettes de protection et s'insinuait dans le trou percé par la balle dans son aile.

Par une nuit pareille, Conor en venait presque à croire que l'homme n'était pas fait pour voler.

Il descendait en biais, trop vite et trop abruptement.

« J'aurai de la chance si mes chevilles résistent », pensa-t-il en serrant les dents en prévision du choc.

Bien que sa vision fût gênée par le verre brisé de ses lunettes et la tourmente des éléments, Conor aperçut la yole échouée sur Pont-Sebber et les hommes qui l'attendaient allongés derrière l'écran rocheux.

« Des serpents dans l'herbe », se dit-il sans la moindre appréhension tant il était prêt à se battre.

Il poussa la barre de direction vers la gauche afin d'atterrir au milieu de ses ennemis.

« Autant que le choc soit amorti ! »

Rosy essayait de courir quand Conor s'écrasa sur lui, en enfonçant ses deux bottes dans les épaules du fuyard. Il entendit quelque chose craquer et l'homme roula en hurlant sur la pente rocheuse. Le reste de la bande se leva d'un bond et fit cercle en désordre autour de lui. Personne n'attaqua. Ils mesuraient du regard leur adversaire.

« Ces hommes ne peuvent comprendre ce que signifie mon accoutrement, se dit Conor. Je leur apparais comme un fantôme, une bête monstrueuse. Mais ça ne va pas durer longtemps. Ils ne vont pas tarder à se rendre compte que mes ailes sont en tissu et que ma poitrine est à bout de souffle. À ce moment-là, ils m'abattront d'un coup de feu. »

Mais ce n'était pas certain. Aucune arme à feu n'était en vue, alors qu'ils brandissaient des lames de toutes sortes.

« Bien sûr. Il n'est pas question de tirer. Les détonations attireraient ici les gardes de la Muraille, et ces bandits ne sont pas ici pour m'arrêter. »

L'un des cinq hommes s'avança en brandissant un pic à glace.

— Donou yé yaman ! s'écria-t-il.

Puis il enleva le poignard de sa bouche et cracha.

— J'ai dit : donne-nous les diamants, Airman !

« Les diamants ! Le sac tombé par terre ! J'ai laissé une trace de mon passage. »

— Billtoe, gronda Conor d'une voix vibrante de haine.

Le garde se mit à trembler.

— Qui êtes-vous ? Pourquoi m'en voulez-vous personnellement ? Je n'ai jamais fait de tort à aucun *Frenchy* !

« Billtoe sera le premier à payer. J'aurai au moins cette satisfaction. »

Il porta en un éclair les mains à ses hanches et tira deux sabres de leurs fourreaux.

— *En garde* * ! s'exclama-t-il en s'élançant.

Un coup de vent s'engouffra dans ses ailes et allongea son pas si bien que Billtoe, qui s'était cru à distance respectueuse, se retrouva soudain face à Airman.

Billtoe tenta un coup de pic sournois, comme il l'avait fait au cours d'une douzaine de bagarres dans des tavernes, mais son arme fut détournée avec autorité.

– Vous devriez avoir honte, *monsieur**, dit l'homme volant. Opposer un ustensile de cuisine à un sabre !

Conor poussa une botte et la lame du sabre s'enfonça dans la cuisse de Billtoe, qui se mit à hurler en se cramponnant à la blessure. Il n'était plus dangereux. À présent, ses mains seraient occupées à essayer d'empêcher le sang de jaillir de sa jambe.

« Même maintenant, je n'ai pas envie de l'abattre, constata Conor. Il n'existe qu'un homme que je pourrais tuer. »

Il entendit un bruissement dans son dos. Deux adversaires s'avançaient vers lui.

« Ils sont trop circonspects. Ma tenue étrange leur fait peur. »

Le hasard voulut que le vent soulevât ses ailes. Conor renforça cet élan en bondissant lui-même en hauteur. Les deux assaillants passèrent sous lui et l'homme volant fondit sur eux avec ses bottes et ses sabres. Bientôt, ils furent l'un comme l'autre hors de combat. Même s'ils n'étaient pas morts, leur enthousiasme pour les embuscades au clair de lune en avait certainement pris un coup.

Restaient deux hommes. Si le premier tremblait comme une feuille, le second tournait prudemment autour de Conor en attendant son heure, à l'affût d'un signe de faiblesse. C'était Pike, lequel semblait n'avoir aucune intention de battre en retraite.

— Vas-y, mon gars, dit-il en poussant son camarade vers Conor.

Le malheureux eut à peine le temps de pousser un cri avant d'être assommé par Conor d'un coup asséné négligemment avec la garde du sabre.

— C'est un duel entre nous deux, Airman, déclara Pike en arborant un sourire désinvolte.

Il observa l'attitude assurée de Conor, son corps musclé, les armes à son poing et à sa ceinture.

— Tant pis ! s'exclama-t-il. Je prends le risque d'alerter ceux de la Muraille.

Conor dégaina plus vite que lui, en troquant le sabre de sa main droite contre un revolver.

— Si les gardes entendent un coup de feu, ce sera moi qui l'aurai tiré, *monsieur* *. À vous de décider.

Comme Pike s'apprêtait déjà à agir, Conor tira une balle à deux doigts de son oreille afin d'attirer de nouveau son attention. Assourdi par la détonation, le garde tomba à genoux en lâchant son pistolet.

— C'était une sommation. La seconde balle ne vous manquera pas.

Conor gaspillait sa salive. Pike ne l'entendit pas et tâtonna dans l'herbe pour trouver son arme.

— Laissez tomber ce pistolet, dit Conor. J'ai l'avantage sur vous.

Cependant Pike ne pouvait ou ne voulait pas entendre. Il braqua son arme sur Conor, en un geste sans ambiguïté.

Conor visa l'épaule. La balle revêtue de cuivre fit basculer le garde par-dessus la paroi rocheuse, qu'il dévala en hurlant comme un chat-huant.

Des coups de feu et des hurlements, en pleine nuit de surcroît. De quoi alerter à coup sûr les sentinelles de la Muraille. Conor bondit derrière les rochers et s'accroupit. Au-dessus de sa tête, sur le rempart, trois lumières s'éteignirent. C'était la procédure en usage. Au premier signe d'agitation, les gardes se dissimulaient dans l'obscurité pour éviter de devenir des cibles. Une demi-douzaine de fusées éclairantes s'élevèrent au-dessus de la Muraille, en illuminant la baie d'un éclat rouge vif.

C'était le moment de filer. Il fallait faire vite, avant que les fusées soient assez basses pour éclairer la yole. Conor replia ses ailes et courut courbé en deux vers la petite embarcation. Il n'avait pas le temps de ranger soigneusement les ailes du planeur, et plusieurs nervures de l'appareil se cassèrent quand il le fourra sous le siège.

« Peu importe. J'ai des dizaines de nervures en bois dans la tour. Je serais plus difficile à remplacer si jamais une balle m'atteignait. »

Des cris s'élevèrent dans son dos. Une foule de gardes sortaient d'une porte fortifiée et se hâtaient sur le chemin côtier. Certains étaient à cheval. Conor entendit l'écho d'aboiements sur la mer paisible.

« Des chiens ! Ils n'ont pas perdu de temps pour lâcher leurs molosses. »

Il bondit dans la yole avec tant d'impétuosité qu'elle

glissa sur les flots, en sûreté. Il déboîta le mât et l'allongea à plat sur les planches, de façon à être moins visible du rivage. De l'eau froide jaillissait à la proue et éclaboussait son visage. Il l'accueillit avec gratitude. Il entendait le sang marteler ses tempes comme des tambours retentissant dans le lointain.

« Je veux être un savant. Distribuer des coups et blessures ne me procure aucun plaisir. »

« Même avec Billtoe ? Tu n'as pas été content de l'entailler un peu ? »

Conor ignora cette question. Il s'intéresserait au fonctionnement de son esprit un autre jour.

« Tu te consacreras de nouveau à la science. En Amérique. Tout sera nouveau : ta vie, tes inventions, ton foyer, tes amis. Peut-être même aimeras-tu une autre fille, qui ne te rappellera pas Isabella. »

Il se concentra sur sa tâche de rameur. Il lui était impossible de songer à l'amour sans qu'aussitôt l'image d'Isabella s'impose à lui.

Mieux valait penser à l'océan. Conor se sentait en sécurité, à présent. Le petit bateau robuste l'emportait sur les courants. Cette yole lui avait rendu un fier service. La Grande Saline n'était déjà plus qu'une tache obscure s'effaçant peu à peu.

« Billtoe m'a appelé Airman. Je n'aurai pas mérité longtemps ce titre. »

Le planeur gisait sur les planches, ses ailes gauchement repliées comme celles d'un oiseau mort.

« Aucune importance. C'est fini, maintenant. Le mystérieux Airman ne volera plus. »

La tour Martello apparut sur la côte irlandaise. Une lanterne brillait à une fenêtre de l'étage, comme un signal lumineux le guidant jusqu'à son foyer.

Conor sourit.

« Linus m'a pardonné, pensa-t-il. J'espère qu'il y aura du chocolat chaud. »

Chapitre 17
Piège

Deux heures plus tard, Arthur Billtoe était assis sur un cageot de fruits dans le bureau du maréchal Bonvilain et essayait d'empêcher sa plaie de s'ouvrir. Son pantalon était trempé de sang et des gouttes écarlates perlaient entre ses doigts au même rythme que les battements de son cœur.

Quand le maréchal Bonvilain entra dans la pièce, l'écoulement des gouttes s'accéléra.

— Désolé pour le cageot, dit Hugo Bonvilain en s'asseyant à son bureau. Mais le brocart de mes chaises a plus de valeur à mes yeux que votre vie, vous comprenez.

— B-bien sûr, maréchal, balbutia Billtoe. Je suis en sang, monsieur. Je crois que ma blessure est sérieuse.

Bonvilain écarta d'un geste ces détails.

— Oui, nous nous en occuperons plus tard. Pour l'instant, je voudrais parler de cette créature.

Il sortit de son tiroir un carnet, qu'il jeta sur le bureau en direction de Billtoe. C'était le calepin de Pike, ouvert à la page d'un croquis évocateur de l'homme volant.

– Les gardes l'appellent Airman. Il peut voler, apparemment.

Dans ce genre de situation, Billtoe avait appris que le mieux était toujours de jouer les ignorants.

– On faisait un tour et il nous a sauté dessus. Je n'en suis pas revenu.

– Hmm ! Il s'agit donc d'une coïncidence ? Vous vous trouviez par hasard à Pont-Sebber, au risque de vous faire mitrailler par les sentinelles de la Muraille, quand cet homme volant est descendu du ciel ?

Billtoe hocha la tête avec empressement.

– C'est exactement ça. Vous êtes allé droit à l'essentiel, comme toujours.

– Et Mr Pike a-t-il dessiné son croquis avant ou après avoir reçu une balle ? Dans les deux cas, je ne vois pas comment il aurait pu faire.

Bonvilain se pencha en avant et son buste imposant plongea Billtoe dans l'ombre.

– Se pourrait-il que vous me mentiez, Arthur Billtoe ?

Le sang se précipita entre les doigts du garde.

– Non, monsieur… maréchal… jamais.

Bonvilain soupira, manifestement ravi de jouer au chat et à la souris.

– Vous vous engluez dans votre propre piège. Je crois qu'il vaut mieux que je vous donne ma version de vos agissements. Quand j'aurai terminé, vous pourrez ajouter tous les détails que j'aurais pu oublier. Qu'en pensez-vous, Arthur ?

Billtoe hocha la tête, comme s'il avait vraiment voix au chapitre.

— Donc, pour commencer, c'est vous qui m'avez donné des idées de ballons volants et de carrés de salsa. Ensuite, le bruit court qu'un homme volant déterre quelque chose dans les carrés de salsa. Et Pike me dit qu'il s'agit de diamants.

— Pike perd la tête, objecta Billtoe. Sa blessure le fait délirer.

Bonvilain leva un doigt.

— Ce n'est pas le moment de mentir, Arthur. N'oubliez pas que vous êtes en sang. Et je n'ai pas encore terminé.

— Désolé, marmonna Billtoe.

— En même temps, vous êtes beaucoup trop borné et ignorant pour avoir imaginé vous-même ce trafic de diamants…

— Absolument, approuva Billtoe avec soulagement. Borné et ignorant, c'est tout à fait moi.

— Vous devez donc avoir été manipulé par l'auteur de ces projets. Or je ne connais qu'une seule personne sur la Petite Saline qui soit fascinée par le vol.

La bonhomie du maréchal céda soudain la place à une colère froide, menaçante.

— Faites attention à ce que vous allez dire maintenant, Billtoe. Si jamais votre réponse me déplaît, vous ne vivrez pas assez longtemps pour mourir de votre blessure à la jambe… Est-ce Conor Broekhart qui a eu ces idées ?

— Qui ? demanda Billtoe dont les traits exprimaient un étonnement sincère.

— Finn. Conor Finn.

Le sang qui restait dans le visage du garde s'en retira aussitôt. Il avait toujours su que cet instant arriverait. Il ne lui restait plus qu'une carte à jouer

— Oui, maréchal, dit-il d'un air penaud. Il m'a vendu ces idées contre des draps ou ce genre de choses. Ça paraissait une tromperie inoffensive.

Bonvilain poussa un grognement.

— Jusqu'au jour où il s'est échappé sur un de ces fameux ballons du couronnement. Avec votre aide, je parie.

— Non, monsieur, lança Billtoe en serrant les bords de sa plaie entre ses doigts. Finn est enfermé dans la section des fous, conformément à vos ordres. Impossible qu'il s'échappe.

Le garde s'interrompit et parut honteux.

— Cela dit, il a un peu changé depuis la dernière fois que vous l'avez vu. Les années ont été dures pour ce pauvre gars. Avec toutes les raclées et le travail sous la cloche que vous avez ordonnés. Je ne serais pas surpris que vous ne reconnaissiez même pas le jeune Conor Finn.

Bonvilain entrelaça ses doigts et les serra si fort que leurs extrémités devinrent blanches, puis il passa ses mains sur son front. Il savait ce qui s'était passé. Bien sûr qu'il le savait. Et tout était arrivé par sa propre faute.

« J'aurais dû jeter Conor Broekhart par la fenêtre il y a des années, au lieu de le laisser vivre au cas où il faudrait garder son père sous contrôle. Dans quels pièges compliqués nous nous engluons... »

Bonvilain dut s'avouer qu'il avait aimé l'idée d'avoir un témoin de son génie. Combien la détention du jeune Broekhart devait avoir été rendue plus douloureuse par sa conviction d'être considéré comme un criminel par son propre père.

Le maréchal eut un sourire pincé. Non, son plan était excellent depuis le début. Seules des circonstances incroyables l'avaient fait capoter. Un homme volant, rien que ça ! Comment se préparer à des éventualités qui n'avaient pas encore été inventées ?

Conor Broekhart était peut-être génial, mais Hugo Bonvilain était ingénieux. Cette situation était un défi pour lui. Il faudrait réfléchir vite, mais déjà un nouveau plan était en train de germer dans l'esprit du maréchal. Il serait question d'assassinats, mais ce n'était pas vraiment un problème, sauf qu'il s'agirait sans doute d'un de ces crimes au sommet qui exigent de leurs auteurs d'apparaître absolument au-dessus de tout soupçon. Les familles régnantes de l'Europe désapprouvaient les roturiers qui se débarrassaient de leurs monarques. Et une désapprobation royale prenait généralement la forme d'un envoi de navires de guerre suivi d'une annexion. Hugo Bonvilain n'avait aucune intention de partager ses diamants ou son pouvoir avec quiconque, et surtout pas avec la grande amie d'Isabella, la reine Victoria, souveraine de l'Empire britannique.

Les Bonvilain avaient passé trop de siècles à s'efforcer de conquérir la position qui était précisément la sienne aujourd'hui pour qu'il plie bagage au premier signe de résistance sérieuse.

Le maréchal se rappela la nuit où son père était

mort. La lèpre qu'il avait contractée lors d'un pèlerinage à Jérusalem le faisait délirer, si bien que la plupart de ses propos étaient dénués de sens. Toutefois il arrivait par instants que son regard retrouvât sa lucidité d'antan.

– Nous avons élagué, avait-il soufflé au jeune Bonvilain. Comprends-tu ce que je te dis, Hugo ? Pendant des siècles, nous avons élagué les Trudeau. Ils sont aussi prolifiques que des lapins – que Dieu les extermine ! – mais nous avons mis sur le trône la personne qu'il fallait pour sauvegarder l'indépendance des îles Salines. À toi de parachever notre œuvre. Sois le dernier d'entre nous à être serviteur, et le premier représentant d'une lignée de maîtres. Promets-le-moi, Hugo. Donne-moi ta parole.

Le mourant avait agrippé le bras de son fils avec ses mains couvertes de bandages.

– Je vous le promets, avait dit Bonvilain, incapable de regarder les vestiges ravagés du visage de son père.

Le maréchal se rendit compte qu'il se balançait dans son fauteuil depuis un moment, les mains pressées sur le front. Son attitude devait paraître étrange. Il s'appuya contre le dossier et lissa la robe blanche à croix rouge de templier qu'il avait passée sur son costume bleu foncé.

– C'est ma position pour réfléchir, Arthur. Ça vous gêne ?

– Non, maréchal. Pas du tout.

– Je suis heureux de l'entendre. Avez-vous autre chose à me dire au sujet de notre homme volant ?

Billtoe chercha dans sa tête une remarque pertinente susceptible de plaire au maréchal.

– Hem… euh… Ah, oui ! Il cause en français.

Bonvilain abattit ses deux poings sur la table, en faisant rebondir son nécessaire à écrire.

Airman parlait français ! Voilà qui tranchait la question.

Il avait commis l'erreur de révéler sa francophobie
à Conor Broekhart. Apparemment, ce garçon n'était
pas dénué d'humour. Mieux valait se débarrasser de lui
au plus vite. Il n'avait pas besoin d'un vengeur volant
dans les airs pour lui dérober ses diamants et faire
échouer ses plans.

– Vous maintenez donc que Conor Finn est en train
de languir dans sa cellule, Arthur ?

Billtoe déglutit péniblement et sa pomme d'Adam
s'agita.

– En dehors de cette histoire de languir, dont je ne
suis pas certain, oui. Il est dans sa cellule.

– Parfait. Je voudrais lui parler.

– Comment ? Tout de suite ?

– Oui, tout de suite. Cela vous pose problème ?

– Non, absolument pas.

Le visage de Billtoe se crispa sous l'effet de la douleur
et du désespoir.

– Sauf que je perds beaucoup de sang, maréchal. Il
faut refermer cette plaie, sans quoi je risque de ne pas
survivre au trajet en ferry jusqu'à la prison.

Bonvilain jeta un coup d'œil à la cheminée. Des
flammes bleu et orange crépitaient dans l'âtre, et une

petite épée servant de tisonnier était suspendue à un crochet près du seau à charbon.

– Vous avez raison, Arthur, dit-il d'un ton enjoué. Il est temps de cautériser cette plaie.

Bonvilain monta à bord du ferry avec le capitaine Sultan Arif, son homme de confiance. Billtoe était recroquevillé à la poupe. De temps en temps, il tâtait la croûte de chair brûlée, en semblant chaque fois étonné de la souffrance provoquée par ce contact. Il s'évanouit à plusieurs reprises durant la traversée. Quand il revenait à lui, il pleurait comme un bébé en répétant le mot « tonneau ».

Bonvilain se découvrait libre de toute inquiétude, à présent qu'il avait réfléchi aux événements de la nuit. En fait, il se sentait revigoré à l'idée de devoir lutter pour maintenir ou même améliorer sa position. Après tout, Conor Broekhart était un jeune homme muni d'un cerf-volant. Hugo Bonvilain était un stratège avec une armée derrière lui. Et le jeune Conor semblait répugner à tuer son prochain, alors que Bonvilain considérait le meurtre comme un instrument politique aussi vénérable qu'efficace.

Le maréchal chuchota dans l'oreille de Sultan Arif :

– Il se pourrait qu'il soit bientôt question d'empoisonner. Préparez vos potions.

Sultan hocha négligemment la tête tout en jouant avec sa magnifique moustache.

– Oui, maréchal. Puis-je vous demander qui il se pourrait que nous empoisonnions ?

– Moi-même, à mon grand regret, répondit sir Hugo.

Sultan ne manifesta aucune surprise.

– J'imagine qu'il y aura d'autres victimes ?

– Oh, oui ! confirma Bonvilain d'un air distrait. Il y en aura d'autres.

PETITE SALINE

Un prisonnier occupait la cellule de Conor Finn, mais ce n'était pas Conor Finn.

– Et qui est cette personne, je vous prie ? demanda Bonvilain en désignant le pauvre diable terrifié qui était blotti dans un coin, loin de la lumière de la lampe.

Billtoe comprit que sa ruse avait échoué.

– Ne me tuez pas, Votre Excellence, implora-t-il en se jetant à genoux et en agrippant l'ourlet de la robe de templier du maréchal. Je vous en prie, épargnez-moi. Je ne sais pas comment ce type s'est échappé. Il a disparu d'une minute à l'autre. C'était de la magie. Peut-être qu'il m'avait hy… hypnotisé.

Bonvilain ne l'expédia pas tout de suite tant il prenait plaisir à le voir ramper devant lui.

– Ce que j'ignore encore, Arthur, c'est si vous étiez en fait le complice de Finn. Je parie que vous l'avez aidé à s'évader et à se livrer à ses trafics.

– Oh, non, monsieur le maréchal ! bégaya Billtoe. Je n'ai jamais été complice. Je ne suis pas assez malin pour ça.

– Je n'en suis pas si sûr. Cette idée de lui trouver un remplaçant aurait pu marcher avec n'importe quel autre prisonnier. Vous n'avez pas eu de chance de perdre précisément celui-là.

— Ce n'était rien de plus, monsieur. Une sacrée malchance, sans aucune coopération avec le prisonnier.

Bonvilain décida qu'une explosion de colère s'imposait. Après tout, Sultan assistait à la scène.

— Vous m'avez menti, Billtoe ! hurla-t-il d'une voix qui résonna dans la cellule minuscule. Vous avez volé mes diamants !

Il arracha le bas de sa robe des doigts de Billtoe puis lui assena un coup de pied magistral, qui le fit culbuter par-dessus le lit. Le garde heurta violemment le mur du fond, dont une plaque de boue s'effrita et tomba. Billtoe resta là, comme un sac de linge sale renversé.

— Joli coup, maréchal, commenta Sultan. À la pointe du menton. Il a roulé comme une roue de charrette. Voulez-vous que je l'achève ?

— Non, répondit Bonvilain. Je pense à quelque chose de plus poétique. Peut-être notre ami Arthur a-t-il besoin de temps pour méditer sur ses imperfections.

Il fut distrait par une étrange lueur au fond de la cellule. Le front de Billtoe avait fait tomber un peu de boue en heurtant le mur et des griffonnages bizarres étaient apparus derrière, brillant d'un éclat fantomatique.

Bonvilain s'approcha, curieux, et se pencha pour examiner les dessins.

— Je suppose qu'il s'agit de corail, dit-il rêveusement. Ce vieux fou d'Hector le Globe-Trotter aurait adoré ça.

Cependant ces dessins étaient l'œuvre de l'homme.

Des schémas, des équations. Quelqu'un avait tenté de les recouvrir de boue, mais elle n'avait pas adhéré complètement à la surface humide. On distinguait nettement un planeur sur la paroi. Bonvilain le tapota avec ses doigts gantés.

— Eh bien, Airman, chuchota-t-il. Il semble que je vous aie fourni votre laboratoire.

Tirant un pistolet de sa ceinture, il gratta le mur avec sa crosse. Une autre plaque de boue craquela et tomba, en révélant que le planeur avait été lancé du haut d'une tour.

— Vous m'avez même laissé votre adresse. Et je ne serais pas étonné qu'il y ait là d'autres secrets encore plus précieux.

Prostré par terre, Billtoe gémit.

— Vais-je être exécuté, monsieur ? Est-ce le destin qui m'attend ?

— Pas dans l'immédiat, assura Bonvilain en s'étirant. Vous pouvez vous rendre utile, Arthur Billtoe. Pour le moment, votre destin consiste à nettoyer ces murs et à recopier toutes les inscriptions que vous trouverez sous la boue.

— Oh, merci, monsieur ! s'exclama Billtoe en versant des larmes de soulagement. Je vais mettre un détenu au travail sur-le-champ. Ce sera ma priorité.

— Vous ne comprenez pas, Arthur, dit Bonvilain.

Il empoigna les revers de la veste du garde, l'arracha de son dos et rejeta violemment Billtoe au fond de la cellule.

— Vous n'allez pas surveiller cette tâche en tant que

garde. Vous allez vous en acquitter vous-même en tant que détenu.

Bonvilain se tourna vers le jeune homme qui occupait cette cellule depuis presque un an.

– Comment vous appelez-vous, mon garçon?

– Claude de Ville Montgommery, Votre Majesté, répondit promptement le prisonnier. Mais mes amis m'appellent Spog.

Bonvilain battit des paupières. La vie n'était jamais avare de surprises.

– Le vieux Billtoe ici présent m'a dit de répondre Conor Finn à tous ceux qui me demanderaient mon nom, surtout à vous, mais c'était seulement au cas où il ne trouverait pas le temps de m'arracher la langue, et comme vous pouvez le voir...

Spog ouvrit toute grande la bouche pour révéler deux dents et une langue grise.

– Merci, euh! Spog. Dites-moi, Mr Billtoe s'est-il montré désagréable avec vous?

Le visage du jeune homme se renfrogna tout entier.

– C'est une vraie brute, ce sale bonhomme. Toujours à me cogner, à me cracher dessus. Il aime aussi me tirer les cheveux, ce qui n'est pas vraiment bien élevé, non?

– Eh bien, vous allez avoir l'occasion de vous venger, déclara Bonvilain en lui lançant la veste du garde. À partir de maintenant, vous êtes le gardien et lui le prisonnier. Vous allez vivre chacun ce qu'a vécu l'autre.

Spog accueillit cette nouvelle d'un air impassible, comme si sa fortune changeait de face tous les jours.

— Je suis votre homme, Votre Altesse, dit-il en esquissant un salut militaire approximatif. Que pensez-vous de torturer les anciens gardes ?

— Je suis à fond pour, affirma Bonvilain. Ça forme le caractère.

Spog sourit et ses deux dents apparurent, tels deux montants de porte dans sa bouche.

— Je vais vous faire honneur, Votre Excellence.

Bonvilain fit une grimace.

— Tenons-nous-en à « maréchal », d'accord ?

— Oui, monsieur, Votre Excellence.

Les idées tourbillonnaient dans la tête de Billtoe comme des esprits dans le chaudron d'une sorcière, mais il réussit à comprendre l'essentiel de ce qui venait de se passer.

— Je… je suis un détenu, maintenant ? souffla-t-il en se hissant péniblement sur le lit.

Bonvilain tapota l'épaule de Spog.

— Occupez-vous de votre prisonnier, Mr Montgommery, dit-il. Je ne me charge pas en personne des criminels.

Les yeux de Spog brillèrent d'une joie méchante et vengeresse.

— Oui, monsieur… Votre Excellence… Tout le plaisir est pour moi… Vous préférez peut-être détourner les yeux ?

Bonvilain croisa les bras.

— Peut-être. Mais pas tout de suite.

Billtoe recula devant son nouveau geôlier, en s'enfonçant dans la cellule jusqu'au moment où ses coudes

418

firent tomber de la boue du mur, dévoilant ainsi des fragments de schémas et de calculs.

La lueur verte du corail éclaira l'expression d'horreur se peignant sur son visage. Les souffrances qu'il avait infligées à tant d'autres allaient désormais être son lot.

Bonvilain fit un clin d'œil à Sultan.

— Je vous avais bien dit que ce serait poétique.

POINTE DU DÉSESPOIR

Du fait de son activité en cette nuit qui l'avait vu se battre pas moins de deux fois, Conor n'eut pas plus d'une heure de sommeil. Et ce sommeil fut rempli de rêves où des gardiens de prison avaient des couteaux en guise de mains et des diamants à la place des yeux. Cependant une autre image s'agitait en arrière-plan, tentait d'attirer son attention. Un bref souvenir de son père et lui en train de traverser à la rame la baie du Pétrel, alors qu'il avait neuf ans.

« Regarde la pale de l'aviron, avait déclaré Declan Broekhart. Tu vois comme elle divise l'eau ? Il s'agit de soulever l'eau, pas de glisser à travers. »

Puis Declan avait dit dans ce rêve quelque chose qu'il n'avait jamais dit dans la vie réelle.

« La même théorie s'applique aux pales d'une hélice. Voilà qui pourrait faire décoller ton aéroplane. »

Conor se réveilla aussitôt et se redressa dans son lit. Qu'est-ce que c'était ? Qu'avait-il pensé ? Le rêve commençait déjà à se décomposer. L'aviron. Quelque chose à propos des avirons. Comment un aviron pouvait-il aider à faire voler un aéroplane ?

Mais si, c'était évident. L'aviron avait une pale, exactement comme l'hélice.

« Tu vois comme elle divise l'eau… »

Bien sûr ! On n'enfonçait pas l'aviron horizontalement dans l'eau mais de biais, de façon à réduire la résistance et à optimiser la poussée. Ce principe vieux comme le monde devait également s'appliquer à l'hélice. Après tout, l'hélice n'était en fait qu'une aile tournante. Quand l'aéroplane volerait enfin, elle devrait amortir la puissance du moteur et vaincre la résistance de la machine volante. Il fallait la considérer comme une aile et la façonner en conséquence.

« Des hélices plates ne servent à rien, songea Conor en s'habillant en hâte. Il faut les présenter de biais et façonner les pales de manière à créer une poussée. »

Lorsque Linus monta l'escalier avec un plateau de bacon, de pain et de café brûlant, Conor ciselait la deuxième pale de sa nouvelle hélice.

— Ah ! dit Linus. Une nouvelle hélice !

Cette remarque arrêta net le geste de Conor.

— Vous êtes aveugle, n'est-ce pas ? Comment est-il possible que vous sachiez ce que je fais ?

Linus posa le plateau du petit déjeuner sur une banquette.

— J'ai des pouvoirs magiques, mon garçon. De plus, voilà une heure que vous parlez tout seul de poussée,

420

de résistance, de propulsion et de tous ces sujets passionnants. Nous autres, aveugles, nous ne sommes pas forcément sourds, vous savez.

Le scientifique en Conor désirait continuer sa tâche mais il était aussi un jeune affamé, de sorte qu'il abandonna son hélice pour se jeter sur cette délicieuse collation.

Linus l'écouta manger, ravi de voir sa cuisine appréciée à sa juste valeur.

– J'ai été chercher du pain frais au village. Il court une foule d'histoires là-bas à propos du fameux Airman. Apparemment, il a massacré vingt hommes sur l'île la nuit dernière.

– J'ai entendu dire qu'il mesure trois mètres, renchérit Conor tout en engloutissant une bouchée de pain.

Linus s'assit près de lui sur la banquette.

– Il n'y a pas de quoi plaisanter, Conor. Vous êtes en danger.

– Inutile de vous tracasser, Linus. La brève carrière d'Airman est terminée. J'en ai fini des expéditions nocturnes. À partir d'aujourd'hui, mes vols seront scientifiques.

Linus s'empara d'une tranche de bacon.

– Peut-être devriez-vous songer à vous trouver une petite amie. C'est de votre âge, vous savez.

Conor ne put s'empêcher de penser à Isabella.

– J'ai eu une petite amie, dans le temps. Plus ou moins. Je m'occuperai de nouveau de ces questions quand nous serons en Amérique.

— Quand vous serez en Amérique. Je compte rester ici pour conspirer contre Bonvilain. D'autres gens partagent mes opinions.

— Vous êtes sérieux, constata Conor avec tristesse. J'avais espéré que vous changeriez d'avis.

— Non. J'ai perdu des amis. Vous aussi, d'ailleurs.

Conor n'avait aucune envie de revenir sur ce sujet familier.

— D'accord, dit-il en repoussant son assiette. La tour est à vous, et vous ne manquerez pas d'argent. Mais moi, je pars. En Amérique, il y a des hommes volants de mon genre, qui brûlent de conquérir le ciel.

— Je vois. Et quand partez-vous ?

— J'avais projeté de m'en aller dès aujourd'hui, mais maintenant je suis impatient d'essayer cette nouvelle hélice. C'est une merveille, vous ne trouvez pas ?

Linus Hyver tapota le masque de nuit en velours qu'il portait à présent sur ses yeux dévastés.

— Je vous crois sur parole. J'ai fait venir ce masque du Savoy. Vous ai-je déjà dit que j'y ai séjourné autrefois ?

— Je vous propose un marché, dit Conor. Aujourd'hui, je transporte mon aéroplane sur la plage de Curracloe. Il me faudra deux jours pour le monter et encore un pour l'essayer. À mon retour, nous expédierons mon matériel par bateau à New York et nous nous rendrons à Londres en ferry et en train. Pendant une semaine, nous vivrons au Savoy comme des princes, sans parler de révolution ou de science, puis nous réexaminerons notre situation.

— C'est tentant, admit Linus. Certaines des suites possèdent un piano. Les doigts me démangent rien qu'à cette pensée.

— Alors mettons-nous d'accord. Nous nous donnons une semaine, puis nous retournons dans le monde. Séparément, peut-être, même si je prie pour que nous restions ensemble.

— Je l'espère aussi.

— Marché conclu. Le Savoy.

Linus tendit la main.

— Le Savoy.

Une poignée de main scella leur accord.

Bonvilain et Sultan débarquèrent incognito, le visage dissimulé par un large chapeau espagnol. Leurs uniformes salinois ne leur conféraient aucune autorité en Irlande, et ils avaient peu de chance d'attirer l'attention habillés en civil. Les voyous du coin auraient certainement moins tendance à chercher noise à des étrangers paraissant dangereux qu'à des soldats sortis de leur territoire. De fait, certains jeunes gens de Kilmore prenaient un malin plaisir à couvrir de quolibets des recrues de l'armée salinoises, lesquelles avaient reçu l'ordre de ne pas riposter. Bonvilain et Sultan n'avaient pas à tenir compte de tels ordres. Même s'ils ne se montraient pas ouvertement hostiles et affectaient des manières tout à fait distinguées, les gamins du port eurent l'impression qu'une querelle avec ces drôles de citoyens aurait des conséquences aussi pénibles que durables.

Ils longèrent le quai d'un pas nonchalant et s'enfoncèrent dans les profondeurs enfumées de la Cabane de bois.

— J'ai fréquenté des tavernes dans le monde entier, confia Hugo Bonvilain en se baissant sous le linteau. Et elles ont toutes un point commun.

— Les ivrognes ? suggéra Sultan Arif en enjambant au passage un marin endormi sur son chemin.

— Certes, mais en l'occurrence je pensais aux informations qu'on peut y acheter. Prenez ce malheureux, par exemple…

Le maréchal désigna un client solitaire accoudé au comptoir et contemplant son verre vide.

— Un candidat idéal. Il serait prêt à vendre son âme pour un autre verre.

Après s'être glissé jusqu'à l'homme, il commanda une bouteille de whisky à l'aubergiste.

— Je vous connais ? demanda celui-ci.

— Non, répondit Bonvilain avec bonne humeur. Et je vous conseille de vous en tenir là. Maintenant, laissez-moi cette bouteille et allez vous occuper ailleurs.

La plupart des aubergistes développent un sixième sens quant à leurs clients et à leurs capacités. Le propriétaire de la Cabane de bois ne faisait pas exception. Il ne posa pas d'autres questions mais vérifia que son fusil était chargé, au cas où ce client radieux et étrangement familier s'associerait à son compagnon souriant pour provoquer le désastre dont ils étaient sûrement capables.

Bonvilain ouvrit la bouteille et se tourna vers l'homme seul avec son verre vide.

– Mon cher monsieur, j'ai l'impression qu'un verre ne vous déplairait pas. Je l'espère, du reste, car je n'ai aucune intention d'absorber une goutte de ce tord-boyaux qui a déjà dû passer par l'estomac d'une dizaine de chats, si j'en juge par son odeur.

L'homme poussa son verre du bout du doigt sur le comptoir.

– Je vais vous rendre le service de vous en débarrasser.

– Voilà qui est très généreux de votre part, mon ami, dit Bonvilain en remplissant le verre à ras bord.

– Nous ne sommes pas amis, rétorqua l'homme d'un ton bougon malgré cette chance inespérée. Pas encore.

Une demi-bouteille plus tard, ils étaient amis et Bonvilain dirigeait la conversation comme si son interlocuteur avait un gouvernail fixé derrière sa tête.

– Quelle idiotie, l'éclairage au gaz ! grommela l'ivrogne. Que reproche-t-on aux bougies ? Une bougie ne se casse et n'explose jamais. J'ai entendu dire qu'une explosion de gaz en Chine avait détruit une ville entière sauf les chats, qui sont immunisés contre le gaz.

Bonvilain hocha la tête avec sympathie.

– Le gaz. Un danger public. Quant aux étrangers qui achètent nos maisons…

– Quelle idiotie, les étrangers ! lança l'homme avec violence. Ils achètent nos maisons. Tous des préten-tieux ! Savez-vous que les Anglais possèdent cent pour cent, sinon plus, des grosses baraques des environs ?

— Et ils adorent s'installer dans des tours, histoire de nous regarder de haut.

— C'est bien vrai ! approuva l'homme définitivement imbibé. Par exemple, on a un vrai cinglé à la Pointe du Désespoir. Il a engagé un aveugle pour faire la cuisine et le ménage.

Bonvilain était très intéressé par ce cinglé.

— Un garçon comme ça ne devrait pas avoir le droit de posséder une tour, insinua-t-il.

Le verre se remplit derechef de whisky.

— Bien sûr que non, sapristi ! Il ne devrait pas en avoir le droit. Un garçon comme ça ! Il devrait être dehors à couper du foin comme nous autres à son âge. Mais que fait-il ? Il achète des tonnes de matériel. Il se fait livrer toutes sortes de pièces de mécanique. Qu'est-ce qu'il construit là-dedans ? Dieu seul le sait. C'est un vrai docteur Frankenstein. En tout cas, le vacarme qui règne dans cette tour la nuit serait capable de réveiller un cochon mort.

L'homme vida son verre d'un trait. Le whisky était si fort que tout son corps tressaillit sous le choc.

— Et qu'on ne vienne pas me dire que les homards ne sont pas de plus en plus malins. J'en ai pris un le mois dernier, et je vous jure qu'il essayait de communiquer. En faisant cliqueter ses pinces et en agitant ses antennes pointues.

L'aubergiste tapa du doigt sur le comptoir.

— Tu peux la fermer, maintenant, Ern. Ils sont partis.

— Ça m'est égal, proclama Ern en serrant la bouteille sur sa poitrine d'un air protecteur. De toute façon, je n'aime pas les types qui portent des chapeaux. Il faut toujours se méfier d'un chapeau.

L'aubergiste eut assez de tact pour ne pas faire remarquer qu'Ern lui-même arborait une casquette fort pimpante.

Il ne fallut que quelques minutes à Bonvilain et à Sultan Arif pour trouver la Pointe du Désespoir. Une vieille borne de l'armée anglaise au bord de la route leur fut d'une aide précieuse.

— Cet endroit mérite son nom, observa Arif en posant sa sacoche à bandoulière sur une souche.

Il choisit à l'intérieur deux revolvers et divers couteaux, qu'il glissa dans sa ceinture.

— Nous n'allons pas demander de renforts, j'imagine.

— Pour une fois, vous avez raison, Sultan, dit Bonvilain. Ceci est une tour Martello. Même avec l'aide d'un navire de guerre, nous n'arriverions pas à entrer. Il faut procéder avec précaution. Essayons la diplomatie, puis la ruse, et enfin la violence si cela s'avère nécessaire.

Ils escaladèrent le mur en ruine et traversèrent la cour en prenant soin de ne pas accrocher leurs bottes à quelque plante rampante surgissant sournoisement du sol rocailleux.

— Elle ne paie pas de mine, déclara Sultan en détachant de la mousse du mur de la tour.

Bonvilain hocha la tête.

— Je sais. C'est astucieux, non ?

En faisant rapidement le tour de l'édifice, ils constatèrent qu'il ne possédait qu'une seule entrée, située au-dessus de leurs têtes et munie d'une porte en bois.

— Je parie que cette porte est plus solide qu'elle n'en a l'air, marmonna Bonvilain.

Sultan appuya sa joue contre le mur.

— Un générateur fait vibrer les pierres, maréchal, déclara-t-il. Et j'entends de la musique classique. On croirait qu'il y a un orchestre entier là-dedans.

— Un phonographe, dit Bonvilain avec aigreur. Le comble du modernisme. Conor Broekhart a toujours aimé ce genre de jouets.

— Et comment faisons-nous pour entrer ? Nous jetons des pierres sur la porte ?

« C'est la tour d'Airman, songea Bonvilain. Il entre et sort par le toit. »

— Je vais jeter des pierres, annonça-t-il au capitaine.

— Vous avez toujours été doué pour ce sport. Et moi, que puis-je faire ?

— Vous pouvez fouiller votre sacoche pour voir si vous n'auriez pas emporté votre arbalète.

Les yeux de Sultan se mirent à briller.

— Inutile de chercher. J'emporte toujours mon arbalète.

Linus Hyver écoutait avec ravissement l'*Ode à la joie* de Beethoven tout en faisant frire dans la poêle un gruau de maïs dans la pure tradition du Sud. Son secret était l'adjonction de poivre de Cayenne. Bien entendu, les ressources limitées de la cuisine de Conor ne comprenaient aucun poivre, de sorte qu'il avait dû le remplacer par du curry. Ce n'était pas vraiment à la hauteur de ses exigences habituelles en matière de gastronomie, mais il était peu probable que Conor se plaigne après deux années du régime de la Petite Saline. De toute façon, Conor était parti pour la plage de Curracloe il y avait cinq minutes à peine, et à son retour le gruau de maïs ne serait plus qu'un lointain souvenir.

Ce phonographe était un miracle de la science. Conor lui avait expliqué comment un orchestre pouvait être transféré sur un cylindre de cire – honnêtement, Linus n'avait pas fait beaucoup d'effort pour comprendre. Le son était incertain et il fallait changer le cylindre au bout de quelques minutes, mais la musique n'en était pas moins délicieuse.

Malgré le crépitement de la musique et le grésillement du gruau, Linus entendit des voix étouffées à l'extérieur. Au début, il crut qu'il s'agissait de jeunes villageois fouinant dans les parages, mais il distingua ensuite le mot « maréchal » et sa curiosité indolente céda la place à un affolement terrifié.

« Bonvilain nous a retrouvés. »

Même s'il n'avait jamais été un bon tireur, l'Américain se sentit un peu réconforté après avoir empoigné le fusil à répétition caché sous le plan de travail.

« Que Bonvilain ouvre seulement la bouche, et je ferai de mon mieux pour la lui fermer à jamais. »

Un instant plus tard, une pierre heurta violemment la porte, suivie bientôt de trois autres. La dernière fit tinter une plaque d'acier.

« C'est bien ce que je pensais, dit une voix. Une porte blindée. »

Linus contrôla la culasse avec son pouce puis longea le mur jusqu'à une meurtrière.

« Mon arme est prête. Parlez encore, maréchal. »

Bonvilain l'exauça.

– Conor Broekhart ! cria-t-il. Pourquoi ne descendez-vous pas, que je puisse enfin vous tuer ? Inutile de tourner autour du pot.

Linus tira six balles en direction de la voix.

« Peut-être Dieu va-t-il favoriser les hommes de bien », pensa-t-il tandis que l'écho des coups de feu se prolongeait autour des murs incurvés de la tour et que la fumée du fusil le faisait tousser.

– Parfait ! s'exclama Bonvilain. Conor n'est pas au nid et son serviteur aveugle joue de la gâchette. Pour votre information, mon vieux, vous venez d'infliger de graves blessures au pilier derrière lequel je m'étais abrité.

« À moins que le diable ne veille sur les siens », conclut Linus en couvrant son nez et sa bouche avec un chiffon mouillé de l'évier.

« Je dois avertir Conor. Il ne faut pas qu'il soit pris. Je vais faire partir les fusées éclairantes. »

Conor était inquiet à l'idée de laisser Linus seul dans la tour, même si l'Américain avait survécu à cinquante ans de guerre et de prison sans son aide. Il avait donc installé sur le toit une batterie de fusées à lancer en cas d'urgence. Les mèches descendaient en divers endroits de la tour et étaient coiffées d'une capsule de soufre, qu'il suffisait de tirer pour déclencher la fusée. Et ces amorces étaient reliées entre elles, de sorte que la première fusée allumée entraînait toutes les autres.

L'amorce la plus proche se trouvait dans ce qu'ils appelaient pour plaisanter le salon, à savoir quelques fauteuils groupés autour de l'âtre, lequel servait à Linus de distillerie de gin.

« Quinze pas du fusil au salon. Puis une marche à descendre. Une banquette contre le mur. Je fais ce trajet cent fois par jour. »

Linus toussa pour évacuer le reste de la fumée puis commença à s'avancer avec circonspection. Il aurait été dommage de tout faire rater en se tordant une cheville. Il avait tout son temps. Bonvilain devait hésiter à entrer par la porte alors que plusieurs fusils étaient peut-être braqués sur lui.

« Marche lentement mais sûrement. »

Il s'affola en entendant soudain une série de coups de feu, qui firent résonner la porte métallique comme une cloche.

Perplexe, il se laissa tomber à quatre pattes.

« Le maréchal est-il devenu stupide ? Cette porte est blindée, il l'a dit lui-même. Pourquoi tire-t-il dessus ? »

La réponse était évidente, et elle s'imposa presque aussitôt à Linus.

« Son but n'est pas de me tuer mais de distraire mon attention. Le maréchal n'est pas seul... »

Un objet de métal froid et tranchant se pressa soudain contre sa nuque.

– Vous avez oublié de fermer la porte du toit, mon vieux, dit une voix au fort accent étranger.

431

Linus comprit sur-le-champ de qui il s'agissait. Sultan Arif, l'implacable adjoint de Bonvilain.

— Vous êtes pourtant bien placé pour savoir que les ennuis arrivent parfois d'en haut, observa Sultan.

« L'amorce. Il faut que je l'allume. »

Linus tenta de s'élancer vers le salon malgré la lame s'enfonçant dans sa nuque, mais il était impossible d'échapper à Sultan Arif. Le capitaine l'attrapa comme s'il n'était qu'un chiot récalcitrant et le força à se lever.

« Garde tes repères. Il faut que tu saches où tu es. »

C'était là une tâche difficile alors que tout contribuait à distraire ses sens. Sa nuque était douloureuse, du sang dégoulinait dans son dos. L'écho du coup de feu ne s'était pas encore dissipé. Sultan fit virevolter sa victime. Linus était complètement désorienté.

« Concentre-toi. Où te trouves-tu ? »

Finalement, Sultan l'aida.

« Si nous descendions pour rencontrer notre maître ? lança-t-il en poussant Linus à travers la pièce.

L'Américain entendit le verrou s'ouvrir avec un grincement et l'air frais fouetter son visage.

« Je suis sur le seuil », se dit-il en cherchant le chambranle à tâtons.

La voix de Sultan était tout près de son oreille.

— Je l'ai, maréchal ! cria le sbire. L'aveugle est seul. Il y a une échelle de corde, je vais la dérouler.

— Ne soyez pas ennuyeux, Sultan, précipitez-le dans le vide, répliqua Bonvilain. Rien n'est plus amusant que de voir tomber un aveugle.

Arif soupira. C'était un geste peu honorable, mais

l'honneur n'était pas une qualité très prisée du maréchal.

— Détendez-vous, mon vieux. Quand on est trop tendu, on se brise les os.

Le cuir de son manteau craqua lorsqu'il se pencha pour pousser. Linus attendit l'instant propice. Quand Sultan le propulsa dans le vide, il poussa un hurlement. Assez fort pour couvrir le bruit d'une capsule de soufre arrachée à une mèche courant le long du chambranle.

En revenant à lui, Linus pleura car au moment où sa tête avait heurté le sol, il avait vu quelque chose. Un éclair lumineux – rien qu'un instant – puis de nouveau les ténèbres. Il respirait avec peine du fait d'une botte pesant sur sa poitrine.

— Je me souviens de vous, dit Bonvilain. Vous jouiez du piano pour le roi. Un espion aveugle ! Très astucieux. Eh bien, mon vieux, vous en avez fini avec le piano. Avec l'espionnage aussi, à propos.

— Allez au diable, Hugo Bonvilain ! croassa vaillamment Linus. Il y a en enfer un gouffre spécialement prévu pour les gens de votre espèce !

Le maréchal éclata de rire.

— Je n'en doute pas, aussi ai-je l'intention de quitter cette vie le plus tard possible. Quant à vous, vous allez la quitter d'ici peu, à moins que vous ne répondiez bien vite à mes questions.

Linus rit aussi, mais avec amertume.

— Tuez-moi donc, Bonvilain. Votre prison n'a pu briser ma résistance, et vous n'en serez pas capable vous-même.

— Vous savez, je crois que vous avez raison. Je suis sûr que vous me résisterez jusqu'à votre dernier souffle. Je ne comprendrai jamais les gens comme vous, avec leurs principes. Sultan en a quelques-uns, mais il peut rester sourd à leurs admonestations quand la situation l'exige. De toute façon, je n'ai pas vraiment besoin de vous. Broekhart va revenir et je vais l'attendre, tout simplement.

— Ça risque de ne pas être si simple, dit Linus.

À cet instant, les amorces s'embrasèrent de concert et une demi-douzaine de fusées s'élevèrent dans le ciel. Elles explosèrent en illuminant les nuages sombres de lueurs roses et rouges.

Bonvilain les regarda descendre lentement, d'un air méchant et dépité.

— Des fusées éclairantes ! Ce jeune Broekhart se démène comme un beau diable. Ma parole, il me semble parfois que j'essaie de l'enterrer depuis qu'il est né.

— Des secours vont arriver, souffla Linus. Les pompiers vont être alertés.

Bonvilain réfléchit rapidement, en passant les mains sur son front, puis il s'adressa à Sultan.

— Allez me chercher une plume et du papier dans la tour. Je vais clouer une invitation spéciale sur la tête de cet homme.

— Je n'ai guère envie d'assassiner un aveugle, maréchal, déclara Sultan avec calme.

— Nous en avons déjà parlé, lança Bonvilain du ton d'un père qui ne veut pas que ses enfants entendent. Quand vous étiez soldat, vous n'aviez pas tant de scrupules.

– C'était la guerre. Je tuais d'autres soldats. Cette fois, il s'agit d'un vieillard aveugle.

– Allez me chercher cette plume, insista Bonvilain.

– Je n'ai pas déployé l'échelle.

– Déployé ? Déployé ? Vous vous prenez pour Shakespeare, maintenant ? Tirez donc sur un autre verrou et montez à une autre corde.

Sultan désigna de la tête le village.

– Ça prendra quelques minutes. Je ne crois pas que nous ayons le temps.

Bonvilain était furieux.

– Vous exagérez vraiment, Sultan. J'espère de tout cœur que ce vieillard sera l'homme qui vous plantera un poignard dans les côtes. Je me pencherai sur votre corps mourant rien que pour vous dire que je vous avais prévenu.

Sultan s'inclina bien bas en signe de loyauté indéfectible.

– C'est trop tard pour vos courbettes, mon cher. Vous m'avez beaucoup déçu.

– Je vous présente mes excuses, maréchal.

– C'est ça, des excuses. Comme c'est utile. Au moins, faites-moi la grâce d'attacher cet espion au pilier.

– Bien sûr, maréchal.

Linus fut soulevé de terre et plaqué brutalement contre le pilier de la porte. Des cordes enserrèrent ses jambes et son buste, avec tant de force que sa peau le brûla. À force de tourner autour de lui, Sultan lui donnait le vertige.

« Avoir le vertige quand on n'y voit rien. Quelle injustice ! »

Au moins, il semblait devoir rester en vie. Même si Bonvilain allait à coup sûr lui imposer une condition.

— Très bien, monsieur l'aveugle, chuchota à son oreille gauche la voix moqueuse de Bonvilain. Vous avez gagné un sursis. Transmettez donc ce message à Airman. Dites-lui que je reçois des hôtes demain soir. Un petit dîner en l'honneur de Conor Broekhart, ce que je trouve d'une ironie délicieuse. Ce sera le troisième anniversaire de sa mort. Il n'y aura que sa famille et ses amis. On servira un vin spécial pour porter des toasts. Un cru plein de vigueur. Un peu trop, même. Apparemment, les rebelles auront réussi à infiltrer les cuisines. Quelle tragédie…

Linus n'avait plus assez de souffle pour l'insulter.

— N'oubliez pas de dire à Conor que c'est sa faute si j'en viens à de telles extrémités, continua Bonvilain en enfonçant ses doigts dans l'épaule de Linus. S'il était resté où je l'avais mis, rien de tout cela n'aurait été nécessaire. Mais il a fallu qu'il s'échappe et me vole. Du coup, son frère va être orphelin. Vous savez, peut-être en ferai-je mon pupille. Je l'élèverai comme mon propre fils et il deviendra un petit maréchal.

Bonvilain se mit à glousser, ravi de son propre humour pervers.

— Comme les gens m'aimeraient ! Le noble Bonvilain adopte l'enfant d'un autre.

Linus réussit à articuler quelques mots.

— Personne ne vous aime, Bonvilain.

— Vous avez raison, approuva le maréchal. On pourrait croire que ça m'ennuie, mais non, il semble que les richesses matérielles suffisent à me combler.

Sultan s'avança en s'inclinant pour attirer l'attention de Bonvilain.

— Maréchal, ces fusées pourraient avoir alerté des gens.

Bonvilain était déçu. Évidemment, les villageois allaient venir voir ce qui se passait. Il n'était plus temps de savourer son triomphe. Quel dommage – il adorait ces séances, et elles n'étaient que trop rares. Enfin, empoisonner la reine et les Broekhart promettait aussi quelques satisfactions. Avec un peu de chance, Conor se jetterait également dans la gueule du loup. Et même dans le cas contraire, Bonvilain serait bientôt Premier ministre et plus personne ne pourrait rien y changer.

Encore un instant pour dire un dernier mot à l'aveugle.

— J'imagine que les Irlandais vont vous détacher. Mais même alors, il ne faut pas vous enfuir. Restez ici pour transmettre mon message, autrement votre maître ne pourra pas se tuer en essayant de déjouer mes plans.

Il gifla violemment Linus.

— Après quoi, passez le reste de votre existence à vous demander quand je vous tuerai. Comme nous le savons, vous ne me verrez pas venir.

Le visage de Linus resta hostile, impassible, mais son souffle s'était accéléré et il se serait sans doute effondré si les cordes ne l'avaient pas retenu.

« Je m'en veux d'éprouver une telle terreur. J'ai connu la guerre et la peste, j'ai vécu dans les ténèbres en redoutant à chaque instant la souffrance. Mais la terreur ? Jamais elle ne s'était emparée de moi, jusqu'à cet instant. »

— Allez vous faire voir, maréchal ! le défia-t-il en sanglotant. Que le diable vous emporte !

Cependant sa voix résonnant dans le vide lui apprit qu'il était seul. Bonvilain était parti mettre au point sa petite fête.

« Je devrais être heureux, pensa Conor Finn. Mon plan a réussi et je suis de nouveau un scientifique, avec assez d'argent pour continuer mes expériences pendant des années. Je devrais être au moins satisfait. »

Toutefois il ne pouvait s'empêcher d'avoir conscience que cette existence n'était pas la sienne. Il restait à la lisière, comme si l'entrée lui était interdite. Et quelque part, hors de portée, une vie différente, réelle, l'attendait.

« Il vaudrait mieux m'éloigner. Comment recommencer à zéro alors qu'il me suffit de lever les yeux pour apercevoir les îles Salines à l'horizon ? »

Conor conduisait sa jument et son chariot sur la route côtière menant à Wexford, d'où il comptait rejoindre la plage de Curracloe, qui se trouvait de l'autre côté à huit kilomètres. Il était déjà midi, car il lui avait fallu plus de temps que prévu pour descendre les ailes le long du mur de la tour avec un treuil. Il allait devoir passer une nuit supplémentaire sur la plage, peut-être deux, suivant la situation.

Le voyage lui aussi serait plus long que prévu. Ils n'avaient couvert qu'à peine deux kilomètres depuis

Kilmore, et déjà la jument était fatiguée par sa charge. Ailes, moteur, queue, fuselage et, bien sûr, sa nouvelle hélice constituaient un lourd fardeau pour une antique haridelle. Il essaierait d'échanger cette bête sur les docks de Wexford.

Il pensa à Linus et éclata de rire.

« Voilà que Linus me fait penser à une vieille bête. Il ne serait pas content de l'apprendre. »

L'esprit occupé par l'Américain, il regarda par-dessus son épaule, comme il l'avait déjà fait une douzaine de fois depuis son départ, pour vérifier qu'aucune fusée n'éclairait le ciel.

« Comme si Linus avait besoin de moi. Comme si Linus avait besoin d'un… »

Les fusées s'élevaient à l'horizon. Toutes ensemble, apparemment. Elles pirouettaient vers la terre en laissant derrière elles des traînées roses, telles les baleines d'un parapluie fantomatique.

« Linus a des ennuis ! »

Il devait y avoir un lien avec le combat de la nuit passée. Ça ne pouvait pas être une coïncidence.

Conor tira le chariot hors de la route pour s'enfoncer dans un taillis épais. La jument se plaignit, effarouchée par les branches basses, mais Conor l'entraîna et coinça le chariot entre deux troncs. Une pluie d'aiguilles de pin s'abattit sur l'homme et le cheval.

Un instant plus tard, Conor avait dételé la jument et la talonnait pour refaire en sens inverse la route côtière. Avec cet animal, il n'avait que deux solutions. Soit un bref galop, soit un long trajet au pas. Conor choisit le galop. Quelque chose lui disait qu'en prenant son temps il arriverait trop tard.

Quand il approcha de la tour, Conor découvrit son seul ami attaché au pilier, le visage et le cou meurtris. Sa première pensée fut : « Mort. Je l'ai de nouveau perdu. » Puis le vieillard se mit à tousser.

– Linus ! s'écria Conor en soutenant l'Américain. Vous êtes vivant.

Hyver parut surpris.

– Conor ! Je n'ai pas entendu votre jument.

– Elle s'est effondrée à la sortie du village. Son cœur a dû lâcher.

Il trancha la corde en hâte et aida son ami à s'asseoir au pied du pilier.

– Ce n'est pas aujourd'hui que vous mourrez, dit-il en vérifiant rapidement qu'il n'avait pas de fractures. Mais votre peau est couverte de contusions. Vous serez heureux d'apprendre que votre sang est bleu. J'ai toujours pensé que vous étiez d'ascendance royale.

– Écoutez-moi, Conor, articula Linus malgré sa gorge endolorie. C'était Bonvilain.

Conor tomba littéralement à la renverse dans l'herbe.

– Le maréchal en personne ? Ici ?

– Lui et son chien de chasse, Arif. J'avais laissé la porte du toit ouverte pour aérer la cuisine, comme un vieil idiot que je suis. Ils ne sont partis que parce qu'ils croyaient que les fusées allaient faire venir les villageois. J'aurais pu leur apprendre que vous aviez tiré tant de fusées et Dieu sait quels autres projectiles, depuis des semaines, que ce genre de spectacle les ennuie maintenant à mourir. J'aurais pu, mais j'ai préféré me taire.

– Qu'a-t-il dit ? demanda Conor. Racontez-moi, Linus.

Linus soupira profondément, le visage empreint de souffrance et de tristesse.

– Il sait que vous êtes Airman. Il projette de tuer vos parents et Isabella. Sans doute va-t-il les empoisonner lors d'un dîner qu'il donnera demain soir. Un dîner en l'honneur de Conor Broekhart.

Conor s'accroupit sur l'herbe, abasourdi par cette nouvelle.

« Il projette de tuer mes parents. »

« Que puis-je faire ? Comment intervenir ? »

Linus lut dans ses pensées.

– Vous devez oublier l'Amérique, maintenant, Conor. Il est temps d'agir.

– Je sais. Bien sûr. Mais que dois-je faire ? demanda Conor.

– C'est un casse-tête, admit Linus. Bonvilain est au courant de votre venue. Il sait exactement où et quand. Ses hommes surveilleront le ciel et la mer, en guettant l'homme volant.

– Je pourrais me rendre ! lança Conor dans son désespoir. Le maréchal n'aurait plus besoin de tuer personne, puisque ses secrets seraient en sécurité.

Linus protesta avec véhémence.

– Non ! C'est trop tard pour cela, Conor. Bonvilain ignore à qui vous avez parlé ou quelle armée vous pouvez avoir levée avec vos diamants volés.

– Mais pourquoi m'informe-t-il de ce dîner ? Pour me tourmenter ?

– Pour vous prendre au piège, rectifia Linus. Tous ses ennemis mourront en une seule nuit, et Airman sera l'assassin. Rejeter sur vous la responsabilité d'un meurtre est pour lui une méthode éprouvée.

Pétrifié, Conor contempla les rochers comme s'ils allaient lui livrer la solution de son terrible dilemme. Une brise caressait ses doigts et le soleil chauffait ses cheveux, mais que pouvaient signifier pour lui ces sensations si banales ? Aurait-il jamais une vie normale ?

– Conor ? s'inquiéta Linus.

Il rampa vers lui et tendit une main en tâtonnant.

– Conor ? Tout va bien ?

Le jeune homme n'émit aucun son en dehors de son souffle précipité, et Linus comprit qu'il allait devoir prendre lui-même les choses en main.

– Il faut que nous quittions la tour, déclara-t-il d'un ton se voulant décidé et objectif. Nous chargerons ce que nous pourrons sur le chariot et partirons dès ce soir. Même si Bonvilain envoie des soldats à vos trousses, ils ne sauront peut-être pas qu'ils cherchent Conor Finn.

Il y eut un bruissement d'herbe et d'étoffe : Conor se levait. Si Linus avait pu voir les yeux de son jeune ami, il aurait été frappé par la détermination soudaine dont ils brillaient.

– Conor Finn ? s'exclama l'homme volant. Conor Finn est mort. Je m'appelle Conor Broekhart et j'ai besoin de parler à mon père.

Chapitre 18

Plus lourd que l'air

Il était clair pour Conor Broekhart qu'il n'existait qu'un moyen de mettre un terme à ce cauchemar. Il devait démontrer publiquement que le maréchal était un meurtrier. Maintenant que Bonvilain menaçait ses bien-aimés, s'enfuir n'était plus une solution. En affrontant le maréchal, il donnerait au moins une chance de survie aux Broekhart et à la monarchie.

« C'est ce que mon père souhaiterait. Peut-être me déteste-t-il, mais cela changera certainement quand la vérité aura éclaté. »

À présent, Conor savait qu'il aurait dû se faire connaître, en cette nuit sur la Grande Saline où il avait découvert son petit frère. Mais ses parents avaient semblé si heureux sans lui, en sécurité. Son retour au sein de sa famille les aurait mis tous en danger.

« C'était un faux raisonnement. Une logique absurde. »

Il lui était désormais presque impossible de prendre contact avec eux. Bonvilain l'attendait de pied ferme. Chaque sentinelle de la Muraille aurait reçu l'ordre de

443

tirer à vue à la moindre alerte. Sachant qu'il se déplaçait en planeur et en bateau, ils guetteraient ces deux moyens de transport. Toutefois il existait peut-être une troisième solution.

Conor acheta un cheval frais au village pour un prix exorbitant et galopa jusqu'à l'endroit où il avait caché en hâte le chariot et son chargement. Il était temps. une demi-douzaine de gamins des environs étaient perchés sur la bâche et tiraient sur les cordes comme des singes démangés par la curiosité. Conor songea à les chasser, mais jugea finalement plus judicieux de les prendre à son service. Chaque garçon se vit offrir le salaire mirobolant d'un diamant brut en échange de son silence et de ses muscles. Inutile de dire qu'ils acceptèrent, car une seule de ces pierres représentait ce que gagnait un homme adulte en un an.

Même avec l'aide de ses nouveaux apprentis, il fallut des heures d'effort et de sueur pour dégager le chariot du milieu des arbres, et presque autant pour le ramener sur la route.

— Maintenant, les gars, dit Conor à ses troupes une fois que le cheval fut attelé, je promets un chocolat chaud à tout le monde si nous arrivons au pont de saint Patrick avant la nuit.

Les garçons poussèrent le chariot avec enthousiasme. Du chocolat chaud, des diamants et un mystérieux chargement ! Ils avaient l'impression d'être des princes engagés dans une quête.

Le pont de saint Patrick était une langue de terre couverte de galets qui s'incurvait sur le rivage irlandais en s'avançant vers les îles Salines. D'après la légende, lorsque saint Patrick entreprit de chasser le diable d'Irlande, il réussit à le prendre au piège dans les monts Galtee. Le diable avala alors deux énormes morceaux de montagne pour s'ouvrir un chemin et décampa dans le comté de Wexford, poursuivi par saint Patrick qui le bombardait de galets et de rochers ramassés dans les champs.

Satan fut contraint d'entrer dans l'eau à Kilmore et nagea de toutes ses forces vers le large sous une pluie de pierres criblant la mer autour de lui. Ce furent ces pierres qui formèrent le pont de saint Patrick. Deux d'entre elles atteignirent le démon sur le crâne, avec tant de violence qu'il recracha les morceaux de montagne dans l'océan. Le plus petit devint la Petite Saline, le plus gros la Grande Saline.

Conor n'avait jamais ajouté foi à ces histoires. Il préférait croire en l'érosion côtière et les courants océaniques. Mais ce jour-là, en regardant au large les îles sombres et déchiquetées, il était aisé de penser qu'elles étaient l'œuvre du diable.

Conor et son équipe arrivèrent au champ au-dessus du pont de saint Patrick une heure avant le coucher du soleil. Un sentier tortueux menait au pont lui-même, mais il recelait trop de pièges pour pouvoir être emprunté par un cheval tirant un chariot. Il allait falloir tout transporter à la main.

Conor se hissa sur le chariot et donna ses instructions comme un général commandant ses troupes.

– Déchargez le chariot et portez les pièces sur le pont. À des endroits élevés, que l'eau ne puisse pas les atteindre.

Ce matériel était aussi fragile que secret. Les mots d'ordre étaient donc attention et silence.

Dès que Conor eut enlevé la bâche, la nature du chargement mystérieux devint évidente. Des ailes, un moteur, une hélice.

Un garçon, qui semblait le chef du petit groupe, s'avança d'un air à la fois terrifié et incrédule.

– Monsieur, seriez-vous cet Airman qui a fichu une raclée aux gardes de la prison ?

Conor vit que leurs yeux brillaient, tant ils avaient soif d'une aventure extraordinaire.

– C'est moi, effectivement, et j'ai besoin de votre aide. Qu'en dites-vous, les gars ?

Le chef réfléchit tout haut au nom des autres.

– Eh bien, Mr Airman, déclara-t-il, j'ai un frère emprisonné à vie sur la Petite Saline pour avoir volé quelques sous et fracturé un os ou deux. Je propose donc qu'on se mette tout de suite au travail !

Ses camarades l'acclamèrent et se précipitèrent vers le chariot, en se battant pour être le premier sur le sentier.

« J'espère que leur enthousiasme va durer, se dit Conor. Une longue nuit de labeur nous attend. »

Les garçons sont des créatures inconstantes. À minuit, trois d'entre eux avaient cédé à l'appel de la faim, de sottises à commettre ou de parents leur demandant de rentrer. Il en resta trois, cependant, et ils achevèrent le transport des pièces de l'aéroplane sur le pont de saint Patrick. Quant à savoir s'ils avaient négocié avec leurs parents ou s'étaient passés de permission, Conor n'avait pas le temps de s'en inquiéter.

Il en envoya un porter un message à Linus. Quelque temps plus tard, l'Américain arriva avec des provisions et des lampes à pétrole. Il descendit d'un pas hésitant la pente raide du sentier sur ses longues jambes, comme un débutant mal à l'aise sur des échasses.

Les garçons ramassèrent du bois et allumèrent des feux autour de l'atelier improvisé où Conor s'affairait au milieu de pièces de moteur, tubes de graisse, manivelles, ressorts, pistons, métrages de mousseline, rouleaux de fil de fer, pots de colle, du papier d'emballage rigide, une hélice étrangement incurvée. Lentement, l'aéroplane prit forme.

Le chef des garçons, qui répondait au nom improbable de Tonton, manifesta des dons surprenants pour la mécanique et se révéla précieux dès qu'il fallait chercher un outil et même prédire lequel convenait.

– J'ai besoin d'une clé à molette, Tonton. La moyenne.

– Je pense qu'il faudrait la petite, Airman.

Bien entendu, Tonton avait raison. Pour fêter l'événement, il alluma une cigarette.

Conor se mit à expliquer ses innovations pour se concentrer sur son travail et oublier sa famille.

– Les moteurs à vapeur sont trop lourds pour les aéroplanes. Pour soulever un moteur à vapeur, il en faut un autre encore plus lourd. C'est pourquoi Victor, mon professeur, prônait un moteur à gaz, ou à essence, ce qui est mieux mais encore trop lourd. C'est alors que j'ai pensé à l'aluminium.

— N'est-ce pas un métal rare, comme l'or?

— Ça l'était autrefois. Voilà cinquante ans, l'aluminium était si difficile à produire qu'on en exposait des lingots dans les foires. Mais aujourd'hui le procédé Bayer permet de le produire si bien qu'il est accessible, sinon abondant. Mon carter et ma chemise d'eau sont donc entièrement en aluminium. Ce moteur est assez léger pour soulever l'aéroplane où il est placé, et il me donnera au moins dix chevaux-vapeur dans les airs.

— Du moins, vous l'espérez, dit le jeune Tonton.

— Oui. De tout cœur. Mais vous savez quoi, Tonton?

— Eh bien, Airman?

— Je suis désolé de vous dire ça, mais vous ne sentez pas très bon. Vous ne vous lavez jamais?

Tonton écrasa sa cigarette sur le talon de sa botte.

— Non, Airman. Je suis comme les Égyptiens. Je crois que se laver est mauvais pour l'âme.

Le soleil se leva sur un jour nouveau et sur les cinq travailleurs pelotonnés autour d'un brasier en partageant une casserole de chocolat. Tous étaient épuisés, mais aucun n'était d'humeur à renoncer. Vers le milieu de la matinée, la petite troupe travaillait de nouveau à plein régime, car ceux qui étaient partis la nuit n'avaient pas hésité à faire l'école buissonnière le lendemain dans l'espoir de voir l'homme volant prendre son essor.

— Enlevez toutes les grosses pierres du pont, commanda Conor. J'ai besoin d'une piste parfaitement lisse.

C'était une tâche facile et Tonton la confia aux moins malins de la bande.

— Pas la peine de demander aux abrutis d'aider à construire la machine, expliqua-t-il. Enlever des pierres est tout à fait dans leurs cordes. Tout ce qu'il faut, c'est ouvrir les yeux et avoir le dos solide. Et je viens de temps en temps leur dire qu'ils sont des génies.

Conor hocha la tête d'un air excessivement grave. Tonton était décidément un trésor.

Pendant que les autres dégageaient la route du ciel, Conor boulonnait les ailes, dont les nervures de frêne incurvées à la vapeur étaient recouvertes de mousse-line.

La forme de l'appareil apparaissait désormais nettement. Une unique paire d'ailes d'une envergure de neuf mètres. Un long fuselage élancé ressemblant à un bateau plat, avec le moteur en aluminium de dix centimètres de calibre installé au centre derrière l'hélice révolutionnaire de Conor.

— Je n'ai jamais vu une hélice comme ça, commenta Tonton qui était apparemment un expert dans tous les domaines. Comment a-t-elle supporté les essais ?

— Quels essais ? grommela Conor en serrant le dernier écrou sur l'hélice.

Linus veillait au ravitaillement des troupes. Quand l'ardeur se relâchait, il sortait un flûtiau de sa poche et jouait une gigue ou un quadrille. Sans même s'en rendre compte, les garçons retrouvaient leur rythme.

Le labeur occupa le plus clair de la journée mais finalement l'aéroplane fut prêt, planté sur ses trois roues s'enfonçant dans l'argile, comme un grand oiseau endormi. Il était splendide, et pendant de longues minutes la petite troupe contempla en silence l'appareil, en admirant le moindre étai, la moindre courbe.

Leur extase se mêlait d'effroi, et aucun des travailleurs n'osait poser la main sur lui, de peur de réveiller l'oiseau. Seul Linus Hyver sembla impavide. Il se fit conduire par Conor auprès de l'hélice de l'aéroplane, puis examina avec soin tout l'appareil.

— Victor aurait été fier de vous, déclara-t-il.

— Je l'espère, répliqua Conor. Les idées de base sont de lui autant que de moi. C'est pourquoi j'ai préparé ceci…

Il enleva du nez une bande de papier et posa dessus la main de Linus. L'Américain sentit des lignes grumeleuses de peinture sèche sous ses doigts. L'inscription consistait en deux mots.

La Brosse *.

Linus sourit tristement.

— Il aimerait ça, ce vaniteux de Français. Je vous assure que si mes conduits lacrymaux étaient en état, je pleurerais.

Il essuya son nez et tira l'un vers l'autre les revers de son smoking.

— J'aurais dû composer quelque chose pour l'occasion. Une aria pour vous souhaiter bon voyage.

— Il est encore temps. J'ai besoin d'au moins trente mètres pour décoller, de sorte que je ne pourrai pas partir avant la marée basse.

Tonton eut d'autant moins de peine à surprendre ces

propos qu'il était à côté de Conor et écoutait de toutes ses oreilles.

– Dites-moi, Airman. Si vous avez besoin de trente mètres pour décoller, combien vous en faut-il pour atterrir ?

La question était pertinente, mais Conor paraissait peu disposé à répondre. Il se détourna et marcha à grands pas vers les rochers plats, en évitant les regards interrogateurs qui le suivaient.

– C'est compliqué, marmonna-t-il. Technique. J'ai encore quelques calculs à terminer.

Puis il ajouta, comme si la question était réglée :

– D'ailleurs, où sont ces nervures en frêne ? Il faut que je répare un truc ou deux.

Tonton s'alluma une nouvelle cigarette.

– Je connais assez bien la Grande Saline. Si Airman a besoin d'autant d'espace pour l'atterrissage que pour le décollage, ce n'est pas sur cette île qu'il le trouvera. Le moindre terrain plat est occupé par une maison, là-bas. Le seul endroit où il pourrait atterrir, ce serait devant les portes du palais, sur la place du Promontoire.

Cette idée était si folle que Tonton se mit à rire.

– La place du Promontoire. Vous imaginez ! Si le maréchal Bonvilain était une araignée, ce serait sa toile. Ce qui ferait d'Airman…

– La mouche, murmura Linus.

Le maréchal Bonvilain était en proie à une excitation insolite. Après tout, ce jour devait être à marquer d'une pierre blanche, non seulement pour lui mais pour tous les Bonvilain contraints de passer leur vie à flagorner un roi stupide. Aujourd'hui, leur sacrifice allait enfin trouver sa justification. Il leur avait fallu des siècles pour y parvenir, mais les Bonvilain étaient sur le point d'évincer les Trudeau.

Du coup, lorsque Sultan Arif était entré dans le bureau de Bonvilain l'après-midi, il avait trouvé le maréchal presque grisé par son impatience joyeuse. Debout devant la fenêtre du bureau, Bonvilain battait rapidement des mains au rythme de la valse de Strauss qu'un unique violoniste jouait dans un coin.

Sultan se racla la gorge pour attirer l'attention.

– Ah, vous voilà, capitaine ! s'exclama Bonvilain d'un ton ravi. Quelle journée, n'est-ce pas ? Historique, etc. J'adore Strauss, pas vous ? Les gens me prennent pour un wagnérien, mais j'estime que ce n'est pas parce que mes devoirs sont parfois austères que je dois être comme eux. Non, après une journée éreintante, Strauss est l'homme qu'il vous faut. Je crois que je ferai venir un orchestre autrichien pour ma cérémonie d'investiture comme Premier ministre.

Ce manque de discrétion surprit Sultan, dont le visage s'altéra légèrement.

– Oh, ne vous souciez pas de lui ! dit Bonvilain en désignant du pouce le musicien. Ce pauvre type a été renversé par une voiture à cheval il y a quelques années, et il en est sorti sourd et aveugle. Il joue de mémoire. C'est l'empereur Guillaume qui me l'a envoyé. Il est arrivé ce matin même, ce qui m'a paru un heureux présage. Quels problèmes pourrait-il y avoir un jour pareil ?

Sultan commença à se sentir nerveux. Il y avait toujours des problèmes, avec le maréchal. Mais c'était pour les autres, le plus souvent.

– S'il plaît à Dieu, tout se passera bien.

– Comment pourrait-il en aller autrement ? demanda Bonvilain en quittant le balcon. La reine et ses loyaux partisans seront bientôt morts. Comme il n'y a pas d'héritier, je serai nommé Premier ministre. Ce jeune Broekhart, alias Airman, va certainement tenter de les sauver d'une manière ou d'une autre, si bien qu'il tombera également entre nos mains. Et même s'il ne se montre pas, après la mort d'Isabella il ne sera plus qu'un fuyard dépité.

Le maréchal s'assit à son bureau et lissa de la main la surface de feutre.

– Maintenant, parlons poison.

Sultan Arif plaça une bouteille d'encre fermée sur le bureau. Elle était à moitié remplie d'une poudre jaune pâle.

– Ceci est de l'aconit des Alpes, expliqua-t-il. On peut mélanger un dé de cette poudre avec un verre de vin ou en saupoudrer un plat. Au bout de quelques minutes, la victime sentira un picotement étrange dans ses mains, suivi par une douleur à la poitrine, une anxiété intense, des battements de cœur accélérés, de la nausée, des vomissements et enfin la mort due à un arrêt respiratoire.

– Enfin, ronronna Bonvilain. J'aime beaucoup ça.

Il prit la bouteille et la tint en pleine lumière, comme si ses vertus meurtrières pouvaient devenir ainsi plus apparentes.

– Cela dit, Sultan, vous savez qu'il est essentiel que j'apparaisse au-dessus de tout soupçon dans cette affaire. Je devrai souffrir avec les autres, et seule ma vigueur physique me sauvera. Il est impossible de tricher. Le médecin de la reine en personne devra confirmer que je suis à l'article de la mort.

– Dans ce cas, il vous suffira de boire la moitié de votre verre, répliqua Sultan. Ce qui correspond à un demi-dé d'aconit. Vous souffrirez aussi atrocement que les autres, mais vous n'aurez pas d'arrêt respiratoire.

Bonvilain saisit une carafe de cristal et remplit un verre de cognac.

– Un demi-dé, dites-vous ? En êtes-vous certain ? Feriez-vous ce pari sur ma vie ?

– À contrecœur, répondit Sultan.

– J'ai une idée, déclara Bonvilain en faisant tomber une pincée de poudre dans son verre. Pourquoi ne pas essayer la dose sur le musicien ?

Il prit un air attristé.

– Mais vous avez un faible pour les aveugles, et moi-même j'ai envie d'entendre d'autres morceaux de son répertoire.

Sultan sentit une goutte de sueur couler dans son dos.

— Il est inutile de faire un essai, maréchal. Nous avons déjà utilisé cette méthode.

— Pas sur moi, cependant. Je veux que vous buviez vous-même ce verre. Cela me rassurerait.

— Mais il me faudra des heures pour me remettre, protesta faiblement Sultan. On a besoin de moi aujourd'hui.

— Effectivement, capitaine, dit Bonvilain en lui tendant le verre. On a besoin de vous pour cet essai.

— Et si l'homme volant arrive ?

— Si le garçon volant arrive, je m'en chargerai. J'ai déjà fait quelques campagnes militaires, Sultan. Je sais manier l'épée. Maintenant, je vous demande de boire ceci, capitaine. Allez-vous m'opposer un nouveau refus ?

Sultan se sentit pris au piège dans cette cage luxueuse. Les portraits des maréchaux Bonvilain à travers les âges le foudroyaient du regard, en le mettant au défi de désobéir.

« Je pourrais le tuer, pensa-t-il. Je pourrais essayer, du moins. »

Mais c'était un combat mental, et Sultan avait déjà perdu. Cela faisait trop d'années qu'il exécutait les ordres du maréchal.

« J'ai fait pire que ceci. Bien pire. »

Sultan Arif songea aux dégâts qu'il avait provoqués au nom des îles Salines, aux vies qu'il avait ruinées. À ces hommes qui croupissaient encore en prison.

Il tendit le bras, saisit le verre et avala le breuvage d'une seule traite.

— Bravo ! s'écria Bonvilain. Mais faites attention au verre, il est en cristal.

Sultan posa brutalement le verre sur la table et attendit que le poison fasse son effet. L'engourdissement des extrémités était le premier symptôme de l'aconit. Quand ses doigts se mirent à le picoter, il les regarda fixement, comme s'ils appartenaient à un étranger.

— Mes doigts sont engourdis, dit-il.

— Magnifique ! s'exclama Bonvilain. Ça commence !

Sultan n'avait que trop conscience du supplice qui l'attendait dans les heures à venir. Il allait souffrir comme un damné. S'il avait de la chance, il lui resterait ensuite sa vie pour oublier cette épreuve.

— Jouez un air lugubre, lança Bonvilain au violoniste bien que ce dernier ne pût l'entendre. Le capitaine a besoin d'encouragement.

Une heure plus tard, lorsque Sultan s'agrippa au tapis, les poumons en feu, en recevant comme un coup de poignard à chaque respiration, Bonvilain s'accroupit près de lui et claqua des doigts pour attirer son attention.

— Eh bien, capitaine, dit-il d'un ton affable. La prochaine fois que je vous ordonnerai de tuer un aveugle, vous le ferez. Compris ?

Il était difficile de dire si Sultan hochait la tête ou était agité par un spasme. De toute façon, Bonvilain était certain qu'il retiendrait la leçon.

PONT DE SAINT PATRICK

L'heure était venue de voler. Le soleil se couchait, la marée était basse. Le pont de galets était plus lisse que jamais et le moteur était prêt pour le décollage.

Seules ses propres angoisses pouvaient encore retenir Conor.

Il s'assit sur les rochers plats en cherchant des oiseaux dans le ciel.

– Vous n'entendez pas de chauves-souris ? demanda-t-il à Linus qui était allongé près de lui, ses longues jambes maigres étendues jusqu'au sable.

– Des chauves-souris ?

– Oui. S'il y en a dans les parages, elles risquent de bousiller l'hélice.

Linus resta un moment silencieux.

– Non, pas de chauves-souris. Mais j'entends quelque chose à la crête des rochers. Des pas traînants, comme si une foule approchait.

Conor se leva et tourna la tête pour regarder derrière lui.

Les villageois s'alignaient sur la crête comme des dents dans une bouche énorme. Il en arrivait à tout instant pour boucher les derniers trous. Tous baissaient les yeux dans l'espoir d'apercevoir Airman.

– Tout Kilmore est ici, gémit-il.

– Comment ? Vous attendiez-vous à distribuer des diamants, construire sur la plage une machine plus lourde que l'air et garder le secret ? Vous êtes l'homme volant venu combattre Bonvilain. Le maréchal n'est guère populaire.

– Regardez, voilà qu'ils allument des torches. Ils ont apporté des lampes.

Linus tapota sa tempe.

– Je ne peux pas regarder, mon garçon. N'oubliez pas

que je suis aveugle. D'ailleurs, un peu de lumiere ne serait-il pas bienvenu ?

— Mon Dieu ! s'exclama Conor. Bien sûr ! Ces lampes pourraient beaucoup m'aider.

— Eh bien, invitez donc ces braves gens à descendre. Après tout, dans quelques heures, tout ça n'aura plus aucune importance. La reine connaîtra la vérité, Bonvilain sera exilé et vous redeviendrez sir Conor, un seigneur des îles Salines.

— Pas forcément, objecta Conor. Une autre conclusion est possible.

Linus se leva en essuyant le fond de son pantalon

— Pas cette nuit, mon jeune ami. Les planètes sont alignées, les dés sont jetés, j'ai trouvé un trèfle à quatre feuilles dans l'herbe. Cette nuit, après trois années, Conor Broekhart revient d'entre les morts.

— Peut-être, répliqua Conor. Mais pour combien de temps ?

GRANDE SALINE

Sean Broekhart était couché dans son lit, mais ce bébé de deux ans n'avait pas sommeil.

— Je crois qu'il a de la fièvre, dit Catherine en touchant le front du bambin. Peut-être devrions-nous rester à la maison.

— Oui, restons, approuva Sean en souriant.

Declan se tenait sur le seuil, dans son uniforme de cérémonie mettant en valeur ses larges épaules.

— Sean va bien, ma chérie. Il éclate de santé. Pour

un peu, je l'enrôlerais. Si tu n'as pas envie d'y aller, dis-le franchement. Inutile de mêler Sean à tes machinations.

Catherine redressa une rangée de médailles sur la poitrine de son époux.

— Je n'ai pas arrêté de le dire depuis que nous avons reçu cette invitation. C'est si étrange, tu ne trouves pas ? Cette envie soudaine qu'a le maréchal d'honorer la mémoire de Conor…

Le front de Declan se plissa. Beaucoup de choses avaient changé, au cours des dernières semaines. Il se sentait davantage lui-même qu'il ne l'avait été pendant des années – trois, pour être exact. Même s'il était encore reconnaissant à Hugo Bonvilain de ce qu'il avait fait pour Conor et sa famille, il avait quelques doutes sur les méthodes du maréchal, et notamment sur l'emprise qu'il exerçait sur la Petite Saline. Récemment, ses hommes avaient commencé à lui raconter des horreurs à propos de la prison.

— Cela n'a rien d'étrange. Il est naturel que Hugo se sente lui aussi un peu coupable. Après tout, ses gardes étaient censés veiller sur le roi. Le problème avec Nicholas, c'etait qu'il ne voulait pas être protégé à chaque instant de sa vie. Il était beaucoup trop confiant.

— Il faut que tu parles à Isabella, Declan. Elle s'y attend.

— Tu as déjà évoqué ce sujet avec la reine ?

Catherine prit son époux par le bras.

— Isabella m'a parlé. Elle aussi est préoccupée. Elle a

besoin d'un allié qui ait la confiance des soldats. Tu es le seul qui puisse défier Bonvilain.

Declan n'avait pas envie d'un tel fardeau.

— Le maréchal est mon supérieur et il s'est montré très bon envers nous.

— Je ne voudrais pas te blesser, Declan, mais cela fait plusieurs années que tu as la tête ailleurs. Tu n'as rien vu de l'injustice croissante qui règne dans les îles Salines. Nicholas rêvait de créer une Utopie pour le peuple. Isabella en rêve à son tour, mais pas Hugo Bonvilain. Son seul désir est de devenir Premier ministre. Il y aspire depuis toujours.

Declan accueillit ces informations comme des rayons de lumière filtrant par les interstices d'un lourd rideau.

— J'ai entendu des rumeurs. Peut-être pourrais-je mener une enquête.

Catherine serra plus fort son bras.

— Encore une chose. Sans doute n'est-ce pas la nuit pour en parler, mais comment croire en la traîtrise de Victor Vigny ?

— On a trouvé dans son appartement des lettres décrivant en détail les fortifications de l'île. Mes propres hommes étaient avec Bonvilain quand il a découvert les corps.

— Je connais toutes ces preuves, mais je connaissais aussi Victor. Aurais-tu oublié qu'il nous a sauvé la vie ?

— Et la sienne par la même occasion, rétorqua Declan.

Il ajouta avec douceur :

— Victor était un espion, Catherine. Ce sont des animaux à sang froid. Nous n'avons vu de lui que ce qu'il souhaitait que nous voyions.

À présent, les yeux de Catherine étaient pleins de larmes.

— Promets-moi juste que tu soutiendras Isabella, quelles que soient ses décisions. C'est à elle que tu dois d'abord rester fidèle.

— Bien entendu. Elle est ma souveraine.

— Très bien, dit Catherine en s'essuyant les yeux. Maintenant, il faut que je me prépare de nouveau. Pourquoi ne raconterais-tu pas une histoire à ton fils, afin qu'il s'endorme avant l'arrivée de la nounou ?

Le petit Sean sauta sur cette proposition.

— Une histoire, papa ! s'écria-t-il. Une histoire, une histoire !

Declan étreignit la main de sa femme avant qu'elle ne sorte.

— Je suis là, désormais, Catherine. Je prendrai soin de nous tous, y compris de la reine.

Il s'assit sur le lit de Sean. Comme toujours, il ne put regarder son fils sans penser à celui qu'il avait perdu, mais il s'obligea à quitter son air mélancolique et sourit au petit garçon.

— Eh bien, Sean Broekhart, on n'a pas sommeil, ce soir ?

— Non, pas dormir ! répliqua Sean avec véhémence en tirant sur les manches de son père avec ses doigts minuscules.

« Il est si petit, songea Declan. Si fragile. »

— Je pense qu'une de mes histoires pourrait faire

l'affaire. Laquelle te plairait ? Celle de l'armée du capitaine Crow ?

– Non, pas Crow ! déclara Sean d'un air boudeur Raconte-moi Conor. Le frère de Sean.

Declan était interloqué. Sean n'avait encore jamais posé de question sur Conor, et pour une raison ou pour une autre Declan ne s'était pas préparé à cet instant.

– Une histoire de Conor ! insista Sean en tapant sur la jambe de son père.

Declan soupira.

– D'accord, mon bébé. Une histoire de Conor. On raconte beaucoup de choses sur ton frère, car c'était un garçon remarquable qui a accompli une foule de prouesses dans sa vie. Mais son exploit le plus fameux, celui qui lui a valu la médaille d'or exposée dans la vitrine, ç'a été le sauvetage de la reine Isabella. Évidemment, elle n'était pas reine, à cette époque. Ce n'était qu'une princesse.

– Une princesse ! répéta Sean avec satisfaction.

– En ce mémorable après-midi d'été, Conor et Isabella avaient épuisé les plaisirs de l'exploration d'une cheminée inutilisée jusqu'à son sommet. Ils décidèrent donc de lancer une attaque surprise contre les appartements du roi…

C'est ainsi que Declan Broekhart raconta l'histoire de l'incendie de la tour. Quand l'aventure fut terminée et la reine sauvée, il embrassa son fils endormi et quitta la chambre en se sentant étrangement le cœur plus léger.

« C'est de la folie, pensa Conor. Un acte de démence. Tant de choses peuvent mal tourner. »

Le moteur pourrait se révéler trop lourd malgré son boîtier en aluminium. L'hélice n'avait même pas été testée dans un tunnel aérodynamique, et il se pouvait très bien qu'elle mette le nez en pièces au lieu de propulser l'appareil. La mousseline non traitée était plus légère que celle apprêtée, mais peut-être ne dévierait-elle pas suffisamment les courants atmosphériques pour assurer la sustentation. Le mécanisme de pilotage était au mieux rudimentaire et ne permettrait pas davantage que des virages à vingt degrés, ce qui pourrait d'ailleurs suffire à arracher les ailes. Il se pouvait aussi que l'extrémité des ailes ne donne pas assez d'équilibre pour décoller.

« Tant de choses… »

Le pont de saint Patrick était devenu une sorte de cathédrale. Les villageois s'étaient risqués sur la pente raide afin de pouvoir assister au spectacle, et la plupart étaient maintenant massés dans l'amphithéâtre naturel dominant l'affleurement argileux. Ils se tortillèrent pour s'installer confortablement, ouvrirent des paniers de provisions et conversèrent amicalement en attendant. Le reste des assistants étaient alignés des deux côtés du pont de saint Patrick en levant leurs lanternes afin d'éclairer la piste pour Airman.

« Encore des espérances à ne pas décevoir, se dit Conor. Comme si vaincre le chef d'une armée ne suffisait pas, il faut de surcroît que je divertisse un village. »

Il fit une dernière fois le tour de *La Brosse* *, en approchant une lampe à pétrole du dessous des ailes pour découvrir d'éventuelles déchirures et en aplatissant la moindre bosse. Ce n'était plus la peine de différer.

— C'est la quatrième fois que vous faites une dernière inspection, si mes oreilles ne me trompent, déclara Linus dans l'obscurité. Allez-y maintenant, Conor, sans quoi vous manquerez la marée.

— Oui, bien sûr, vous avez raison. Je devrais partir sur-le-champ. Tout le monde doit me trouver stupide. Tous ces préparatifs pour un petit voyage.

Linus s'avança dans le halo des lampes. La lumière l'éclairant d'en bas projetait des ombres fantomatiques sur son visage maigre.

— Vous vous trompez, mon garçon. Ce voyage est très important. Historique, même.

Conor boutonna sa veste d'aéronaute.

— Non, pas historique, je le crains. Il n'y aura ni rapport officiel ni photographies. Rien n'est reconnu sans la présence d'au moins un membre de la Royal Society. Chaque semaine voit un nouveau cinglé annoncer qu'il a volé.

Linus leva ses bras vers les spectateurs, comme un chef d'orchestre saluant son public.

— Tous les hommes, femmes et enfants ici présents se rappelleront leur vie durant ce qui va se passer sur cette plage, quoi que disent plus tard les livres d'histoire. La vérité ne mourra jamais.

Conor attacha ses lunettes et son casque.

– Linus, s'il arrive quelque chose – un malheur – vous trouverez un moyen sûr de contacter mon père ? Il faut qu'il connaisse la vérité.

Linus hocha la tête.

– Je trouverai un moyen, mon garçon. Le vieil espion que je suis a plus d'un tour dans son sac. Cela dit, j'ai confiance en vous.

Conor grimpa la petite échelle menant au siège du pilote et prit place avec précaution sur la banquette.

Un objet fixé à sa veste cliqueta contre le châssis. C'était le « A » ailé symbolique.

– Je crois que je n'en ai plus besoin, dit Conor en le détachant. Bonvilain sait parfaitement qui je suis.

Il jeta l'insigne scintillant, par-dessus la tête de Linus, au garçon nommé Tonton.

– Un souvenir ! Comme ça, quand les gens vous diront que cette scène n'a jamais eu lieu, vous ne serez pas de leur avis.

Tonton astiqua le « A » avec sa chemise.

– Merci, Airman. J'espérais avoir les lunettes, mais j'imagine qu'elles pourront vous servir.

– Oui, malheureusement. Mais vous les aurez à mon retour, si jamais je reviens. En échange d'une dernière faveur.

– Tout ce que vous voudrez ! cria le garçon qui se voyait déjà se pavaner sur le quai de Kilmore avec les lunettes crânement inclinées sur sa tête. Du moment qu'il n'est pas question de se baigner !

– Non, pas de bain. Je voudrais juste que les deux

plus grands d'entre vous s'accrochent aux extrémités des ailes. Il faut qu'ils soient forts et qu'ils aient de bonnes jambes.

Tonton héla ses deux recrues les plus imposantes et les mit en position comme Conor l'avait demandé.

– Ces deux-là sont tellement bêtes que l'idiot du village a l'air d'être Sherlock Holmes à côté, confia Tonton à Conor. Si vous le souhaitez, ils courront droit dans la mer.

Puis il s'adressa aux deux garçons :

– Surtout, les gars, courez vite. Si vous maintenez les ailes à la même hauteur, je vous échangerai ces diamants contre deux caramels.

– D'accord, Tonton, dit le premier.

– Des caramels ! s'exclama le second qui ressemblait à l'autre comme un frère.

– Inutile qu'ils plongent dans la mer, déclara Conor en chaussant ses lunettes. Je veux simplement qu'ils courent le long de la piste en maintenant les ailes en équilibre. Dès que je m'élèverai, ils pourront lâcher. C'est dans leurs cordes ?

– Bien sûr que oui, ils ne sont pas bêtes, assura Tonton. Enfin, si, ils sont bêtes. Mais pas à ce point.

Conor hocha la tête.

– Parfait. Tonton, si les choses tournent mal pour moi cette nuit, je voudrais que vous restiez avec Mr Hyver. Il vous paiera bien.

– Est-ce qu'il me forcera à prendre un bain ?

– Non, il en discutera avec vous jusqu'à ce que vous vous laviez.

– Ah ! je vois le genre. D'accord – parce que c'est vous, Airman. Cela dit, je serai peut-être contraint de l'assassiner dans son sommeil.

– C'est de bonne guerre !

« Je gaspille un temps précieux à bavarder avec ce garçon. Il est temps d'y aller. »

Conor appuya ses pieds contre deux cales en bois et se leva en se penchant pour empoigner la manivelle du moteur. Ce dernier avait toujours assez bien fonctionné sur un bloc dans la tour, mais c'était la règle. Les moteurs marchaient à la perfection jusqu'au moment où on avait besoin d'eux.

Le moteur partit au second tour de manivelle, en toussant d'abord comme un chien malade puis en poussant un rugissement. La foule applaudit et Conor eut envie d'en faire autant. La première étape était terminée. Maintenant, si ses calculs étaient corrects, les vibrations n'allaient pas mettre en pièces l'aéroplane, ou du moins pas dans l'immédiat.

Après une première explosion d'enthousiasme, le moteur se stabilisa à environ dix chevaux-vapeur et fit tourner l'hélice révolutionnaire de Conor, non sans envoyer force gaz d'échappement par-dessus son épaule. L'aéroplane bondit et se cabra, impatient de s'envoler, comme une bête sauvage attachée à un piquet.

« Ça ne marchera jamais. Je n'ai aucun contrôle sur la vitesse. Cette carcasse ne tiendra pas le coup plus de cinq minutes. »

Trop tard pour douter. Trop tard.

Conor attacha son harnais puis desserra le frein

à main. L'appareil s'élança en tressautant sur le sol argileux.

Conor aperçut du coin de l'œil Tonton qui encourageait un des coureurs à coups de trique. D'une main, il boucla son harnais sur sa poitrine, tandis que de l'autre il s'efforçait de maintenir droite la barre de direction.

« Tu aurais dû boucler ton harnais avant de desserrer le frein. Idiot ! »

L'océan approchait rapidement et sa vitesse n'était pas suffisante. Il agita son buste frénétiquement pour accroître l'élan de l'appareil, en tentant d'ignorer la fumée et l'huile éclaboussant son visage et ses lunettes.

« Tu aurais dû fixer un pot d'échappement au fuselage. Où avais-tu la tête ? »

Les lanternes défilaient des deux côtés, si vite qu'elles se mêlaient en une masse indistincte. Il s'efforçait de maintenir l'aéroplane entre les deux lignes. Les vibrations étaient terribles. Elles ébranlaient son corps, faisaient claquer ses dents, rouler ses yeux dans leurs orbites.

« Il faudrait quelque chose pour amortir. Un rembourrage quelconque, ou des ressorts. »

Ce n'était pas le moment d'avoir des idées. Bien qu'il vînt à peine de naître, l'aéroplane était déjà mourant. Des rivets sautaient, le tissu se déchirait, les nervures gémissaient. Encore quelques minutes, et le moteur mettrait l'appareil en pièces comme un chien secouant une poupée de chiffon.

Les pieds de Conor trouvèrent les pédales sur le plancher et il appuya dessus pour orienter les ailes.

L'aéroplane se souleva légèrement, puis retomba à terre. Conor appuya derechef, et cette fois la poussée fut plus importante et les vibrations s'atténuèrent. Il ne sentait plus le moindre cahot sur une pierre se réverbérer jusqu'à l'arrière à travers le bois, ce qui était un soulagement.

La masse obscure de la mer surgit devant lui, puis sous lui. Il entendit vaguement les deux coureurs s'effondrer bruyamment dans les vagues, puis il s'envola en plein ciel.

« Je fais voler une machine, se dit-il. Pouvez-vous me voir, Victor ? Nous avons réussi. »

GRANDE SALINE

Le maréchal Bonvilain avait décidé de donner son dîner dans son propre appartement, ce qui était très insolite. Aucun de ses hôtes ne s'était jamais rendu chez lui avant cette soirée, et à leur connaissance il n'avait jamais invité personne.

La tour de Bonvilain était séparée du palais proprement dit. Elle se trouvait plus au sud le long de la Muraille et abritait la famille du maréchal depuis sa construction. Cet édifice gris et imposant avait l'honneur d'être le plus haut des îles Salines, et il surgissait dans le ciel comme pour rappeler la puissance du maréchal. On voyait souvent ce dernier sur son balcon, une longue-vue de cuivre vissée à l'œil, occupé à tout surveiller et à donner à l'île entière un sentiment de culpabilité.

La salle à manger était somptueuse, décorée de tentures de soie orientales et de paravents de papier peints. La table elle-même était ronde et basse, entourée d'épais coussins.

Quand la reine Isabella et les Broekhart furent introduits dans la pièce, ils eurent l'impression d'entrer dans un autre monde.

Catherine était particulièrement stupéfaite.

– C'est tellement… tellement…

– Raffiné ? lança Hugo Bonvilain en surgissant de derrière un paravent.

Au lieu de son austère complet bleu et de sa robe de templier habituels, il portait un vêtement japonais.

La surprise se peignant sur les visages de ses hôtes ne put échapper à Bonvilain.

– Ceci est une robe *yukata tatsu*. *Tatsu* est le nom japonais du dragon, lequel symbolise les éléments puissants et turbulents de la nature. J'ai passé une année au Japon en 1866, comme garde du corps personnel de l'empereur Meiji, avant d'être rappelé ici à la mort de mon père. L'empereur a insisté pour que j'emporte chez moi un peu du Japon. Je n'ai que rarement sorti ces trésors, mais il s'agit d'une occasion exceptionnelle et j'ai pensé que vous seriez heureux de découvrir un maréchal plus détendu.

Catherine fut la première du petit groupe à se remettre de son étonnement.

– Vous êtes superbe dans cette tenue, maréchal.

– Merci, Catherine. J'espère que personne ne verra d'objection à s'asseoir sur des coussins.

Il fallut en passer par là, même si des coussins ne sont pas des sièges très confortables pour des messieurs portant des sabres de cérémonie à la ceinture, pas plus d'ailleurs que pour des dames aux robes élégantes.

– Heureusement que les tournures ne sont plus à la mode, déclara Catherine à la reine. Autrement nous roulerions en tous sens comme des quilles.

Le repas consistait essentiellement en riz et en poisson, servis par un unique serviteur au visage parcheminé.

– Coco est également le chef, annonça Bonvilain. Je l'ai persuadé de quitter un restaurant de Londres en lui faisant miroiter une cuisine convenable. Il est portugais, mais il peut préparer tous les plats que vous voulez. La gastronomie japonaise est une de ses spécialités.

Une heure passa. Lentement, en dépit de plusieurs conférences culturelles du maréchal. Catherine finit par épuiser ses réserves de patience. Elle se mit à renifler tout bas et à tordre sa serviette comme pour l'étrangler.

Declan tressaillit. Il connaissait ce reniflement, et il ne promettait rien de bon.

– Ce repas est exquis, maréchal, lança Catherine. Cependant je suis sûre que nous ne sommes pas ici uniquement pour les plaisirs de la table et de la conversation. Comme votre invitation était assez vague, je voudrais savoir… Comment vous proposez-vous de célébrer la mémoire de Conor ?

Le visage de Bonvilain exprima aussitôt autant de regret que de compréhension.

– Vous avez raison, Catherine. J'ai esquivé trop long-temps la véritable *raison d'être* * de cette soirée. Conor. Votre fils. Le héros des îles Salines. J'ai pensé que nous pourrions partager nos souvenirs de ce valeureux jeune homme, avant peut-être de porter un toast. J'ai gardé une bouteille de vin spécialement pour l'occasion.

Le maréchal jouait la comédie à la perfection et il se sentait même capable de verser une larme si besoin était.

– Mais pourquoi maintenant ? insista Catherine. J'avoue que je suis un peu perplexe, maréchal.

Un clairon retentissant à cet instant sur la Muraille évita à Bonvilain de répondre.

Declan bondit aussitôt sur ses pieds.

– Le signal d'alarme !

Le roi Nicholas avait tenu à faire apprendre aux clairons salinois les signaux de l'armée américaine.

– Inutile de s'affoler, dit Bonvilain en se hâtant vers le balcon. On m'avait averti qu'il pourrait se montrer.

– Qui ? s'enquit la reine.

– Un ennemi de l'État, Votre Majesté, expliqua Bonvilain en approchant les yeux d'une longue-vue en cuivre. Lui-même s'est intitulé Airman.

– Airman, répéta Declan. J'ai entendu parler de lui. Croyez-vous qu'il constitue une réelle menace ?

– Quant à être réel, il l'est, répliqua le maréchal en louchant sur l'oculaire. Mais ce n'est certes pas une menace. Rien qu'un Français avec un cerf-volant Venez donc jeter un coup d'œil. Les lentilles de cet appareil sont vraiment prodigieuses.

Catherine agrippa le bras de Declan pour s'empêcher de trembler. Ces histoires d'hommes volants et
de Français réveillaient en elle le souvenir de Victor
Vigny.

– Un Français en cerf-volant ? demanda-t-elle d'une
voix contrainte.

– Oh, Seigneur, bien sûr ! s'exclama Bonvilain avec
une émotion feinte. Exactement comme Vigny, cet
assassin. Je crois qu'il se pourrait que le dénommé Airman soit un de ses complices. Un étrange mélange
de révolutionnaire et de savant fou. Je n'aurais jamais
dû en parler. Quel manque de délicatesse de ma part !
Restez à l'intérieur, je vous en prie. Les gardes de la
Muraille vont l'abattre.

Declan prit Bonvilain par le bras et l'entraîna dans
un coin.

– L'abattre, maréchal ? Mais vous disiez qu'il n'était
pas une menace.

Bonvilain baissa la tête et répondit à voix basse

– Disons que cela paraît peu réaliste, encore que mes
hommes aient découvert un atelier où l'on fabriquait
des grenades.

Declan blêmit.

– Des grenades ! Maréchal, je suis le capitaine de la
garde de la Muraille. Pourquoi ne suis-je pas au courant
de tout ceci ?

– Capitaine... Declan... Mes informateurs en
Irlande m'ont averti il y a deux heures à peine. J'avais
évidemment l'intention d'aborder ce sujet après le
dîner, mais pour être franc... un Français jetant des

grenades depuis un planeur ? Cette idée semblait ridicule, tout droit sortie d'un roman à quatre sous. De toute façon, le vent souffle vers l'Irlande, cette nuit. Comment donc ce dément pourrait-il venir ici en planeur ?

À cet instant, un bourdonnement métallique résonna sur le bras de mer. Il s'enfla et devint de plus en plus aigu, non sans crachoter de façon inquiétante.

– Peut-être que cet Airman ne compte pas sur le vent, déclara Declan en arrachant la longue-vue de son support. Conor disait toujours que l'homme finirait par réussir à construire un aéroplane à moteur.

– Un aéroplane à moteur, siffla Bonvilain entre ses dents. Un garçon intelligent, ce Conor, non ?

Declan observa ce qui se passait sur la Muraille. Les gardes avaient éteint leurs lumières et s'étaient regroupés sur la troisième tour. Plusieurs étaient montés sur le parapet et pointaient leur arme en hauteur. Deux étaient munis de longues-vues qu'ils braquaient vers le ciel à trente degrés au nord-est. Declan approcha de ses yeux la longue-vue du maréchal et regarda dans la même direction. L'espace d'un instant, il ne vit que le ciel et les étoiles, puis quelque chose passa en un éclair. Pas un oiseau. C'était trop gros pour être un oiseau.

Il fit zigzaguer la longue-vue afin de saisir l'objet mystérieux dans son objectif. Ce qu'il vit lui coupa le souffle.

Une machine volante avait sous les yeux le rêve de Conor devenu réalité.

L'aéroplane ne pouvait être qualifié de gracieux, mais

474

il volait, en tressautant dans les airs et en laissant un sillage d'épaisse fumée. À la clarté de la lune, Declan aperçut Airman assis derrière le moteur. Il se tenait recroquevillé tout en bataillant avec le gouvernail, le visage caché par ses lunettes et la suie, les dents blanches luisant dans l'obscurité.

– Je le vois! souffla-t-il. Airman. Il vole.

Catherine se précipita sur le balcon et se pencha à la balustrade en scrutant l'espace.

– Mon Dieu! Si seulement Conor pouvait voir ça! Elle se tourna vers son époux.

– Il ne peut pas s'agir d'une coïncidence. Il faut que vous parliez à cet aviateur.

Derrière eux, deux coups de sifflet retentirent. Aussitôt, les sentinelles enlevèrent leurs capes en les faisant tournoyer comme des toreros. Trois groupes armés de mitrailleuses Gatling hissèrent leurs armes jusqu'aux affûts prévus sur le rempart. Quelle que fût l'identité d'Airman, il allait devoir affronter une grêle de balles.

Bonvilain avait encore son sifflet aux lèvres.

Les yeux jetant des éclairs, Catherine se tourna vers son époux. Elle comptait sur son soutien, mais fut déçue.

– Le maréchal a raison, admit Declan à contrecœur. Un appareil non identifié s'approche de l'île. Le pilote est peut-être armé. Nous n'avons d'autre choix que de tirer dessus.

– Il vole à bord d'un cerf-volant à moteur, lança Catherine que la trahison de son époux mettait au bord des larmes. Les murs ont plus d'un mètre d'épaisseur

Même s'il avait une paire de canons sur ses ailes, il ne pourrait pas percer la tour.

Rien ne pouvait détourner Declan de son devoir.

— Puisque cet homme a conquis le ciel, il pourrait aussi bien conquérir nos remparts. J'ai entendu des rumeurs sur des grenades remplies de gaz toxique. Nous ne pouvons faire courir ce risque à la reine.

Il prit la main de Catherine dans la sienne.

— Il ne faut pas qu'elle meure, tu comprends ?

Catherine scruta le visage de son époux en cherchant un sens caché à ses propos, et elle le découvrit.

« Il ne faut pas que la reine meure, sans quoi Bonvilain deviendra Premier ministre. »

— D'accord, Declan, je comprends, dit Catherine d'une voix morne. La reine doit vivre, donc Airman doit mourir.

Laissant tomber la main de son époux, elle sortit du balcon.

— Je ne puis supporter d'assister à ce meurtre. Savourez votre victoire, maréchal.

« Et comment ! » pensa Bonvilain. Cependant il proclama à voix haute :

— On n'est jamais heureux de voir mourir son prochain, madame. J'ai pris part à bien des combats mais j'ai toujours pensé finalement, si juste que fût la cause, qu'ils auraient pu être évités. Cette fois, hélas ! nous n'avons pas le choix.

Sur ces mots, le maréchal porta le sifflet à ses lèvres avec un vague sourire d'excuse et donna un ultime signal.

À leurs pieds, sur la Muraille des îles Salines, les serveurs des mitrailleuses Gatling tournèrent leurs manivelles et lancèrent ainsi un millier de salves par minute vers le ciel grâce à leur système de canons pivotants. Les projectiles foncèrent vers l'homme volant en laissant un sillage de fumée grise.

« Personne ne peut survivre à une telle attaque, pensa Declan. Personne. »

Vecteurs et pesanteur jouaient un rôle décisif dans cette bataille. Les affûts des mitrailleuses ne permettaient qu'une élévation limitée. Même si elles avaient une portée horizontale de mille huit cents mètres, Airman était encore trop haut pour être atteint. Mais la pesanteur était également son ennemie. Son appareil fragile ne pourrait pas maintenir indéfiniment son altitude. Dès qu'il descendrait, les balles en feraient des confettis.

Le fracas et l'ébranlement des mitrailleuses étaient en soi un choc. L'île entière paraissait trembler. Il semblait que le seul recul des armes pourrait réduire en poussière la Muraille. Les chambres des armes crachaient de longues volutes de fumée, et des nuages de vapeur s'élevaient tandis que les préposés aux seaux rafraîchissaient les canons en les arrosant d'eau.

Declan n'avait jamais vu des mitrailleuses Gatling en action sur un champ de bataille, mais il avait entendu dire qu'une unique salve pouvait déchiqueter un homme. Il y avait maintenant assez de plomb dans l'air pour vaincre une armée entière. Le ciel retentissait du bourdonnement des balles, comme si un énorme

477

essaim de frelons métalliques convergeait avec décision vers la même cible.

Il leva la longue-vue pour regarder une dernière fois Airman. Même à cette distance, il était clair qu'il se trouvait dans une situation désespérée. De l'huile brûlante bouillonnait sur son visage et ses lunettes. Il bataillait des deux mains avec une barre de gouvernail. Des lambeaux de tissu se détachaient de ses ailes et claquaient derrière l'aéroplane comme des rubans d'un arbre de mai.

Declan abaissa sa longue-vue.

« Il est fichu. Nous ne connaîtrons jamais son but véritable. »

Un instant plus tard, Airman perdit son combat pour maintenir son appareil en altitude. Son moteur eut un spasme, poussa un grognement et mourut. Puis, comme s'ils se faisaient écho, l'appareil descendit en vrille tandis que les tireurs gardaient leurs munitions. Ils attendaient.

L'attente ne dura guère. Ce fut l'affaire de quelques secondes. Un ordre bref sur la Muraille, et les manivelles se remirent à tourner. Dix-huit canons crachèrent le feu et un nouvel ouragan de balles monta en flèche dans le ciel nocturne. Des cartouches vides tintèrent sur le parapet comme des pièces jetées à un mendiant.

Les balles transpercèrent les ailes et le fuselage de l'appareil, en arrêtant presque sa chute. L'impact fut terrible. Le fragile fuselage vola en éclats et les ailes se déchirèrent en mille morceaux. Les salves se succédèrent jusqu'au moment où le moteur explosa dans un jaillissement orangé. Des vrilles de feu coururent sur les nervures et les cordes, en dessinant les restes de l'aéroplane sur le fond noir du ciel.

Ils n'entendirent pas un éclaboussement.

LE CIEL NOCTURNE

Conor conduisait sa machine volante dans le ciel au-dessus de la Grande Saline. Un violent vent de travers se déchaînait sur l'avant de l'appareil en l'inclinant à tribord, et il remarqua des lueurs groupées vers la troisième tour. Qui disait lumière disait des gardes.

Les lueurs s'éteignirent une à une et Conor sentit son ventre se crisper d'angoisse.

« Maintenant, je suis la cible. »

Pendant un instant, il ne vit que des ombres s'agiter sur la troisième tour. Puis des points lumineux étincelèrent et une volée de coups de feu furent tirés vers le ciel. Une seconde plus tard, Conor entendit le sifflement des balles et leurs cris déçus quand elles passèrent sous lui.

Il sentit une panique absolue l'envahir et faillit sauter de l'aéroplane.

« Attends. Attends. Il faut que je dépasse la tour de Bonvilain. »

Le moteur avait des ratés, comme un cœur en train de défaillir. Il était en passe de perdre sa bataille avec les airs. Les deux ailes étaient en loques, et les griffes du vent arrachaient des lambeaux de mousseline à la carcasse. Sous les pieds de Conor, la pédale s'était détachée de ses étançons et se balançait, inutile.

« Je suis presque en position. Encore quelques mètres. »

Un second essaim de balles fonça vers lui et Conor sentit les projectiles les plus hauts secouer le train d'atterrissage en faisant tourner les roues. Il était à portée de tir, désormais. L'heure était venue de dire adieu à *La Brosse* *. Bientôt, toutes les preuves de son vol seraient détruites.

Conor savait que le maréchal n'aurait jamais permis qu'il puisse atteindre vivant la Grande Saline. L'astuce était donc de convaincre Bonvilain qu'Airman était enfin mort. C'était un vrai défi. Expert lui-même en tromperies, le maréchal n'était pas facile à abuser.

« Toutefois il ne connaît rien à l'aviation. Dans le ciel, c'est moi l'expert. »

Conor portait le harnais de son planeur muni d'une courroie supplémentaire pour le relier à la machine volante. Pour le reste, il avait comme toujours attaché dans son dos le planeur replié, dont les nervures heurtaient sa veste d'aviateur et dont le tissu était parcouru d'ondulations. Linus l'avait raccommodé pour lui, et il était plus solide que jamais.

« Encore un vol, mon vieil ami. »

Il était difficile de se pencher dans cette tourmente, difficile même de savoir où se baisser. Conor palpa donc son propre corps jusqu'au moment où sa main trouva la courroie sur sa poitrine. Il la tira vers le haut pour dégager la boucle et l'aéroplane libéré se mit à osciller autour de son buste, mais sans s'effondrer car ils étaient encore unis par la vitesse acquise et la pesanteur. Les balles se mirent à déchiqueter le bois autour de ses jambes. S'il ne s'en séparait pas sur-le-champ, son invention serait son cercueil.

Avec l'aisance d'une longue pratique, Conor avança la main vers la manette tendue par un ressort à côté de lui. Il lui suffit de tirer rapidement pour qu'aussitôt les ailes du planeur s'ouvrent. Elles se déployèrent au milieu des étoiles, tel un immense oiseau de nuit, en agissant comme un frein puissant qui souleva Conor loin de l'aéroplane condamné.

Il le regarda plonger dans l'océan étincelant des balles. Son invention historique était anéantie. Il n'en restait rien que des fragments enflammés et un cœur de métal fracassé.

Le moteur explosa en mille morceaux pas plus gros qu'un poing, qui tournoyèrent dans les ténèbres.

« Disparu. L'histoire ne retiendra rien de *La Brosse**. »

Très loin en dessous, sur la Grande Saline, un nuage de fumée voilait la Muraille et Conor vit briller à travers la lueur affaiblie de globes électriques.

« S'ils rallument les lumières, c'est qu'ils se croient en sécurité. »

Suspendu dans le ciel, Conor s'orienta. La tour sde Bonvilain était marquée par le rectangle de clarté d'une porte ouverte. Isabella et ses parents se trouvaient dans cette tour, en danger de mort. Peut-être était-il déjà trop tard.

« Dans la gueule du loup ! » songea Conor avant d'incliner le nez du planeur pour descendre vers la lumière.

LA TOUR DE BONVILAIN

Le maréchal Bonvilain rentra dans la salle à manger, le visage assombri par un regret exagéré. Derrière lui, les dernières flammes du brasier s'éteignaient dans le ciel. De la Muraille s'élevaient des cris joyeux de félicitation et le sifflement de la vapeur s'échappant des canons brûlants des mitrailleuses.

— C'est vraiment dommage, dit-il en baissant la tête. Cet homme avait tant à enseigner au monde.

Si la soirée jusqu'à présent avait été morose, l'atmosphère était maintenant chargée de colère. Il suffit à Bonvilain d'un coup d'œil sur le visage de ses hôtes pour comprendre qu'une crise était imminente.

— Il n'y avait pas d'autres moyens, mesdames… Declan… En tant que maréchal, je ne pouvais tolérer une attaque contre la Muraille.

Isabella était debout près de la cheminée, et ses joues empourprées contrastaient avec le blanc d'ivoire de sa robe à col haut.

Bonvilain fut troublé par son expression. Il ne l'avait encore jamais vue ainsi. Depuis le couronnement, Isabella n'avait cessé de prendre de l'assurance. Voilà qu'elle avait maintenant l'audace de le foudroyer du regard, alors qu'il était censé lui avoir sauvé la vie un instant auparavant.

« Je préférais nettement l'ancienne Isabella, pensa-t-il. J'aime que ma souveraine soit éperdue et affligée. »

Personne ne parlait et tous lançaient à Bonvilain les mêmes regards de dégoût.

« Ils ont discuté ensemble, se dit-il. Pendant que j'étais sur le balcon. »

– Je crois que nous sommes tous bouleversés, déclara-t-il innocemment. Voulez-vous que je ferme la fenêtre ?

Ils continuèrent de se taire. Bonvilain comprit que la reine rassemblait son courage pour se lancer dans un discours.

– Il vaut mieux que je m'asseye, annonça-t-il avec calme en se laissant tomber en tailleur sur un coussin. Autrement, mes jambes risquent de me trahir. Avez-vous une déclaration à faire, Majesté ?

Isabella s'avança. Sa robe cachait presque le tremblement de son corps.

– Le ramoneur a trouvé quelque chose, maréchal. Dans la chambre de mon père.

C'étaient les premières phrases qu'elle prononçait depuis le début de la soirée.

– Oh, vraiment ? dit Bonvilain d'un ton enjoué.

Il était embarrassé. Dans sa position, il ne pouvait guère s'attendre à une bonne surprise.

– Oui, maréchal, vraiment.

Isabella sortit de son sac un petit cahier relié en cuir et le serra contre son cœur.

– Ceci est le journal de mon père.

Bonvilain prit le parti de l'impudence.

– Mais c'est merveilleux, Majesté ! De cette façon, vous entrez en communication avec le roi Nicholas.

– En ce qui vous concerne, ce n'est pas tellement merveilleux, poursuivit Isabella en agrippant la main de Catherine pour se donner du courage. Mon père se défiait beaucoup de vos activités. Il écrit que vous abusez de votre pouvoir pour acquérir une fortune personnelle. Que vous entretenez un réseau d'espions en Irlande. Que vous êtes soupçonné d'avoir participé à des douzaines de meurtres. Et la liste continue.

– Je vois, dit Bonvilain tout en complotant dans sa tête.

« Il sera difficile de leur faire boire le vin empoisonné. Ils se méfient déjà de moi. »

Isabella ne tremblait plus et elle parlait désormais en souveraine.

– Vous voyez ? Je n'en suis pas certaine, maréchal. Saviez-vous que mon père comptait vous envoyer en prison ? Saviez-vous qu'il entendait réformer complètement les institutions des îles Salines et instaurer un parlement ?

Bonvilain réussit à conserver son expression affable mais il avait conscience d'être en plein désastre.

« C'est toujours comme ça, songea-t-il. On tue un ennemi et aussitôt trois autres surgissent comme par enchantement. »

– Puis-je vous lire quelque chose ? demanda Isabella.

Bonvilain hocha la tête.

– Ce n'est pas à moi de permettre ou d'interdire, Majesté.

– Je considérerai cela comme un oui, répliqua Isabella avec un sourire glacé.

Elle lâcha la main de Catherine pour ouvrir le journal de son père.

– « Hugo Bonvilain est un fléau, lut-elle. Son pouvoir est immense et il en abuse à la moindre occasion Quand j'aurai la preuve de ses crimes, je l'enverrai passer le reste de ses jours à contempler les murs de sa cellule comme tant d'autres qu'il a condamnés à subir ce sort. Cependant je dois être prudent, car le maréchal ne recule devant rien. S'il apprenait mes projets, je crois qu'il serait capable de n'importe quoi pour les faire échouer. Je ne crains pas pour ma propre vie, mais Isabella doit rester en sécurité. Elle est ce que j'ai de plus précieux. »

La voix d'Isabella faillit se briser à la fin, mais elle saisit la main de Catherine et termina d'un ton ferme.

Bonvilain tapa des deux mains sur ses genoux.

– Quel réquisitoire ! s'exclama-t-il. Ce texte est manifestement un faux, préparé par un de mes ennemis.

« Il faut que je les fasse boire. Mais comment ? Comment ? »

– Je connais l'écriture de mon père, rétorqua-t-elle avec assurance.

– Je n'en doute pas, mais un faussaire habile peut tromper des yeux plus exercés que les nôtres. Faites contrôler ce cahier par un expert de votre choix. J'y tiens absolument. Ce texte constitue une grave insulte à l'œuvre de ma vie, et je veux me laver de ces accusations.

— Je n'ai pas terminé, lança Isabella. Vous êtes dès maintenant destitué de vos fonctions. Declan... le capitaine Broekhart vous remplacera.

Bonvilain refréna la rage qui bouillonnait en lui.

— Declan ferait sans aucun doute un excellent maréchal. J'approuve entièrement ce choix, mais j'ai certainement le droit de...

— Assez ! ordonna la reine d'un ton sans réplique. Vous resterez ici en résidence surveillée jusqu'à la fin de l'enquête sur vos affaires.

Bonvilain se maudit en silence. Il avait fourni à la reine le cadre rêvé pour lancer son offensive. Quelques-uns de ses hommes étaient cachés dans un compartiment secret derrière le mur, mais il était difficile de passer la main sous une tapisserie pour tirer discrètement une manette alors que tous les regards étaient braqués sur lui.

« Tout repose sur le vin empoisonné. S'il n'y avait que la reine, je pourrais la forcer à boire, mais Declan Broekhart me transpercerait avec ce fichu sabre de cérémonie. Quant à sa femme, si ses regards étaient des poignards, je serais déjà mort. »

Les yeux d'Isabella brillaient de soulagement et ses épaules s'affaissèrent tandis que la tension abandonnait son corps. Depuis l'instant où elle avait découvert le journal, elle avait été terrifiée par la perspective de cette confrontation. Elle avait préparé chaque mot de son discours et finalement la victoire était à elle, et à son père.

— Et maintenant, Hugo Bonvilain, déclara-t-elle,

je crois qu'il convient d'achever ce pour quoi nous sommes ici réunis. Nous devrions porter un toast en l'honneur de notre bien-aimé Conor Broekhart.

Bonvilain se mordit la lèvre.

«Oh, merci, démons de l'ironie! Les dieux ont le sens de l'humour, après tout.»

Il prit un air maussade

– Je ne pense pas… Étant donné les circonstances. .

Catherine s'avança et prit la bouteille prévue dans le seau à glace.

– Il me paraît évident que votre invitation n'était qu'une tentative pour flatter bassement Isabella et Declan, mais nous désirons honorer notre fils et vous allez lever votre verre avec nous.

– C'est ridicule, grogna Bonvilain. Mais je ne veux évidemment pas mécontenter ma souveraine.

Il se leva lourdement tandis que Declan ouvrait la bouteille et remplissait les verres. À le voir marmonner tout bas en jetant des regards haineux à la ronde, on l'aurait pris pour l'incarnation du tyran vaincu et non pour un intrigant sur le point de réussir son plus beau coup.

Tous levèrent leur coupe de cristal et Bonvilain les imita mollement. Catherine sourit avec approbation à Isabella, qui porta le toast.

– À Conor, mon meilleur ami. Mon prince et mon sauveur. Puisses-tu veiller sur mon père.

Des larmes brillèrent dans les yeux de Catherine et Declan ne put retenir un gémissement. Bonvilain s'efforça de ne pas rire, mais c'était difficile.

«Veiller sur votre père ? Vous pourrez vous en charger vous-même, si tout tourne comme je le souhaite. »

Il attendit que ses hôtes boivent, mais ils n'en firent rien. Renonçant pour un instant à son expression revêche, il leur jeta un coup d'œil. Ils regardaient leur coupe scintillante d'un air soudain soupçonneux.

« Peut-être ce vin est-il empoisonné, semblaient-ils penser. Peut-être est-ce le vrai motif de l'invitation de Bonvilain. »

Le maréchal n'avait qu'un seul moyen de dissiper ce soupçons.

‹ Et voilà, c'est parti. Je vais passer mon temps aux cabinets jusqu'à demain matin. »

– Au jeune Broekhart, que je regrette tant ! lança-t-il en vidant son verre d'une traite.

– À Conor, mon fils, dit Declan. Le ciel est heureux de l'avoir.

Et le capitaine leva sa coupe vers sa bouche.

Il n'eut que le temps d'y humecter ses lèvres, car une masse sombre surgit de la nuit et se précipita sur Bonvilain. Une masse sombre avec des ailes.

Conor traversa la fenêtre en un éclair, telle une créature nocturne, et s'écrasa sur Bonvilain qu'il entraîna dans sa chute sur la table basse. Assiettes et couverts s'envolèrent et les deux hommes se retrouvèrent empêtrés dans la nappe brodée d'or. Seules les ailes de Conor émergeaient, ce qui lui donnait l'apparence d'un papillon de nuit géant attiré par l'éclat des broderies.

Declan réagit sur-le-champ en jetant sa coupe pour saisir la poignée de son sabre de cérémonie, que son luxe n'empêchait pas d'être affilé comme un rasoir.

« C'est Airman, pensa-t-il. Il vient tuer la reine. »

Il convenait d'oublier provisoirement Bonvilain afin de régler son compte à cet ennemi commun. Il attrapa un bout de nappe, se baissa et tira de toutes ses forces pour faire tomber de la table les deux combattants. Ils roulèrent par terre sans cesser de lutter, encore que les coups de Bonvilain fussent de plus en plus faibles et inefficaces. L'homme volant martela de son poing le visage de son adversaire, jusqu'au moment où le regard du maréchal s'embruma. Declan essaya d'agripper l'intrus par le col de sa veste, mais il fut trop lent. Airman se retourna d'un bond et demanda d'un ton pressant :

– Avez-vous bu ? Avez-vous porté un toast ?

« Curieuse question de la part d'un assassin, se dit Declan. Mais ce n'est pas le moment d'être distrait. Je réfléchirai quand je l'aurai abattu. »

Il brandit son sabre avec l'intention d'étourdir Airman d'un coup du plat de la lame, mais l'avant-bras de son adversaire détourna le coup avec désinvolture.

– Le toast. Vous avez bu ?

Quelque chose dans l'attitude de cet homme troublait Declan. Il avait l'impression d'être sur le point de commettre une terrible méprise. C'était son visage, peut-être, ou sa voix… Sentant sa résolution incertaine, il s'abstint de frapper.

Catherine ne partagea pas ses doutes. De sa place, le visage d'Airman était invisible. Elle ne voyait qu'un agresseur menaçant son époux. Relevant sa jupe, elle décocha un solide coup de pied dans le flanc de l'homme volant, puis abattit sur son crâne un vase de fleurs qu'elle avait sous la main

Conor chancela, ruisselant d'eau et coiffé de jonquilles.

— Attendez, lança-t-il d'une voix entrecoupée tout en se débarrassant de son harnais et de ses ailes. Ne…

Mais aucun répit ne lui fut accordé. Isabella tira un sabre de samouraï de la vitrine où il était exposé et se mit en position devant lui.

— En garde, *monsieur**, dit-elle en lançant une attaque foudroyante.

Conor eut à peine le temps d'extraire son arme du fourreau pour parer la première botte.

— Isabella ! souffla-t-il complètement déconcerté. Il faut que tu arrêtes

La reine n'était pas d'humeur à arrêter quoi que ce soit.

— J'arrêterai quand vous serez mort, assassin !

Conor réussit une contre-attaque qui lui donna l'instant dont il avait besoin pour trouver son équilibre.

L'escrime d'Isabella s'était améliorée depuis l'époque de leurs leçons avec Victor, mais Conor reconnaissait encore l'influence de leur professeur.

— Tu as bien étudié Marozzo, dit-il en haletant. Victor serait fier de toi.

L'arme d'Isabella trembla puis se figea.

Qu'est-ce que cela signifiait ? Comment cet homme pouvait-il invoquer le nom de Victor ?

Declan fit un rempart de son corps à son épouse et à la reine, en brandissant son sabre.

– Voulez-vous nous montrer votre visage, monsieur ? demanda-t-il. Je vous accorde cinq secondes avant de me battre avec vous jusqu'à la mort. Et il s'agira de votre mort.

Conor abaissa lentement son arme puis planta la lame dans le plancher.

– D'accord. Mais auparavant, dites-moi si vous avez bu.

– Personne n'a rien bu ! s'écria Declan. Maintenant, enlevez vos lunettes, monsieur.

Les épaules de Conor s'affaissèrent et il parut sur le point de s'effondrer, mais il se redressa, abaissa le col cachant son menton puis remonta ses lunettes sur son front. Même si son visage était noirci par l'huile et la suie, ses yeux étaient clairs et une mèche blonde s'était détachée de son casque de cuir.

Les assistants étaient abasourdis. Ce qu'ils voyaient n'était pas possible.

– Père, je sais que vous avez fait le vœu de me tuer si nous nous revoyions, dit Conor avec lenteur, mais vous ignorez certaines choses. Victor n'a pas tué le roi, et je n'ai rien à voir avec ce crime. C'est Bonvilain le coupable.

– Conor ? souffla sa mère. Tu es vivant ?

Declan tomba à genoux, comme s'il avait reçu un coup dans l'estomac. Il haletait et des larmes ruisselaient sur son visage.

– Mon fils est vivant. Comment est-ce possible ?

Conor comprit d'un coup l'étendue de la perfidie de Bonvilain.

« Mes parents croyaient sincèrement que j'étais mort. Bonvilain a inventé un mensonge différent pour chacun d'entre nous. »

Isabella fut la première à accourir pour le serrer dans ses bras, embrasser les joues de son ami, mêler ses larmes aux siennes.

– Oh ! Conor, Conor. Où étais-tu ?

Conor la serra contre lui, bouleversé par la force des sentiments dont il était l'objet. Il s'était préparé à la méfiance et à la colère, pas à l'amour.

– C'était toi dans cette cellule ! gémit Declan. Et j'ai dit que je voulais te tuer ! Je t'ai envoyé en enfer.

Catherine caressa le dos de son époux, mais elle ne put supporter de rester loin de son fils. Se précipitant vers lui, elle prit le visage de Conor entre ses mains.

– Oh, Conor ! Tu es un homme, maintenant. À dix-sept ans, te voilà aussi grand que ton père.

Il fut vaguement surpris de se rappeler qu'il n'avait effectivement que dix-sept ans. Conor Finn avait eu plus de vingt ans.

Une fureur terrible apparut sur le visage de Declan Broekhart.

– Bonvilain est responsable. Tout est de sa faute. Et par Dieu, je vais le faire payer.

Le maréchal !

Emporté par ce tourbillon d'émotions, Conor avait oublié Hugo Bonvilain. Serré dans les bras de sa mère et de sa souveraine, il se tourna tant bien que mal et ne vit qu'une flaque de sang à l'endroit où le traître était tombé. Arrachant son sabre du plancher, Conor fouilla la pièce. Il découvrit son vieil ennemi rasant le mur pour rejoindre discrètement la porte.

— Père ! appela Conor en pointant son sabre vers le maréchal. Nous devons le capturer.

Comprenant que sa fuite avait échoué, Bonvilain glissa une main sous la tapisserie et tira sa manette secrète. La cheminée s'écarta grâce à un système de poulies, révélant un groupe serré de gardes de la Sainte-Croix.

Bonvilain sourit de sa bouche ensanglantée où nombre de dents manquaient à l'appel.

— Mon dernier rempart, dit-il en crachant du sang.

Il lança à ses soldats :

— Tuez les femmes. Ce sont des traîtresses.

C'était un ordre habile, obligeant Conor et Declan à le laisser pour défendre Isabella et Catherine. Les soldats sortirent en désordre de leur cachette, en tirant des épées et des poignards. Pas de pistolets, car la garde de la Muraille accourrait au moindre coup de feu.

Heureusement, leur abri était si étroit que les hommes étaient encore ankylosés et éblouis par la lumière, ce qui donna aux Broekhart une seconde d'avantage.

Ils la mirent si bien à profit que la demi-douzaine de gardes de la Sainte-Croix refluèrent vers leur cachette.

— Surveille le maréchal ! cria Conor à Isabella.

— Il n'est plus maréchal, déclara la reine en brandissant le sabre de samouraï.

Puis elle lança à Bonvilain:

– On m'a appris comment découper un homme en trois. Si vous osez faire un pas vers nous, je vous en ferai la démonstration.

Bonvilain pinça le nez. En temps ordinaire, il se serait jeté sur cette petite sotte et aurait broyé les mains qui tenaient le sabre, mais le poison dans son vin commençait à faire son effet. Il avait des fourmis dans les doigts et un volcan bouillonnait dans ses entrailles. Il fallait qu'il sorte d'ici avant que se manifestent les symptômes les plus aigus.

Le chemin de la porte était barré par les Broekhart. Son passage secret était une mêlée de bras gesticulants et de lames acérées. Il n'avait plus d'autre issue que le balcon.

Il s'y rendit, non sans trébucher sur les ailes abandonnées de Conor, et regarda en bas avec fébrilité dans l'espoir de trouver une planche de salut.

« Songer que Hugo Bonvilain puisse avoir besoin d'aide! Comme c'est embarrassant. »

À ses pieds, les sentinelles de la Muraille démontaient les mitrailleuses Gatling, sans paraître remarquer le tumulte régnant vingt mètres plus haut. Elles n'avaient manifestement rien vu de la créature semblable à un oiseau géant qui avait fait irruption dans les appartements de leur maréchal.

Bonvilain sentit ses boyaux se tordre sous l'effet du poison.

« Il faut que je m'échappe. Je dois trouver un moyen pour descendre. »

Là-bas! Sultan Arif traversait la cour, un sac de marin à la main et un autre pendant sur son dos.

«Où diable s'en va ce crétin?»

— Sultan! hurla-t-il. Capitaine Arif! J'ai besoin de vous, tout de suite!

Sultan fit un faux pas mais ne s'arrêta pas.

— Je rentre chez moi, Hugo! cria-t-il sans se retourner. J'ai beaucoup de péchés à expier.

Pour la première fois en bien des années, Bonvilain ressentit une véritable rage.

— Revenez ici! ordonna-t-il en tapant comme un sourd sur la balustrade. Je n'ai pas de temps à perdre avec vos bouderies. Envoyez-moi une corde avec votre arbalète.

Arif désobéit une nouvelle fois.

— Si vous avez bu votre verre, je vous conseille de rester calme, maréchal, lança-t-il en accélérant le pas vers le portail. Un cœur qui s'emballe répand le poison plus rapidement dans les veines.

— Misérable traître! rugit Bonvilain. Soyez sûr que nous nous reverrons!

— Et je sais bien où, murmura Sultan en tournant le dos définitivement au maréchal.

«Un cœur qui s'emballe répand le poison plus rapidement dans les veines...»

Bonvilain comprit soudain la vérité de cette phrase quand un spasme le secoua si violemment qu'il vomit de la bile sur le balcon.

«Calme-toi, Hugo. Il te reste du temps.»

Après avoir agité son poing une dernière fois en

495

direction de Sultan Arif, Bonvilain rentra dans son appartement...

Où Declan et Conor Broekhart se battaient avec acharnement contre trois des gardes de la Sainte-Croix. Trois autres gisaient déjà par terre, inconscients ou cramponnés à leurs blessures. À cet instant, une lame s'enfonça dans l'épaule de Declan Broekhart, qui laissa son fils combattre seul.

Catherine traîna son époux à l'abri et la reine Isabella continua de menacer Bonvilain de son sabre.

« Cette petite devient vraiment ennuyeuse. Pourquoi l'ai-je laissée en vie si longtemps ? »

Il songea qu'il avait élaboré des plans trop compliqués.

« Il est nécessaire pour moi que ces gens meurent, mais je dois avant tout trouver un endroit sûr où reprendre des forces. J'ai de l'argent et des partisans en Irlande. »

Conor repoussa les trois gardes en faisant tournoyer son sabre, puis il tira un pistolet de sa ceinture et fit feu en visant vers le bas. Deux soldats s'effondrèrent, les tibias fracassés.

« Des coups de feu ! songea Bonvilain. Ce vacarme s'ajoutant au mot "poison" crié dans la cour va mettre en émoi la garde de la Muraille. Il faut que je décampe. »

Le poison était dans ses jambes, maintenant. Il enfonçait des aiguilles dans ses orteils et entravait ses muscles.

À l'autre bout de la pièce, Conor Broekhart combattait le dernier soldat, un Écossais gigantesque brandissant un glaive écourté. C'était un des mercenaires de Bonvilain, un tueur endurci. L'espace d'un instant, Bonvilain eut une lueur d'espoir, puis Conor esquiva le coup du géant et l'assomma avec la garde de son sabre.

Après avoir fait culbuter cet ultime ennemi dans la cavité secrète, il actionna la manette derrière la tapisserie et enferma tous les gardes. On les entendait gémir de l'autre côté de la grille.

— Derrière toi, mon fils ! souffla Declan entre ses dents. Le maréchal !

Conor se précipita vers Bonvilain avec des yeux où flamboyaient trois années de haine. Il semblait sorti tout droit du cauchemar d'un enfant, avec ses vêtements noirs, son sabre ensanglanté et ses lèvres d'où s'échappait un grondement féroce.

— Bonvilain, dit-il d'une voix étrangement calme.

D'ordinaire, le maréchal aurait apprécié cette occasion de prononcer quelques remarques percutantes avant d'engager un bref combat à mort avec ce petit morveux, mais à présent son organisme était dévasté par l'aconit. Sa langue lui semblait curieusement gonflée dans sa bouche et ses jambes pliaient sous le poids de son buste.

« Bientôt, je serai hors d'état de penser. Il faut que je m'échappe tout de suite. »

Isabella s'avança vers lui.

— Vous allez répondre de vos crimes, Hugo Bonvilain. Votre règne est terminé. Inutile d'essayer de fuir.

Bonvilain se baissa en grognant comme un sanglier. Saisissant le harnais de Conor, il traîna le planeur sur le balcon

— Fuir, marmonna-t-il l'écume aux lèvres. Envole-toi, homme volant !

Conor le suivit en armant son pistolet.

— Je vous déconseille de continuer, Bonvilain.

Le maréchal réussit à émettre un rire sardonique.

— Conor Broekhart ! Je vous trouverai donc toujours en travers de mon chemin. À Paris, quand j'ai ordonné qu'on abatte l'aérostat de votre père. Et le jour où j'ai mis le feu à la tour du roi. Et encore aujourd'hui. Peut-être les gens ont-ils raison de vous attribuer des pouvoirs magiques.

Il était difficile de comprendre les paroles de Bonvilain tant il avait la bouche embarrassée par la bave et le sang. Le maréchal se traîna jusqu'à la balustrade du balcon.

— N'approchez pas, ou vous ne connaîtrez jamais mes secrets.

Conor brûlait d'envie de l'achever, mais Isabella l'en empêcha en l'effleurant de la main.

— Non, Conor. Il faut que je sache tout ce qu'il a fait. Il y a tant d'injustices à réparer.

Elle se tourna vers le maréchal.

— Descendez de là, lança-t-elle. C'est votre reine qui vous l'ordonne.

Bonvilain se hissa tant bien que mal sur ses pieds, tout en fixant maladroitement le harnais à ses épaules.

— Je n'ai ni reine ni dieu ni pays, marmotta-t-il en attachant la ceinture avec ses doigts engourdis.

Il faudrait s'en contenter, il n'avait plus la dextérité requise pour les autres boucles.

— Tout ce que j'ai, c'est ma fourberie.

Avec une détermination née de la haine, il glissa la main sous sa robe brodée de dragons pour saisir un poignard fixé à sa ceinture. Conor vit luire la lame émergeant de la soie.

« Isabella ! Même maintenant, il essaie de la tuer. »

Conor brandit son pistolet, mais Declan Broekhart fut plus rapide, malgré son épaule blessée. Il lança son sabre comme un javelot, avec tant de force qu'il traversa la cotte de mailles de Bonvilain et s'enfonça dans son cœur.

Bonvilain soupira, comme s'il était déçu par le livre qu'il lisait, puis il se renversa sur la balustrade et bascula dans la nuit. Un courant ascendant s'engouffra dans les ailes du planeur et emporta le maréchal dans les airs au-dessus de la cour, sous les yeux incrédules des sentinelles de la Muraille et des centaines de Salinois que les mitrailleuses Gatling avaient tirés de leurs lits.

Bonvilain resta un moment suspendu et le sang ruisselant de son corps dessina des volutes écarlates sur les pavés, avant qu'un vent de travers ne secoue le planeur et l'entraîne vers le large.

Conor regarda s'éloigner sa silhouette, dont surgissait le sabre planté dans son cœur sans vie, tandis qu'elle descendait de plus en plus près de l'océan glacé en emportant avec elle le cauchemar qu'avait été sa vie.

Personne ne parvenait à détacher son regard du cadavre de Bonvilain, qui frappait l'attention même dans sa mort. Il continua de dériver loin de l'île et de descendre, jusqu'au moment où ses pieds frôlèrent les vagues. Conor aurait voulu le voir sombrer, afin d'être certain que tout était fini, mais il ne fut pas exaucé. Le maréchal disparut de sa vue avant d'avoir été englouti par l'océan.

Dans la cour, la consternation régnait. Les sentinelles frappaient à coups redoublés contre la porte communiquant avec la Muraille, et la foule affluait au pied de la tour.

Declan Broekhart prit Isabella par la main et la conduisit à la balustrade.

— La reine est saine et sauve ! cria-t-il en levant la main. Vive la reine !

La clameur qui lui répondit était pleine d'un soulagement venant du fond du cœur.

— Vive la reine !

Chapitre 19
Le départ

La reine Isabella avait pris l'habitude de faire un tour sur la Muraille chaque matin au lever du soleil. Elle pensait que la voir en ces lieux donnait du courage à ses sujets. Au bout de quelques aurores, elle pouvait appeler par leur nom tous les gens qu'elle croisait.

Conor se joignait souvent à sa souveraine lors de ces promenades matinales. La veille de son départ pour Glasgow, où il devait étudier les sciences à l'université, ils se retrouvèrent au pied de l'ancienne tour de Bonvilain.

Accoudée au parapet, Isabella regardait une flottille de bateaux de pêche à huit cents mètres du rivage. Les petits bateaux dansaient sur les eaux agitées du bras de mer.

– On ne le retrouvera jamais, tu sais, dit Conor. La cotte de mailles de Bonvilain l'a fait couler comme une pierre. À l'heure qu'il est, il sert de repas aux crabes.

501

Isabella hocha la tête.

— En l'absence de son corps, le maréchal est devenu un croque-mitaine. On raconte qu'il a été vu à Paris, à Dublin. J'ai lu dans le *Times* de Londres qu'il gagnait sa vie comme tueur à gages à Whitechapel.

Ils restèrent tous deux un instant silencieux, en tentant de se persuader qu'ils avaient bel et bien vu mourir Hugo Bonvilain.

— Que vas-tu faire de cet endroit ? demanda enfin Conor en tapant sur le mur de la tour.

— Un marché du diamant, je pense, répondit Isabella. Je trouve ridicule de traiter nos affaires à Londres alors que les diamants sont ici.

— Tu entreprends de grands changements.

— Tant de choses ont besoin de changer. La Petite Saline, pour commencer. Savais-tu que seuls quatorze prisonniers sont originaires des îles Salines ? La majorité des autres malheureux vient d'Irlande ou de Grande-Bretagne. Je vais fermer définitivement la prison et confier l'exploitation de la mine à une société spécialisée.

Conor jeta un regard sur le *s* inscrit au fer rouge sur sa main.

« La Petite Saline m'accompagnera toujours. Elle m'a marqué corps et âme. »

— Que vont devenir les prisonniers ? demanda-t-il.

— Chaque cas sera réexaminé par un juge. Je soupçonne que la plupart des détenus ont purgé leur peine et au-delà. Il faudra réparer ces injustices.

— Je te serais reconnaissant d'accorder ta bienveillance à un certain Otto Malarkey. Il n'est pas aussi terrible qu'il en a l'air.

– Bien sûr, sir Conor.

– Tu seras une reine remarquable.

– Mon père était un vrai scientifique. Moi, je suis une femme d'affaires. Tu pourras être le scientifique de ma cour… à ton retour.

– Ma mère t'a mise au courant ?

Isabella le prit par le bras et ils flânèrent le long de la Muraille

– Catherine m'a parlé de Glasgow. Je suis censée te convaincre de ne pas partir.

– Et comment comptes-tu t'y prendre ?

– Je pourrais toujours te faire pendre.

Conor sourit.

– Comme au bon vieux temps. Parfois, j'aimerais être encore à cette époque.

Isabella s'arrêta à l'un de ses endroits favoris sur la Muraille. Une petite pente où des maçons avaient construit un siège pour les amoureux, plusieurs siècles auparavant. De ce poste d'observation privilégié, il était possible de voir à diverses heures de la matinée le soleil illuminer le vitrail du clocher de l'église. À mesure que le soleil avançait, il semblait que l'image de saint Christophe sur la vitre bougeait elle aussi un peu.

Isabella s'assit sur le banc de pierre, en forçant Conor à prendre place à côté d'elle.

– Moi aussi, je regrette le bon vieux temps. Mais il n'est pas trop tard pour nous, n'est-ce pas, Conor ?

– J'espère que non, répondit Conor.

— Alors j'attendrai, déclara Isabella.

Son côté espiègle refit surface.

— Traverserez-vous le ciel pour venir me voir, sir Airman ?

— Je ne suis qu'un *sir*. N'est-ce pas trop roturier pour une reine ?

— C'est facile à arranger. Une simple piqûre de mon épingle à chapeau peut faire de toi un prince.

— Une épingle à chapeau ? Est-ce légal ?

— Il n'est pas nécessaire d'utiliser une épingle à chapeau, du moment que le sang coule et que tu souffres terriblement.

Conor prit sa main dans la sienne.

— Je crois maintenant que je vais terriblement souffrir jusqu'à mon retour.

— Alors travaille dur, obtiens ton diplôme et reviens vite à la maison. Ta reine a besoin de toi. J'ai besoin de toi.

Ils s'embrassèrent pour la première fois, tandis que le soleil jouant sur le vitrail peignait des arcs-en-ciel sur leurs visages et que le brouhaha du marché s'élevait de la place au pied du rempart.

Il avait fait tous ses adieux. Il avait embrassé sa mère et balancé son petit frère en tous sens. Il ne lui restait plus qu'à partir.

Par une matinée ensoleillée, Conor descendit vers le port d'un pas nonchalant, en surveillant du coin de l'œil le garçon poussant la charrette chargée de ses bagages sur la pente de la colline. La mer était calme et un petit navire à vapeur amarré dans le bassin extérieur tirait sur ses cordes en soufflant.

Un attroupement s'était formé sur le pont et Conor sourit quand il aperçut l'attraction du jour. Linus Hyver régalait les passagers d'une interprétation impromptue d'un air tiré du *Retour du soldat*.

En entendant les pas de Conor sur les planches, il s'arrêta de chanter.

– Il était temps que vous apparaissiez, mon garçon. Il a fallu que je chante pour empêcher le capitaine de larguer les amarres.

– Toutes mes excuses, Linus, dit Conor en lançant un shilling au porteur. Avez-vous veillé au sort du laboratoire ?

– Il est en bonnes mains. Tonton s'y est installé avec deux de ses « abrutis », comme il les appelle.

– Et comment est l'odeur de Tonton ?

– Pas vraiment suave. Tout ce que nous pouvons espérer, c'est qu'il tombe dans l'océan avec une savonnette dans sa poche.

Conor sauta par-dessus le mètre de mer qui le séparait du vapeur.

– Pensez-vous que l'Écosse soit prête pour votre génie ?

Linus sourit de toutes ses dents en ajustant les lunettes à verres teintés que Conor lui avait confectionnées.

– Les Écossais sont célèbres pour leur sensibilité musicale. Robert Burnes était un poète du peuple, comme moi. Glasgow va m'adopter, j'en suis sûr. Dans six mois, nous serons la coqueluche de la ville.

– Vous pouvez voir l'avenir, à présent, mon vieil ami ?

Linus tâtonna dans l'air jusqu'au moment où il trouva l'épaule de Conor.

– Les autres regardent en haut et en bas, à droite et à gauche, déclara-t-il. Mais les gens comme nous sont différents. Nous sommes des visionnaires.

Table des matières

Eoin Colfer

L'auteur

Eoin (prononcer Owen) **Colfer** est né en 1965 à Wexford, en Irlande. Enseignant, comme l'étaient ses parents, il vit avec sa femme Jackie et ses deux fils dans sa ville natale, où sont également installés son père, sa mère et ses quatre frères. Tout jeune, il s'essaie à l'écriture et compose une pièce de théâtre pour sa classe, une histoire dans laquelle, comme il l'explique, « tout le monde mourait à la fin, sauf moi ». Grand voyageur, il a travaillé en Arabie Saoudite, en Tunisie et en Italie, puis il est revenu en Irlande. Avant la publication d'*Artemis Fowl*, Eoin Colfer avait déjà publié plusieurs livres pour les moins de dix ans et était un auteur pour la jeunesse reconnu dans son pays. *Artemis Fowl*, qui forme le premier volume de la série, est un livre événement que se sont arraché les éditeurs du monde entier et qui a propulsé son auteur au rang d'écrivain vedette de la littérature pour la jeunesse. Mais ce soudain succès international n'a pas ébranlé Eoin Colfer, qui se reconnaît simplement chanceux. S'il a interrompu un temps ses activités d'enseignant pour se consacrer à l'écriture des aventures d'Artemis, ce qu'il souhaite avant tout, c'est rester entouré de sa famille et de ses amis qui « l'aident à rester humble ». Et lorsqu'il a reçu les premiers exemplaires de son livre, il s'est précipité pour voir ses élèves, à qui il avait promis de lire l'histoire en priorité. Doté d'un grand sens de l'humour, il a également prouvé ses talents de comédien dans un *one man show*.

Du même auteur chez Gallimard Jeunesse

Découvre d'autres livres
d'**Eoin Colfer**

dans la collection

QUE LE DIABLE L'EMPORTE…

n° 1222

Meg est une jeune fille un peu perdue. Sa mère est morte et son beau-père n'est qu'un bon à rien qui la maltraite. Comme si cela ne suffisait pas, la voilà maintenant embarquée dans un mauvais coup avec un voyou nommé Belch. Tout ça ne pouvait que mal finir… très mal même. D'autant que le diable s'intéresse de très près à elle!

FLETCHER MÈNE L'ENQUÊTE

n° 1532

Mon nom, c'est Moon. Fletcher Moon. J'ai 12 ans et je suis détective privé. J'avais tellement écumé les caniveaux à la recherche de fraises Tagada égarées… Je pensais que plus rien ne pourrait m'étonner. J'avais tort… Entre une famille de malfrats renommés et une très jolie fille, je me suis attiré une foule de Problèmes, avec un P majuscule et un S après le E.

ARTEMIS FOWL

1. ARTEMIS FOWL
n° 1332

Nom : Fowl
Prénom : Artemis
Âge : 12 ans
Signes particuliers : une intelligence redoutable et redoutée
Profession : spécialiste en entreprises délictueuses et collégien (à ses heures perdues)
Recherché pour : enlèvement de fées et demande de rançon

Appel à tous les FARfadets, membres des Forces Armées de Régulation du Peuple des fées : cet humain est dangereux et doit être neutralisé par tous les moyens possibles.

2. MISSION POLAIRE
n° 1381

Artemis n'a plus qu'une idée en tête : retrouver son père. Persuadé que celui-ci est vivant, quelque part en Russie, il va déployer des moyens techniques et financiers colossaux pour le rechercher. Il devra se battre contre la Mafiya russe, contre les gobelins, se retrouver au beau milieu des glaces arctiques et s'allier au Peuple des fées. En échange d'un petit service…

3. CODE ÉTERNITÉ

n° 1391

Message urgent de : Artemis Fowl
Destinataire : Peuple des fées
« Je pense que je n'ai pas à me présenter. Ma réputation n'est plus à faire. Je suis un jeune génie du crime, j'ai monté les mauvais coups les plus audacieux, les arnaques les plus habiles. Mais ceci est ma dernière mission. Grâce à certaines de vos technologies, j'ai pu inventer l'objet ultime, qui devrait révolutionner le monde. La clé de cette petite merveille est un code que je suis le seul à connaître… Mais les choses tournent plutôt mal et, pour la première fois de ma vie, je me retrouve dans une situation désespérée. Je vous lance donc un appel au secours. Si vous n'y répondez pas, je suis perdu. Et vous aussi, Peuple des fées… »

4. OPÉRATION OPALE

n° 1444

Message à l'attention de : Artemis Fowl
« Nous sommes le Peuple des fées. Vous ne vous souvenez plus de nous car nous avons effacé votre mémoire. Mais aujourd'hui, nous devons vous informer que nous sommes tous en danger de mort. Opale Koboï, la fée lutine que vous nous avez autrefois aidés à combattre, est de retour, déterminée à se venger. Pour la vaincre, vous avez besoin de nous. Et nous avons besoin de vous… »

5. COLONIE PERDUE

n° 1485

Incroyable! Il existe sur cette terre un cerveau aussi brillant que celui d'Artemis Fowl. Une personne aussi géniale que le célèbre bandit... Elle se nomme Minerva, elle est française et n'a que douze ans! L'ambitieuse prend Artemis de vitesse alors que les démons – les êtres les plus redoutables parmi le Peuple des fées – menacent de quitter leur colonie perdue pour débarquer chez les humains. Dans cette partie diabolique, il n'y aura qu'un gagnant. Et cette fois, il n'est pas sûr que ce soit Artemis!

6. LE PARADOXE DU TEMPS

n° 1539

Trolls, Gobelins, fées maléfiques... Artemis croit avoir déjà affronté les plus grands dangers. Mais sa mère tombe gravement malade. Pour trouver l'antidote qui la sauvera, il lui faut remonter le temps... Dans ce voyage d'un péril extrême, Artemis rencontre son pire ennemi. Et son pire ennemi, c'est lui!

7. LE COMPLEXE D'ATLANTIS

n° 1621

Et si le génie criminel n'était pas celui que vous croyiez! Le jour de ses quinze ans, Artemis Fowl réunit les représentants du Peuple des fées au pied d'un glacier en Islande. Il a un plan pour sauver la planète du réchauffement climatique. Un plan pour lequel il est prêt a investir sa fortune. Trop beau pour être vrai, se disent ses amis. Ce qui les inquiète davantage, c'est Artemis. Serait-il atteint du complexe d'Atlantis, qui provoque des troubles de la personnalité?

LE DOSSIER ARTEMIS FOWL

n° 1583

Dans ce dossier, découvrez deux aventures inédites, des révélations sur le Peuple des fées, des interviews exclusives des principaux personnages... et de l'auteur lui-même!

Le papier de cet ouvrage est composé de fibres naturelles, renouvelables,
recyclables et fabriquées à partir de bois provenant de forêts plantées
et cultivées expressément pour la fabrication de la pâte à papier.

Mise en pages : Maryline Gatepaille

Loi n° 49-956 du 16 juillet 1949
sur les publications destinées à la jeunesse
ISBN 978-2-07-061912-2
Numéro d'édition : 246962
Numéro d'impression : 113267
1er dépôt légal dans la même collection : février 2011
Dépôt légal : juillet 2012

Imprimé en France par CPI Firmin-Didot